KB179246

서태후

서태후

현대 중국의 기초를 만든 통치자

1

장융 지음 · 이종인 옮김

cum libro
책과함께

존에게

이 책의 출전에 관하여

이 책은 주로 중국 측의 역사적 문서들에 의존하고 있다. 황실의 칙명, 궁중의 기록, 공식 통신문, 개인 편지, 일기, 목격자 진술 등을 두루 활용했다. 이런 자료들의 대부분은 1976년 모택동毛澤東의 사망 이후에 빛을 보았고, 그리하여 많은 역사학자들이 비로소 문서 보관소에 보관된 문서들의 분류 작업을 할 수 있었다. 그들의 노고 덕분에 엄청난 분량의 문서들이 분류, 연구, 간행되고 또 일부는 디지털화되었다. 예전에 나왔던 문서 보관소의 소장 자료들과 학자들의 저작도 다시 발간되었다. 이 때문에 나는 엄청난 문서들을 활용하고, 또 서태후西太后 관련 문서 기록(총 1200만 건)의 주요 보관소인 중국의 '제1 역사 문서 보관소'를 활용하는 행운을 누렸다. 이 책에 인용된 자료들의 많은 부분들이 중국어권 이외의 지역에서는 참조되지 않았거나 활용되지 않은 것들이다.

서태후의 서양인 친구들은 귀중한 일기, 편지, 회고록 등을 남겼다. 빅토리아 여왕Queen Victoria의 일기 , 영국 국회 의사록, 방대한 국제 외교 서한들은 중요한 정보의 원천이었다. 워싱턴 D. C.에 있는 프리어 갤러리 오브 아트 앤드 아더 M. 새클러 갤러리 아카이브The Freer Gallery of Art and the Arthur M. Sackler Gallery는 서태후 사진들의 원화를 보관하고 있는 유일한 곳이다.

차례

제 3 부

입양한 아들을 내세워 통치하다 | 1875~1889 |

제 4 부

아들 광서제의 친정 | 1889~1898 |

2권 차례

제 4 부

아들 광서제의 친정 | 1889~1898 |

제 5 부

무대 전면으로 | 1898~1901 |

제 6 부

현대 중국의 진정한 혁명 | 1901~1908 |

맺는 말

도판 목록

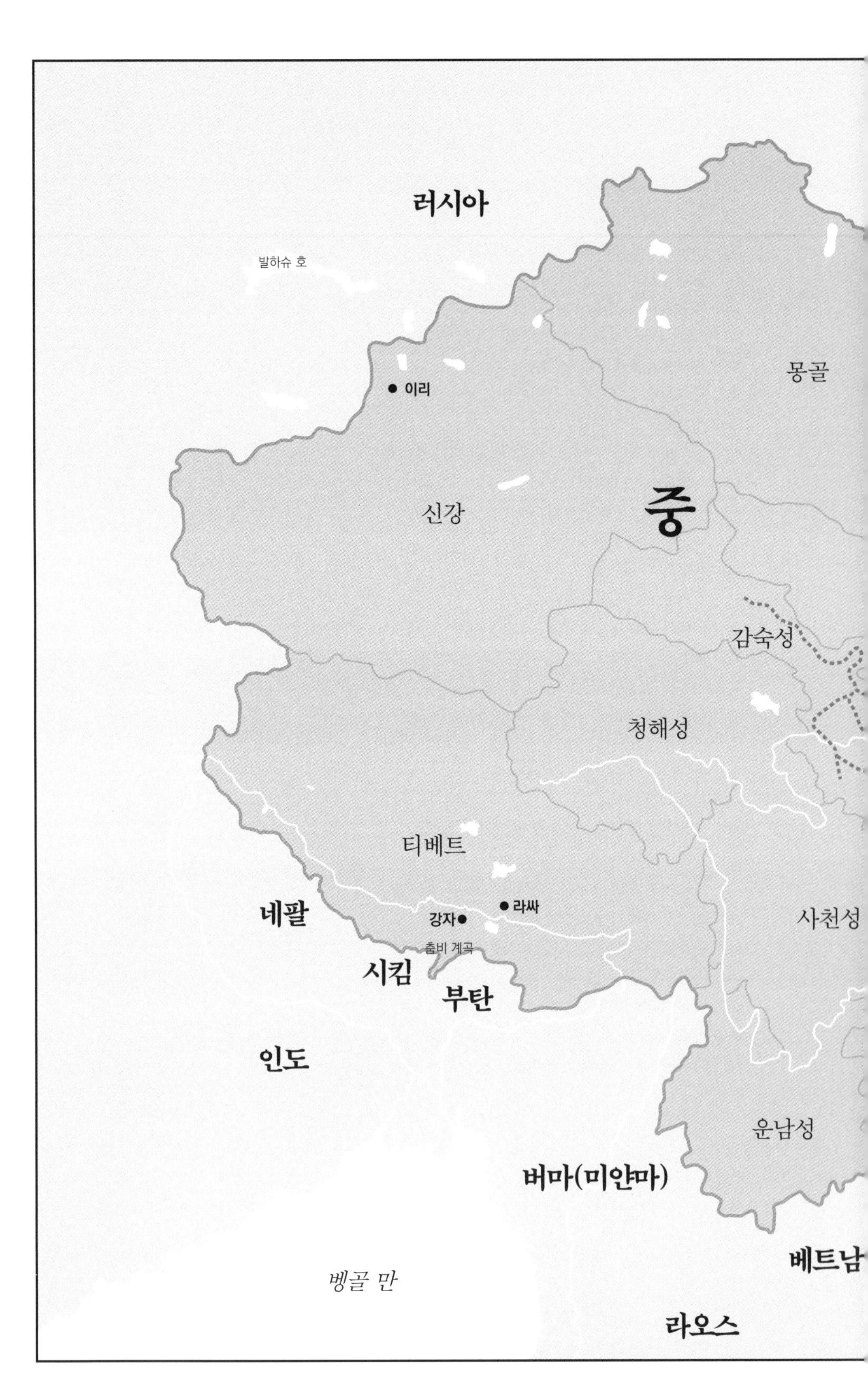

러시아
발하슈 호
이리
몽골
중
신강
감숙성
청해성
티베트
라싸
강자
춤비 계곡
네팔
시킴
부탄
사천성
인도
운남성
버마(미얀마)
베트남
벵골 만
라오스

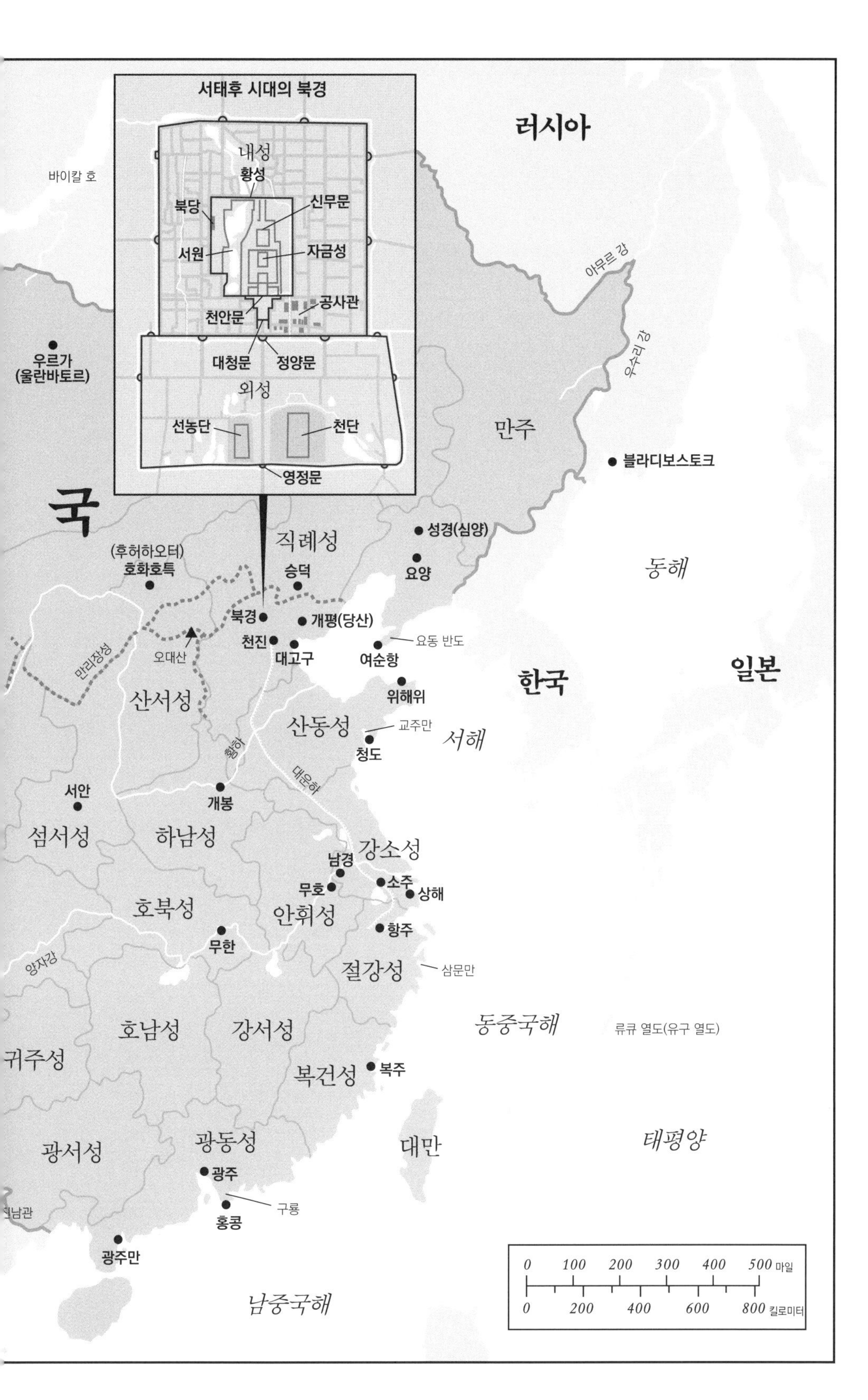
서태후 시대의 북경
내성
황성
북당
신무문
서원
자금성
공사관
천안문
대청문
정양문
외성
선농단
천단
영정문
러시아
바이칼 호
아무르 강
우수리 강
우르가
(울란바토르)
만주
블라디보스토크
국
직례성
성경(심양)
요양
동해
(후허하오터)
호화호특
승덕
북경
개평(당산)
천진
대고구
요동 반도
여순항
오대산
만리장성
한국
일본
위해위
산서성
산동성
교주만
서해
청도
황하
대운하
서안
개봉
섬서성
하남성
강소성
남경
소주
무호
상해
호북성
안휘성
항주
무한
양자강
절강성
삼문만
동중국해
류큐 열도(유구 열도)
호남성
강서성
귀주성
복건성
복주
광서성
광동성
대만
태평양
광주
구룡
홍콩
남관
광주만
남중국해
0 100 200 300 400 500 마일
0 200 400 600 800 킬로미터

일러두기

1. 이 책은 Jung Chang의 *EMPRESS DOWERGER CIXI*(Knopf, 2013)를 완역한 것이다.
2. 본문의 중국 인명과 지명은 우리식 한자음으로 표기했다.

제 1 부

폭풍우 시대의 황실 궁녀

| 1835~1861 |

1

황제의 후궁

(1835~1856)

1852년 봄에 있었던 청 황실의 정기적인 전국 규모 궁녀 간택에서 16세의 소녀가 황제의 눈에 들어 궁녀로 뽑혔다. 중국 황제는 한 명의 황후와 그가 원하는 만큼의 후궁을 둘 수 있었다. 황실 등기부에 그녀는 단지 '나랍씨那拉氏 가문의 여자'라고만 올라 있고 이름은 기재되어 있지 않았다. 여자의 이름은 너무 하찮아서 기재할 필요조차 없었던 것이다. 그러나 10년도 안 되는 세월 동안에, 그 이름이 영원히 묻혀버릴 뻔했던* 이 소녀는 악전고투하며 권력의 사닥다리를 타고 올라가 중국의 최고 통치자가 되었고, 그 후 1908년 사망할 때까지 수십 년 동안 전 세계 인구의 3분의 1에 달하는 사람들의 운명을 양손에 쥐고 흔들었다. 그녀는 바로 자희 황태후이다. 자희慈禧는 명예롭게 높인 명칭인데, '자비롭고 즐

* 그녀의 이름이 '목련' 혹은 '난초'를 의미하는 '란蘭'이라는 설이 있다. 이것은 그녀가 황궁에 들어갔을 때 부여된 이름이었다. 그녀의 후손들은 그녀의 이름이 '행杏'이라고 하는데, 이 단어는 '좋은 운수'를 의미하는 '행幸'과 같은 발음이다.

거운'이라는 뜻이다.

그녀는 아주 오래되고 이름 높은 만주족 가문인 엽혁나랍씨葉赫那拉氏 출신이었다. 만주족은 원래 만리장성 너머 북동쪽 만주에서 살았던 민족이었다. 1644년 명明나라는 농민반란에 의해 전복되었고, 명의 마지막 황제인 숭정제崇禎帝(1611~1644)는 궁전 뒤뜰의 나무에 목매달아 죽었다. 만주족은 이 기회를 놓치지 않고 침입해 만리장성을 넘었다. 그들은 농민 반도를 진압하고 중국 전역을 점령한 후 대청大淸이라는 새로운 왕조를 세웠다. 명의 수도인 북경北京을 그들의 수도로 삼은 만주족은 명대의 국토보다 세 배나 넓은 대제국을 건설했다. 청조의 전성기에는 국토가 1300만 제곱미터에 달했는데, 오늘날 중국의 면적인 960만 제곱미터보다 훨씬 광대한 영토였다.

정복자들인 기인旗人(만주족의 군인인 팔기에 딸렸던 사람)의 인구수는 중국의 한족漢族과 비교하면 1 대 100의 열세였으므로 초창기에는 무자비한 수단에 의한 일방적인 복종을 강제했다. 그들은 한족에 완전 정복의 상징으로서 만주식 변발을 요구했다. 한인 남자들은 전통적으로 머리를 길게 길러서 상투를 틀어왔다. 이에 반하여 기인들은 머리를 뒷부분만 남기고 나머지 부분을 깎아 뒤로 길게 땋아 늘였다. 이러한 변발을 거부하는 자는 무조건 참수되었다. 수도 북경의 경우, 기인 정복자들은 한족을 성내 지역[內市]에서 쫓아내 성외 지역[外市]로 나가 살게 했으며 성벽과 대문으로 두 민족을 서로 나누어놓았다.* 세월이 흐르면서 이러한 탄압은 완화되었고 한족은 만주족에 비해 별반 질이 떨어지지 않는 삶을 살게 되었다. 고위 관직은 계속 만주족이 장악했지만 민족 간의 적

* 만주에 주둔하는 만주 군대에서 근무한 한족은 만주족으로 간주되었다.

대감은 점차 희석되었다. 또 만주족은 한족의 문화와 정치체제를 그대로 답습했다. 거대한 문어발처럼 전국 각지에 퍼져 있는 제국의 행정제도는 한족 관리들에 의해 보임되었는데, 이 관리들은 유교 경전을 중시하는 전통적인 과거科擧를 통해 식자층에서 뽑힌 사람들이었다. 실제로 만주 황제들도 유교식 교육을 받았고, 그중 몇몇 황제는 한족 학자들보다 뛰어난 유교 학자가 되었다. 이렇게 만주족은 스스로 중국인이라고 여겼고, 그들의 제국을 '중국 제국', '중국' 혹은 '청'이라고 불렀다.

황실 가문인 애신각라씨愛新覺羅氏는 일련의 유능하고 근면한 황제들을 배출했다. 그들은 절대군주로서 모든 중요한 결정을 손수 내렸다. 정부 조직 내에도 총리는 없고 보좌진들이 근무하는 군기처軍機處만 있었다. 황제들은 새벽에 일찍 일어나 보고서를 읽고, 회의를 주재하고, 신하들을 접견하고, 칙명을 반포했다. 전국 각지에서 답지하는 보고서들은 도착 즉시 처리되었고, 그 어떤 안건이든 며칠씩 묵혀두는 법은 없었다. 황제의 옥좌가 있는 곳은 세계에서 가장 큰 황궁 터인 자금성紫禁城이었다. 자금성은 면적 72만 제곱미터의 직사각형 구역으로, 그 면적의 테두리를 두르는 해자垓子가 설치되어 있다. 또한 바닥의 두께가 9미터에 높이는 약 10미터인 으리으리한 성벽이 주위를 내려다본다. 성을 둘러싼 4면에는 장엄한 문이 달려 있고, 4면의 각 모서리에는 화려한 감시탑이 설치되어 있다. 성내의 거의 모든 건물들이 황실 고유의 색깔인 황색의 반짝거리는 기와를 이어서 햇빛을 받으면 지붕들이 황금색으로 화려하게 빛났다.

자금성의 서쪽 지구는 수도로 들어오는 석탄 수송의 요충지이자 상업 지구였다. 북경 서쪽에서 캐낸 석탄은 종을 딸랑거리는 낙타와 노새의 대열이 실어 옮겼다. 당시 북경에는 매일 약 5천 필의 낙타가 들어왔다고 한다. 석탄 수송 대열이 여기 서쪽 지구에 멈추어 서면 상인들은 화려한 깃발이나 옻칠 명판에 황금색 글자로 옥호를 적어 넣은 가게들에 들어가 물품을 구매했다. 거리는 포장되어 있지 않아서 가문 날씨로 도로 위에 켜켜이 쌓여 있던 먼지들은 비라도 내리면 금세 진흙탕이 되어 버렸다. 도시만큼이나 오래된 하수도에서 올라오는 냄새는 늘 공기 중에 퍼져 있었다. 음식물 쓰레기는 길가에 아무렇게나 내버렸고, 그러면 개들이나 새들이 와서 먹어치웠다. 이렇게 배를 채운 독수리나 까마귀 떼가 자금성 지붕 위로 날아들어 황금 지붕을 검은색으로 바꾸어놓곤 했다.

이 번화한 지구에서 좀 떨어진 곳에 한적하고 비좁은 골목길들이 있었는데, 이를 후퉁[胡同]이라고 했다. 바로 여기에서 1835년 10월 10일(음력) 미래의 황태후인 자희가 태어났다. 이곳에는 깨끗하게 정돈된 마당을 가진 넓은 집들이 들어서 있는데, 밖의 지저분하고 혼란스러운 거리와는 대조를 이루었다. 집 안의 주요 방들에는 남향으로 문과 창문을 내어 채광이 잘되었으며, 북쪽은 담장을 쌓아올려 도시를 자주 휩쓰는 황사 바람으로부터 집을 보호했다. 지붕은 모두 회색 기와였다. 기와 색깔은 황실은 노란색, 왕자들은 초록색, 나머지는 회색으로 엄격하게 규정되어 있었다.

자희의 집안은 여러 세대에 걸쳐 정부 관리로 종사했다. 아버지 혜징惠徵은 이부吏部의 주사主事까지 올라간 관리였다. 집안은 유복했고 그녀의 어린 시절은 근심 걱정이 없었다. 만주족이었던 그녀는 전족을 할 필요가 없었다. 전족은 1천 년 동안 한족의 어린 소녀를 고문해온 풍습으로 여아의 발을 단단히 잡아매어 발이 자라지 못하게 하는 것이었다. 그러나 한족의 다른 풍습, 가령 남녀유별 같은 것은 만주족도 공유했다. 학식 있는 집안의 딸로서 자희는 약간의 한문漢文을 읽고 쓸 수 있었으며, 그림을 그리고, 장기를 두고, 옷을 만들고, 수놓는 일 등 젊은 여성에게 필요한 기술을 익혔다. 그녀는 빨리 배우는 근면한 학생이었고 폭넓은 일에 관심을 보였다. 나중에 황태후가 되어 특정한 길일에 그녀가 입을 옷본을 만드는 의례적인 절차가 필요했을 때, 그녀는 아주 탁월하게 그 일을 해냈다.

하지만 자희는 만주어를 배우지 않아서 말할 줄도 쓸 줄도 몰랐다(중국의 통치자가 되었을 때 만주어로 집필된 보고서는 중국어로 번역해서 가져오게 했다). 200년 동안 중국 문화에 젖어왔기 때문에 대부분의 만주족은 모국어인 만주어를 쓰지 않게 되었다. 만주어는 청 왕조의 공식 언어이고 또 여러 황제들이 그 언어를 보존하려고 노력했으나 별 효과가 없었다. 자희의 한문 지식은 기초적인 수준으로 '절반만 글을 안다'고 말해야 할 것이다. 그렇다고 해서 그녀가 지능이 없는 여자라는 뜻은 아니다. 중국어는 배우기가 아주 어려우며, 세계의 주요 언어로서는 유일하게 음소문자音素文字가 아니다. 또한 수만 자에 달하는 복잡한 한자로 구성되어 있는데 이 글자들을 일일이 외워야 하고, 더욱이 그 글자들은 소리와는 아무 상관이 없다. 자희의 시대에 문어文語는 구어口語와 완전히 동떨어진 것이어서 일반인들은 자신의 말이나 생각을 글로 표현할 수가 없었다. '학자'라는 소리를 들으려면 어린 시절부터 근 10년 동안 유교 경전을 암기해야 하는데, 이러한 경전들은 지식의 폭이나 학문적 자극의 측면에서 아주 제한되어 있었다. 그래서 중국 전체 인구 가운데 1퍼센트 미만만이 기본적인 경전들을 읽고 또 그들의 생각을 글로 쓸 수 있었다.

자희는 공식 교육은 받지 못했지만 타고난 직관과 판단력은 그것을 상쇄하고도 남음이 있었다. 그녀는 아주 어릴 때부터 이미 그런 능력을 발휘했다. 그녀가 일곱 살이던 1843년, 청 왕조는 서방과의 1차 아편전쟁을 끝냈다. 이 전쟁은 중국이 영국 상인들의 불법 아편 거래를 탄압하자 그에 반발하는 영국에 의해 시작되었다. 중국은 이 전쟁에서 패배하여 거액의 전쟁배상금을 물어야 했다. 자금이 부족한 도광제道光帝(1782~1850, 자희의 시아버지)는 아들들이 결혼할 때 며느리에게 해주었던 산호와 진주가 박힌 황금 목걸이 같은 전통적인 선물들을 해주지 않았고 또 화려한 결혼 축하연도 베풀지 않았다. 신년 축하와 생일잔치도 규모를 줄이거나 취소했고, 지위가 낮은 후궁들은 그들의 자수품을 환관을 통해 시장에 내다 팔아서 부족한 용돈을 보충해야 했다. 황제 자신도 불시에 후궁들의 방에 들어가 옷장을 검사해 지시를 어기고 화려한 옷을 감추지 않았는지 확인했다.

한번은 관리들의 횡령을 근절하기 위한 조치의 일환으로 국고에 대한 정밀 조사가 실시되었는데, 은 900만 테일(청 말의 화폐단위인 냥兩에 대한 외국인의 호칭. 1테일은 약 38그램이며, 대략 3분의 1파운드의 가치를 가지고 있었다) 이상이 사라진 것으로 드러났다. 황제는 분노하면서 그 손실액을 보충하기 위해 유죄 여부를 불문하고 지난 40년간 은 저장고를 지키거나 감사한 고위 관리들에게 벌금을 물렸다. 자희의 증조부가 그 부서의 관리로 근무했기 때문에 총 4만 3200테일의 벌금이 그녀의 집안에 부과되었다. 이것은 증조부가 받았던 공식 녹봉에 비하면 너무나 엄청난 거액이었다. 증조부는 오래전에 사망했기 때문에 자희의 할아버지가 그 벌금의 절반을 물어야 했다. 할아버지는 형부刑部에 근무하는 관리로서 국고와는 아무런 상관이 없는데도 부담을 져야 했다. 할아버지는 3년 동안 그 돈을 모아보려고 애를 썼지만 겨우 1800테일 정도만 당국에 낼 수 있었다. 그러자 할아버지를 옥에 가두고 그의 아들, 즉 자희의 아버지가 차액을 낸 후에 풀어주라는 어필御筆 칙명이 내려왔다.

그녀의 집안은 하루아침에 뒤죽박죽이 되어 당시 11세이던 자희는 추가 수입을 올리기 위해 바느질을 해야 했다. 그녀는 이때의 일을 평생 기억했고, 뒷날 황궁의 궁녀들에게 종종 말해주곤 했다. 자희는 2남 3녀 중의 장녀였으므로 아버지는 집안일을 그녀와 의논했고, 그럴 때면 성심껏 아버지를 도와주려 했다. 그녀의 조언은 어떤 물건들을 팔고, 어떤 귀중품을 전당 잡히고, 누구에게 돈을 빌려오고 또 그 사람에게 어떻게 접근할지 같은 신중하고 실용적인 것이었다. 마침내 그녀의 집은 부과된 액수의 60퍼센트를 모아서 할아버지를 감옥에서 빼낼 수 있었다. 어린 자희가 이 위기를 극복하는 데 옆에서 거든 얘기는 집안의 전설이 되었고, 아버지는 그녀에게 이런 칭찬을 내렸다. "이 딸이 아들보다 낫다!"

이처럼 아들 같은 대우를 받았기 때문에 자희는 통상적으로 여자들에게 금기였던 문제들을 아버지와 의논했다. 그러다 보니 필연적으로 부녀의 대화는 공식적인 일과 나라 사정도 언급하게 되었고, 이를 계기로 자희는 평생 동안 공무와 국정에 관심을 갖게 되었다. 아버지에게 자문을 받고 또 자신의 조언이 채택되어 실행되는 것을 보고서 그녀는 자신감을 얻게 되었고, 여자의 두뇌는 남자만 못하다는 전통적인 전제 조건을 용납하지 않았다. 집안의 재정적 위기는 장차 그녀의 통치 방법에도 영향을 미쳤다. 임의적인 징벌의 가혹함을 처절하게 맛보았기 때문에 그녀는 관리들에게 공정하게 대하려고 애쓰게 되었다.

부과된 벌금을 내기 위해 상당한 액수를 모금했으므로 자희의 아버지 혜징은 1849년에 황제로부터 대규모 몽골 지역을 다스리는 지방관으로 임명되었다. 그해 여름 그는 가족과 함께 여행하여 호화호특呼和浩特(중국 내몽고자치구에 있는 도시)에 정착했다. 난생처음 자희는 번잡한 북경을 벗어나 허물어져가는 장성을 넘어 돌길을 걸어서 몽골 스텝 지역으로 들어섰다. 그곳에는 끝도 없이 넓은 푸른 초지들이 먼 지평선까지 뻗어 있었다. 이때의 경험으로 자희는 평생 동안 시원한 공기와 탁 트인 땅을 열정적으로 좋아하게 되었다.

신임 지방관이 된 혜징은 그 지방의 세금을 거두어들이는 업무도 관장했다. 그 당시의 만연된 관습에 따라 그는 부족한 가용家用을 메우기 위해 현지 주민들의 돈을 세금 명목으로 탈취했다. 지방관의 이런 행위는 당연한 일로 여겨졌다. 봉급이 박한 관리들 또한 '합리적인 한도 내에서' 주민들의 돈을 뜯어 수입을 보충하는 것이 관료 사회의 당연지사였다. 자희는 이런 부정부패를 생활의 한 방식으로 여기면서 성장했다.

자희 집안이 몽골에 안착한 지 몇 달 지나지 않은 1850년 2월, 도광제가 사망하고 그의 네 번째 아들이 뒤를 이어 함풍제咸豊帝(1831~1861)로 즉위했다. 당시 19세인 새 황제는 조산아로 태어나서 날 때부터 건강이 좋지 않았다. 그는 홀쭉한 얼굴에 우수 어린 눈을 가지고 있었고 게다가 다리를 절었다. 황자들의 필수과목인 사냥을 나갔다가 말에서 떨어져 다리를 다친 결과였다. 황제를 보통 '용龍'이라고 불렀는데 북경의 입소문은 그에게 '다리를 저는 용'이라는 별명을 붙여주었다.

그의 대관식 후에 전국 규모의 후궁 간택이 실시되었다(이때 그에게는 한 명의 후궁만 있었다). 후궁 후보자들은 10대 소녀로서 만주족 혹은 몽골족이 대상이었고 한족은 제외되었다. 소녀들의 집안은 일정 계급 이상이어야 하고, 그 소녀들이 사춘기에 이르면 그들의 이름을 명부에 등재하도록 법률로 강제했다.

자희는 이제 그 후보 명단에 올라 중국 전역의 다른 소녀들과 마찬가지로 북경으로 갔다. 그녀는 집안의 옛집에 들어가서 모든 후보 소녀들이 황제 앞에서 선을 보이는 간택 일을 기다렸다. 황제가 고르고 난 뒤에 뽑히지 못한 일부 소녀들은 황자나 다른 황실 친척들의 첩으로 주어졌다. 아예 뽑히지 못한 소녀들은 고향으로 돌아가 원하는 남자와 결혼할 수 있었다. 자금성 내에서의 후보 간택은 1852년 3월로 일정이 잡혔다.

간택 절차는 여러 대에 걸쳐서 전해 내려왔다. 지정된 날에 후보들은 당시의 '택시'인 노새가 끄는 수레를 타고서 황궁으로 가는데, 이 수레는 후보의 집에서 임차하지만 비용은 황궁에서 부담했다. 이 수레는 두 개의 바퀴 위에 얹어 놓은 네모난 가방 같은 꼴이었는데, 동유桐油를 먹여 방수 처리한 대나무나 등나무 가지를 엮어서 수레의 지붕으로 삼았다. 수레 양옆에는 밝은 푸른색 휘장을 치고, 수레 안에는 펠트와 목면으로 만든 매트리스와 방석이 놓여 있었다. 황자의 가족들도 이런 수송 수단을 이용했다. 다만 계절에 따라 내부는 양모나 공단으로 안감을 댔고, 외부에는 수레에 탄 사람의 지위를 알리는 깃발과 표지標識를 달았다. 이런 수레가 짙어지는 어둠 속으로 사라지는 것을 보고서 후대의 영국 소설가 서머셋 몸W. Somerset Maugham은 이런 생각을 했다.

> 당신은 저 안에 누가 다리를 꼬고 앉아 있을까 궁금해진다. 어쩌면 친구를 만나러 가는 학자일지 모른다……. 그는 친구와 은근한 수인사를 나누고 이제는 더 이상 돌아오지 않는 당송唐宋의 황금시대를 논의하리라. 어쩌면 화려한 비단옷에 풍성한 장식이 달린 외투를 걸치고, 검은 머리에는 벽옥碧玉을 꽂은 노래하는 여인이 파티에 불려가는 것인지도 모른다. 그녀는 노래를 몇 곡 부를 테고 재치를 알아볼 만큼 문자 속 깊은 젊은 멋쟁이와 우아한 대화를 나누리라.

서머셋 몸에게 '동양의 모든 신비'를 담고 있는 것처럼 보인 그 수레는 실은 아주 불편한 것이었다. 수레의 나무 바퀴가 용수철 없이 철사와 못으로만 고정되어 있기 때문이다. 수레에 탄 사람은 비포장의 돌 많은 길을 굴러가는 동안 그 안에서 위아래로 튀어 오르며 네 벽에 이리저리 부딪치게 된다. 의자 없이 책상다리로 앉는 자세가 생소한 유럽인들에게 이 수레를 타는 것은 아주 고역이었다. 미트퍼드 자매Mitford sisters(소설가, 히틀러 숭배자, 파시스트, 공작부인 등 미트퍼드 가문의 여섯 딸은 다양한 삶을 산 것으로 유명하다.—옮긴이)의 할아버지인 앨저넌 프리먼미트퍼드Algernon Freeman-Mitford는 북경 주재 영국 공사관의 참사관으로 일한 바 있는데 이런 말을 했다. "중국 수레를 열 시간 타고 나면 고물상에 팔아먹을 수도 없는 사람이 되어버리지."

후궁 후보들이 탄 수레들은 느린 걸음으로 천천히 나아가 자금성을 안고 있는 외곽의 황성皇城 후문 앞에 집결했다. 자금성이 워낙 엄청난 규모이기 때문에, 이 외곽 지역 또한 거대했다. 붉은색 담장이 황성을 둘러쌌는데, 담장 지붕은 황궁과 마찬가지로 노란색 기와를 이었다. 이 지역에는 사찰, 사무실, 창고, 작업장 그리고 황성을 오가며 황궁 일에 쓰이는 말, 낙타, 당나귀 들이 있었다. 이날 석양 무렵에 모든 활동이 중지되었고, 후보를 실은 가마가 지나갈 수 있도록 통행로가 마련되었다. 수레들은 질서정연하게 황시로 들어섰다. 인공 산인 경산景山을 지나서 해자를 건너 수레들은 자금성의 북문인 신무문神武門 앞에 도착했다. 신무문 꼭대기에는 장엄하고 화려한 2층 지붕이 얹혀 있었다.

신무문은 자금성의 뒷문으로, 정면의 정양문正陽門은 남쪽으로 나 있는 문인데 여인들의 출입이 금지되어 있었다. 사실 그 문뿐만 아니라 정면 전체가 오로지 남자들만을 위한 것이었다. 공식 의례를 위해 지어진 이곳은 커다란 전각들과 포석이 박힌 넓고 텅 빈 마당으로 구성되는데 한 가지 눈에 띄는 특징이 있었다. 바로 식물이 전혀 없다는 것이다. 이것은 의도적으로 이렇게 한 것인데, 식물은 부드러운 느낌을 주어 위압감을 감소시키기 때문이다. 황제, 즉 천자에 대해서는 오로지 경외감만을 품어야 하는 것이다. 중국인들이 경배하는 형체 없는 궁극적 신은 '하늘'이고 황제는 그 하늘의 아들인 까닭이다. 여자들은 자금성 뒤쪽, 즉 후궁에 머물러 있어야 했으며 이곳에는 황제와 수백 명에 달하는 환관들만 들어갈 수 있었다.

해가 지자 후궁 후보들은 후문 밖에 멈춰 섰다. 웅장한 북문 밑의 거대한 포장 부지 위에 수레들이 대기하는 동안 어둠이 내리기 시작했고, 수레에 달린 작은 등불은 저마다 희미한 둥근 불빛을 내뿜었다. 후보들은 밤새 수레 안에 쪼그리고 앉아 새벽이 되어 문이 열리기를 기다렸다. 그러면 그들은 수레에서 내려 환관의 안내를 받으며 커다란 홀까지 걸어가서 그곳에서 황제의 검사를 받을 터였다. 황제 앞에 여러 열로 나누어 선 그들은 무릎을 꿇고서 이마로 땅을 두드리는 의식인 고두叩頭의 의무가 특별히 면제되었다. 황제가 그들의 얼굴을 좀 더 자세히 보기 위해서였다.

간택에는 후보들의 집안 배경 이외에 '성품'이 주요 기준이었다. 후보들은 예의 바름, 우아함, 온유함, 수줍음 이외에 여성다운 품위를 보여야 했고 또 황실에서 행동하는 요령을 숙지해야 했다. 용모는 2차적인 것이었으나 그래도 보기 좋아야 했다. 황제가 후보들의 진면목을 잘 파악하기 위해 화려하게 채색된 옷은 입을 수 없었다. 그들이 입는 겉옷은 단순해야 하고 주름에 수를 놓지 않은 것이어야 했다. 만주족의 드레스는 통상적으로 매우 장식적인 것이어서 어깨에서 바닥까지 내려왔는데 허리가 꼿꼿한 여자일수록 옷맵시가 났다. 만주 여자들의 구두는 우아하게 장식이 되었고 신발창 중간 부분을 높였는데, 그 높이가 14센티미터까지 되어서 여자들은 자연 꼿꼿이 서게 되었다. 그들은 머리에 왕관이나 문탑門塔 중간쯤 되는 모양의 머리 장식을 썼는데, 경우에 따라 보석이나 꽃으로 장식하기도 했다. 이런 머리 장식을 지탱하려면 여자의 목은 상당히 튼튼해야 했다.

자희는 뛰어난 미인은 아니었다. 하지만 기품 있는 자태를 갖고 있었다. 그녀는 150센티미터를 겨우 넘는 단신이었지만 겉옷, 신발, 머리 장식 덕분에 실제보다 커 보였다. 그녀는 꼿꼿하게 앉아서 우아한 몸동작을 했고 심지어 '죽마竹馬' 위에서 걸을 때에도 우아한 자태를 잃지 않았다. 그녀는 피부가 아주 좋았으며, 부드러운 두 손은 노년에 이를 때까지도 윤택함을 유지했다. 나중에 그녀의 초상화를 그린 미국 화가 캐서린 칼Katharine Carl은 그녀의 용모를 이렇게 묘사했다. "높은 코…… 아주 단단한 윗입술, 조금 크지만 아름다운 입, 부드럽게 움직이는 붉은 입술. 그녀가 입술을 열어 하얀 치아를 내보이며 미소를 지으면 아주 매혹적이었다. 턱은 강인하지만 지나칠 정도로 단단하지도 또 고집스럽게 보이지도 않았다." 자희의 가장 매력적인 부분은, 많은 사람들이 말하고 있듯이 표현력이 풍부한 반짝거리는 눈이었다. 나중에 신하들을 접견할 때 그녀는 부드러운 표정을 짓다가도 느닷없이 추상 같은 위엄을 내뿜는 눈빛을 번쩍거렸다. 나중에 중화민국 초대 대총통에 오른 원세개袁世凱 장군은 자희 밑에서 신하로 있으면서 용맹한 명성을 떨쳤으나 그녀의 눈빛은 그를 몹시 불안하게 했다고 고백했다. "왜 그렇게 진땀이 났는지 모르겠다. 나는 아주 불안했다."

간택 절차에서 그녀의 표현력 풍부한 눈빛이 함풍제의 이목을 사로

잡았다. 그가 마음에 든다고 말하자, 황실 관리들은 그녀의 신원 증명서를 보관했다. 이렇게 해서 최종 후보에 올라간 그녀는 더 자세한 조사를 받았으며, 자금성에서 하룻밤을 묵었다. 마침내 그녀는 수백 명의 여자들 가운데 다른 몇 명의 소녀들과 함께 후궁으로 간택되었다. 그것은 분명 그녀가 원하던 미래였다. 자희는 정치에 관심이 있었고 그녀의 귀환을 기다리는 빛나는 갑옷을 입은 기사는 그녀의 동네에는 찾아볼 수 없었다. 어릴 적부터 남녀를 철저히 구분했기 때문에 남녀 사이에 낭만적인 사랑이 싹트기는 어려웠다. 게다가 딸을 먼저 황제에게 보여주지 않고 결혼을 시킨 집안은 엄한 벌을 받게 되어 있었다. 따라서 자희의 집안은 그녀를 위해 중매결혼을 준비하지도 않았다. 일단 황궁에 들어가면 자희는 부모를 거의 만나볼 수 없겠지만, 공식 규정에 의하면 후궁의 나이든 부모들은 딸을 방문해도 좋다는 특별 허가를 얻을 수 있었다. 그 경우 부모들은 자금성 한 구석의 영빈관에서 몇 달씩 머물렀다.

자희가 새로운 거처로 입궁하는 날짜는 1852년 6월 26일로 정해졌는데, 선제인 도광제의 2년 복상服喪 기간이 끝난 직후였다. 탈상은 북경 서쪽에 있는 선제의 능묘인 서릉西陵을 새 황제가 찾아가는 것으로 마무리되었다. 복상 기간 동안 함풍제는 남녀 간의 합방을 할 수 없었다. 궁에 들어간 자희는 '란蘭'이라는 이름을 얻었는데 나라那拉(만주어 '나라'의 음역어), 혹은 나란納蘭(만주어 '나란'의 음역어)이라고 쓰는 그녀 가문의 이름에서 나온 것으로 보인다. '란'은 또한 '목련' 혹은 '난초'를 의미하며, 여자 이름에 화초 이름을 쓰는 것은 흔한 일이었다. 자희는 그 이름을 좋아하지 않아서 황제의 은고恩顧를 요청할 수 있는 자리에 오르자 이름을 바꾸었다.

자희가 그해 여름에 들어간 후궁 지역은 사방이 벽으로 막힌 안뜰과 좁고 긴 골목들이 얼기설기 연결되어 있는 세계였다. 남자들만 허용되는 정면과는 다르게 이 구역은 장엄함이라고는 별로 없었고 많은 나무, 꽃, 석가산石假山이 있었다. 여기서 황후는 중궁中宮을 차지했고, 비빈妃嬪들은 자그마한 전각에서 살았다. 그 방들은 수놓은 비단, 조각된 가구와 보석 박힌 장식 등으로 단장되어 있었지만, 후궁들이 그들만의 개성을 과시하는 것은 허용되지 않았다. 후궁 지역은 자금성 전 지역과 마찬가지로 엄격한 규칙에 의해 다스려졌다. 비빈들이 그들의 방에 들여놓을 수 있는 물건, 옷감의 수량과 품질, 하루에 소비할 수 있는 음식의 유형 등이 각자의 등급에 따라 엄격하게 정해져 있었다. 음식에 대해서 말해보자면, 황후는 하루에 13킬로그램의 고기, 닭 한 마리, 오리 한 마리, 차 열 포, 옥춘산玉春山에서 길어온 특별한 물 열두 항아리, 다양한 채소, 곡식, 향료, 기타 식음료의 정해진 수량이 허용되었다.* 황후의 일용 음식 중에는 스물다섯 마리의 암소에서 짜낸 우유도 포함되었다(대부분의 한족과는 다르게 만주족은 우유를 마시고 축산물을 먹었다).

자희는 황후가 되지는 못했다. 그녀는 후궁이었고, 그것도 아주 낮은 등급에 머물렀다. 황실의 비빈에게는 8단계의 신분 사닥다리가 있었는데, 자희는 하위 그룹(6~8급)인 6급에 속했다. 그 등급은 암소가 배당되지 않았고, 하루 3킬로그램의 고기만 소비할 수 있었다. 그녀에게는 네 명의 궁녀가 딸려 있었으나 황후에게는 열 명의 궁녀 이외에 여러 명의

* '남은 음식'도 낭비되지 않았다. 선제의 엄명에 따라서 남은 음식은 하인들에게 주었고, 그들이 남긴 음식은 개와 고양이에게 주었다. 이 동물들이 남긴 음식도 내버리지 않았다. 그것은 말려서 새 모이로 썼다.

환관들이 시중을 들었다.

새 황후는 정貞이라는 이름을 가진 여자였는데 자희와 함께 궁중에 들어왔다. 그녀도 후궁으로 시작했으나 자희보다 높은 5급에서 출발했다. 그녀는 넉 달도 안 되어 그해 말에 1급, 즉 황후로 올라섰다. 정은 인물이 아름다워서 황후가 된 것이 아니었다. 그녀는 지극히 평범하게 생긴 여자로 몸도 허약하여, 남편의 '다리를 저는 용'에 맞추어서 '허약한 봉鳳(봉은 황후의 상징이다)'이라는 별명이 붙었다. 하지만 그녀는 황후로서 가장 높이 평가받는 자질을 갖고 있었다. 그녀는 다른 비빈들과 잘 어울리고 그들을 잘 관리했으며, 특히 많은 궁인들도 잘 거느리는 너그러운 인품과 원만한 기량을 갖추었다. 황후의 일차적 역할은 내명부內命婦를 잘 다스리는 것이었는데, 정 황후는 이 역할을 완벽하게 수행했다. 그녀의 관리 아래 내명부는 늘 만연하던 시기와 악의로부터 비교적 자유롭게 되었다.

자희가 후궁으로서 남편의 총애를 받았다는 증거는 없다. 자금성에서 황제의 성생활은 아주 꼼꼼하게 기록되었다. 그는 저녁 식사 도중 환관이 건네준 대나무 판에 여자 이름을 적음으로써 그날 밤의 잠자리 상대를 선정한다. 황제는 주로 혼자서 저녁 식사를 한다. 그에게는 침실이 둘 있는데 하나는 네 벽이 거울로 장식된 것이고, 다른 하나는 비단 장막을 친 것이다. 침대에는 비단 커튼이 쳐져 있고, 그 커튼의 내부에는 향주머니들이 매달려 있다. 황제가 두 침실 중 어느 하나에 들어갈 때 두 침실의 침대 커튼을 내렸다. 이것은 보안상의 이유 때문인데, 그렇게 해야 가장 가까이 모시는 시종들도 황제가 어느 침대로 갔는지 확실히 알 수가 없는 것이다. 황실 규정에 의하면 황제는 여자의 침실에 가서 동침해서는 안 된다. 여자들이 황제의 침실로 와야 한다. 전해지는 이야기에 따르면, 선택된 여자는 알몸인 상태로 비단보에 둘둘 말려진 채 환관에 의해 옮겨졌다(청의 다섯 번째 황제인 옹정제가 후궁에 의해 단도로 살해되자 이런 규정이 생겨났다고 한다.—옮긴이). 성관계가 끝난 후에 여자는 다시 본인의 거처로 돌아가야 했으며, 황제 곁에 하룻밤 묵는 것은 허용되지 않았다.

절름거리는 용은 방사房事를 좋아했다. 그래서 다른 청조의 황제들에 비해 그의 방사와 관련된 이야기들이 많이 전해진다. 그의 후궁 수는 곧 19명으로 늘어났다. 그들 중 몇몇은 황실 궁녀의 신분에서 발탁되었는데, 이 궁녀들은 중국 전역의 계급이 낮은 만주족 가정에서 차출해왔다. 후궁들 외에 자금성 바깥에서 여자들을 조달해오기도 했다. 소문에 의하면 그 여자들은 유명한 한족 창녀들로 전족을 했는데, 황제는 특히 그 전족을 황금 연꽃이라고 하면서 좋아했다. 자금성은 엄격한 궁내 규칙을 준수하고 있었으므로, 그 외간 여자들은 여름 궁전인 원명원圓明園으로 몰래 들여왔다. 원명원은 북경 서쪽으로 8킬로미터 정도 떨어진 곳에 있는 거대한 인공 정원 단지였다. 이곳의 규칙은 다소 느슨했기 때문에 황제는 마음껏 방사를 즐길 수 있었다.

근 2년 동안 성생활이 활발한—아니 지나친—황제는 자희에게는 특별한 총애를 보이지 않았다. 그는 그녀를 계속 6급에 내버려두었고, 반면에 그녀보다 밑에 있던 후궁들을 승급시키기도 했다. 이렇게 된 것은 남편을 기쁘게 하려는 의욕적인 10대의 자희가 물색 모르고 황제의 근심거리에 동참하려 들었기 때문이었다.

함풍제는 엄청난 문제들을 떠안고 있었다. 그가 1850년에 즉위하자 중국 역사상 최대 규모의 농민반란인 태평천국太平天國의 난(태평천국운동)이 남부 해안의 광서성廣西省에서 터져나왔다. 그곳에선 기근 때문에 수만 명의 농민들이 최후의 수단으로 무장봉기를 했다. 그들은 반란이 실패할 경우 그 결과가 얼마나 끔찍할지 잘 알면서도 그렇게 할 수밖에 없었다. 반란의 지도자는 반드시 능지처참을 당하는데, 형의 실제 집행은 일반 대중들이 보는 데서 실시했다. 하지만 기아와 궁핍으로 죽음을 눈앞에 둔 농민들에게는 이런 징벌도 억제 수단이 되지 못했다. 그리하여 태평천국군은 순식간에 수십만 명으로 늘어났다. 1853년 3월 말 태평천국군은 과거의 남부 수도인 남경南京을 휩쓸고서 태평천국이라는 나라를 세웠다. 이러한 사태를 알리는 보고서를 받아든 날 함풍제는 관리들 앞에서 눈물을 흘렸다.

하지만 그것이 황제의 유일한 고민은 아니었다. 장성 안의 18개 성 대부분에서 다수의 봉기가 발생하여 혼란스러운 상태였다. 또한 무수한 마을, 읍, 도시 들이 황폐해졌다. 제국이 엄청난 혼란에 빠져들게 되자 황제는 1852년 5월에 죄기소罪己詔(자기의 죄를 벌하는 소)라는 칙명을 반포해야 했다. 이는 군주가 백성을 상대로 내놓은 반성과 질책의 궁극적 형식이었다.

이 일이 있고 나서 바로 자희가 궁중에 들어왔다. 자금성의 구중궁궐에서도 남편 함풍제의 문제들은 심각하게 느껴졌다. 제국의 은 보유량은 역대 가장 낮은 수치인 29만 테일로 떨어졌다. 관군의 사기를 진작하기 위해 함풍제는 황실의 개인 주머니를 열었는데 거기에는 4만 1천 테일이 남아 있을 뿐이었다. 그것은 궁중의 경상비를 겨우 감당할 정도의 빈약한 자금이었다. 이때 자금성 내의 보물들, 가령 순금으로 만든 거대한 세 개의 종 등을 녹여서 경비로 사용했다. 황제는 비빈들에게 직접 쓴 경고문을 내렸다.

큰 귀고리나 벽옥 귀고리는 패용하지 말 것.

머리에는 두 개 이상의 보석이 달린 꽂을 사용하지 말 것. 세 개를 사용한 이는 처벌함.

신발의 높이는 1치(약 3센티미터) 이상 되지 않도록 할 것. 1.5치 이상이면 처벌함.

황실의 재앙은 자희가 꾸준히 연락을 취해온 친정에도 직접적인 영향을 미쳤다. 그녀가 궁중에 들어오기 전에 아버지 혜징은 상해上海 근처 동중부 성인 안휘安徽로 전보되어, 양자강揚子江 연안의 무호蕪湖를 주도主都로 하여 28개 군을 다스리는 지역의 행정관이 되었다. 하지만 무호는 태평천국군 전투 지역과 가까웠고, 1년 뒤 자희의 아버지는 홍양군洪楊軍(태평천국의 지도자인 홍수전洪秀全과 양수청楊秀淸을 가리키는 말로 곧 태평천국군)이 이곳을 공격하자 도망칠 수밖에 없었다. 황제의 분노가 두렵고—담당 관청을 버리고 도망친 몇몇 관리들은 참수되었다—또 도망길이 너무 고생스럽던 혜징은 병이 들어 1853년 여름에 사망했다.

평소 아주 가까웠던 아버지의 죽음을 애타게 여기던 자희는 제국과 남편을 위해 뭔가 해야겠다고 생각했다. 그녀는 반란을 다루는 방법에 대하여 남편에게 몇 가지 제안을 한 것 같다. 처녀 시절에 친정아버지가 자신의 의견을 즐겨 묻고 또 그 조언에 따라 행동한 바가 있었으므로, 그녀는 함풍제가 자신의 조언을 고맙게 여길 것이라고 생각했다. 하지만 그것은 남편을 짜증 나게 만들 뿐이었다. 청 황실은 오래된 전통에 따라 궁중의 비빈들이 국사에 참견하는 것을 엄격하게 금지해왔다. 함풍제는 정 황후에게 자희를 좀 단속하라고 일렀다. 황제는 그녀의 조언이 '건방지고 교활하다'고 비난했다고 한다. 자희는 황실의 기본 규칙을 위반해 치명적인 징벌을 받을 수도 있었다.* 잘 알려진 소문에는 이런 것도 있다. 함풍제는 나중에 임종하는 자리에서 정 황후에게 개인 칙명을 몰래 건네주었는데 그 내용은, 황제가 죽은 뒤에 자희가 국정에 간섭하려 들 것이 우려되는데, 만약 그럴 경우 정 황후는 이 은밀한 칙명을 친왕들에게 보여주어 자희를 '처단'하라는 것이었다. 그런데 소문에 의하면 정 황후는 황제 사후에 그 치명적인 문서를 자희에게 보여주고 나서 불에 태웠다(이 비밀 칙명을 보고 자존심에 심한 상처를 받은 자희가 정 황후를 독살했다는 소문도 있으나 증거는 없는 이야기이다. —옮긴이)고 한다.

정 황후는 용감한 여자였고, 그녀의 동시대인들은 모두 그녀의 자상함을 높이 칭송했다. 황제가 어떤 후궁이 못마땅해서 화를 내면 황후가 언제나 중재를 맡았다. 자희가 어려움에 처했을 때에도 황후가 좋게 말해준 듯하다. 황후는 아마도 이렇게 변명해주었을 것이다. '자희는 폐하에 대한 관심과 사랑을 표시하려고 한 것뿐인데 도가 좀 지나친 것 같으니 잘 단속하겠다'고. 아무튼 자희가 아주 위태로운 지경에 들어섰을 때 정 황후가 그녀를 보호해주었다. 이 때문에 자희는 평생 동안 황후에게 헌신하면서 그 은공을 잊지 않았다. 이러한 좋은 감정은 상호적인 것이었다. 자희는 정 황후를 대할 때 겉 다르고 속 다르지 않았다. 입궁 동기인 정이 황후 자리에 오르는 동안에, 비빈의 신분 사닥다리에서 여전히 하급인 자신의 처지가 불만족스럽기는 했지만, 자희는 정을 음해하는 짓은 전혀 하지 않았다. 자희의 최대 적수들도 그녀가 이런 음모를 꾸몄다고는 비난하지 않았다. 설사 질투심을 느꼈다고 해도—자희의 입장에선 그런 감정이 불가피할 것 같지만—자희는 그것을 잘 통제해 황후

* 자희가 황제에게 공식 보고서를 열심히 읽고 직접 지시를 내리라고 조언했다는 것이다. 하지만 이에 대한 증거는 없다.

와의 관계를 손상시키지 않았다. 자희는 옹졸하지 않았고 현명했다. 그래서 두 여인은 라이벌 관계가 아니라 좋은 친구가 되었고, 황후는 자희를 다정하게 '동생'이라고 불렀다. 황후는 자희보다 실제로는 한 살 아래였으나 이런 호칭은 그녀가 황후로서 서열이 높음을 보여주는 것이다.

정 황후는 1854년에 황제를 잘 설득하여 자희를 6급에서 5급으로 승진시켜 하위 그룹에서 탈출하게 했다. 이런 승진과 더불어 황제는 그녀에게 '모범'을 뜻하는 '의懿'라는 새 이름을 붙여 의 귀비懿貴妃의 지위를 하사했다. 황제의 권위를 상징하는 붉은 먹으로 직접 쓴 특별 칙명은 자희의 새 이름과 승진을 공식적으로 선포했다. 그녀가 이 영예를 공식적으로 받아들이는 의례가 있었고, 황실의 악부에서 파견된 환관들이 축하 곡을 연주했다.

자희는 이 에피소드를 통해 황실에서 살아남으려면 국사에 대해서는 입을 다물어야 한다는 교훈을 절감했다. 청조가 큰 곤란을 겪고 있는 것을 뻔히 보면서도 함구한다는 것은 어려운 일이었다. 승리를 거듭하는 태평천국 반군은 중국 남부에서 그들의 터전을 강화하고 있었고 곧 북경을 공격할 북벌군을 파견할 계획이었다. 자희는 그런 사태에 대비하는 실용적인 제안을 자신이 갖고 있다고 생각했다. 실제로 태평천국 반군이 최종적으로 진압된 것은 그녀의 통치 아래에서였다. 그러나 그녀는 단 한 마디도 할 수 없었고 남편과는 음악과 미술 등 비정치적인 관심사만 얘기할 수 있었다. 함풍제는 예술적 기질이 풍부한 사람이었다. 그가 10대 시절에 인물, 풍경, 눈빛이 고운 말[馬] 들을 그린 그림들은 완성도가 높은 작품이었다. 자희도 그림을 그릴 줄 알았다. 그녀는 어린 처녀일 때 자수를 직접 도안했고, 노년에 들어서는 그림과 서예 솜씨가 활짝 피어났다. 우선 당장 자희는 황제를 상대로 그런 공통 관심사만 얘기할 수 있었다. 연극은 두 사람 사이에 좀 더 가까운 유대감을 조성해주었다. 함풍제는 연극을 좋아해서 음악과 노랫말을 직접 썼고 연기 지도를 하기도 했으며, 그것도 성에 차지 않아 화장을 하고서 연극에 참여하기도 했다. 자신의 연기 실력을 높이기 위해 그는 배우들에게 환관을 가르치라 하고서 옆에서 청취하며 배웠다. 그가 제일 좋아하는 악기는 피리와 북이었는데, 좋아하면 잘하게 되듯이 이런 악기들을 잘 연주했다. 자희에 대해 말해보자면 그녀는 한평생 연극(경극京劇)을 좋아해서 그것이 나중에 더욱 정교한 예술 형태로 발전하는 데 도움을 주게 된다.

1856년 4월 27일, 자희는 아들을 낳았다. 이 사건은 그녀의 운명을 바꾸어놓게 된다.

2

아편전쟁과 원명원의 전소全燒

(1839~1860)

자희의 아들은 황제의 첫아들로 황실에서는 원자元子를 얻은 역사적인 순간이었다. 함풍제는 이 당시 자희와 함께 황실에 들어온 다른 후궁에게 영안 공주榮安公主를 먼저 얻었다. 그러나 공주는 황실의 법통을 이어갈 자격이 없었다. 자희가 아들을 출산하면서 "후궁 의 귀비가 황태자를 생산하다"라는 제목이 붙은 황실의 서류철이 개설되었다. 이 문서에 의하면 그보다 몇 달 전에, 황실 내명부의 규칙에 따라 자희의 어머니가 자금성으로 초청되어 딸을 돌보았다. 황실 천문관天文官이 지정한 날에 자희의 거처 뒤뜰에 '즐거움의 구덩이'를 파는 작업이 진행되었고 예식 내내 '즐거움의 노래'가 합창되었다. 그 구덩이에는 붉은 비단에 싸인 젓가락과 황금, 순은 등 여덟 가지 보물이 들어갔다. 젓가락은 중국어로 '콰이즈(筷子)'인데, 이는 '빨리 아들을 낳으라'는 뜻의 '快子'와 발음이 같다. 그 구덩이는 나중에 태반과 탯줄을 묻는 곳으로 활용될 터였다.

곧 태어날 아이의 옷과 침구를 위해 최고급의 비단, 목면, 모슬린 들이 준비되었다. 출산 경험이 있는 수십 명의 여인들에게 자문을 구했으며, 임신 7개월에 접어들자 황실 의국의 의사들과 함께 이 여인들이 자희 옆에서 대기했다. 원래 황실 규칙에 따르면 임신 8개월째부터 이런 조치를 취했으나, 조급한 함풍제가 특별 조치를 지시한 것이었다. 황제는 자희의 용태에 대하여 지속적으로 보고를 받았다. 따라서 아이가 태어나자마자 환관의 우두머리는 황급히 달려와 "의 귀비가 원자를 생산했습니다."라고 보고했다. 또 어의들이 "산모와 아기의 맥박이 모두 좋습니다."라고 아뢰었다(맥박은 건강의 중요한 지표로 여겨졌다). 모두가 기뻐서 소리쳤다. "황제 폐하 만세!"

함풍제는 크게 기뻐하면서 그 즉시 자희를 1급으로 승급시켰다. 원자가 태어나자 온 황실이 기쁨에 휩싸였고, 아이는 재순載淳이라는 이름을 얻었다. 태어난 지 사흘째 되는 날에 황실 천문관이 상고하여 알아낸 날짜, 시간(오전), 방위(남쪽)를 지켜 아이는 커다란 황금 대야에서 목욕을 했다. 곧 요란한 축포와 함께 아이를 공식적으로 요람에 뉘였다. 태어난 지 한 달이 되자 더 많은 축제가 벌어졌고, 이 무렵 아이는 처음으로 머리털을 깎았다. 첫돌이 되자 아이 앞에 손으로 집어들 물건들, 즉 돌잡이가 준비되었다. 아이가 선택한 물건은 앞으로 아이가 가지게 될 미래를 미리 보여준다고 생각되었다. 아이가 첫 번째로 집어든 물건은 책이었으나 아이는 뒷날 책을 아주 싫어하는 것으로 나타났다. 이런저런 행사 때마다 아이는 엄청나게 많은 선물을 받았다. 그 당시에는 선물 주고받기가 크게 유행해서 일단 행사가 벌어지면 선물이 없는 것은 부적절하다고 여겨졌다. 거의 날마다 선물이 궁중 안팎으로 들어오거나 나갔으며, 궁내에서도 많은 선물들이 교환되었다. 생후 1년이 되자 자희의 아들은 황금, 순은, 벽옥, 기타 보석으로 만든 900개 이상의 선물을 받았고, 가장 훌륭한 옷감으로 만든 의복과 침구를 500점 이상 받았다.

아들 덕분에 자희는 내명부에서 정 황후 다음가는 2인자의 자리를 확고히 보장받았다. 2년 뒤 다른 후궁의 몸에서 태어난 두 번째 아들이 생후 몇 시간 만에 이름도 지어줄 사이 없이 사망하면서 자희의 지위는 더욱 공고해졌다. 그녀는 자신의 단단한 지위 덕분에 황제를 설득하여 18세의 여동생 복진福晉을 황제의 이복동생인 19세의 순친왕醇親王과 결혼시켰다. 친왕들의 아내는 황제가 골라주었는데, 황제 자신이 후궁들을 고를 때 점고點考한 후보들 중에서 떨어진 여자들을 아내로 주었다. 자희는 극장에서 많은 왕자들을 직접 보았다. 이 경우, 남녀가 앉는 좌석은 칸막이로 구분이 되었으나 호기심 많은 이들은 언제나 다수의 이성에 대하여 알아내는 방법을 갖고 있었다. 황실 여자들은 그들의 지정 좌석에서 방석을 깔고 책상다리로 앉았는데, 그들 자신은 보이지 않는 상태로 친왕들을 관찰할 수 있었다. 미국 선교사 겸 의사인 아이작 헤들랜드Isaac Headland 여사는 나중에 자희의 어머니를 위시해 많은 귀족 여성들을 치료했는데, 왕실 여성들에 대하여 이렇게 말했다. "이 온유하면서도 키 작은 여성들은 그들 나름의 호기심을 갖고 있었다. 용이 감긴 기둥들로 가득한 궁정 안에 어떤 남자들이 와 있는지 발견해내는 방법이 있었다. 내가 잘생겼거나 뛰어나 보이는 방문객의 이름을 그들에게 물어보면 즉시 대답해주었다." 자희는 공들여서 순친왕의 성격을 알아보았을 것이다. 실제로 그는 뒷날에 국정 수행에서 그녀에게 엄청난 봉사를 하게 된다.

한편 자희는 아들에게 전심전력을 다했다. 궁중 규칙은 생모가 아이에게 수유하는 것을 금지했으므로, 어의들은 그녀에게 단유斷乳하는 약제를 처방했다. 궁중의 필요에 걸맞은 낮은 계급의 만주족 출신 유모가 고용되었는데, 수유를 촉진하기 위한 처방으로 그녀에게 "매일 오리 반 마리, 족발, 혹은 돼지 허파 앞부분을 먹도록" 하기도 했다. 황실에서는 그 유모가 자신의 아이에게 수유할 다른 유모를 구할 수 있도록 돈을 주었다.

정 황후는 아이의 공식 어머니였으므로 자희보다 우선권이 있었다. 이것은 두 여인 사이에 적대감을 불러오지 않았고, 아이는 애지중지하는 두 어머니 밑에서 성장했다. 아이는 자라면서 누나인 영안 공주와 함께 놀았다. 황실 화가들은 황실 정원에서 놀고 있는 오누이의 그림을 그렸다. 그림 속에서 어린 남자 아이는 허리에 붉은 띠를 두른 남색 옷을 입었고, 여자 아이는 붉은 옷에 초록색 조끼를 입고 머리에 꽃을 꽂았다. 오누이는 정자 옆의 버드나무 아래 연꽃이 핀 연못가에서 낚시를 하고 있다. 또 다른 그림의 배경은 이른 봄으로 오누이는 모자를 쓰고 있는데, 원자는 연푸른 안감이 들어 있는 두툼한 겉옷을 입고 있다. 오누이는 오래된 나무뿌리와 석가산 사이에서 긴 동면에서 금방 깨어난 곤충을 찾고 있는 듯하다. 그림에서 원자는 언제나 공주보다 몸집이 두 배는 크게 그려져 있다.

이런 평화롭고 전원적인 원자의 유년 시절 장면과는 전혀 다르게, 제국은 남부 태평천국의 난과 다른 곳에서의 반란으로 계속 동요하고 있었다. 거기다 엎친 데 덮친 격으로 또 다른 거대한 문제를 대면하게 되었으니, 바로 외세가 중국을 침략해온 것이었다.

영불英佛 양국이 1856년부터 1860년까지 중국을 상대로 벌인 전쟁의 근원은 약 100년 전으로 거슬러 올라간다. 1757년 당시의 황제 건륭제乾隆帝(재위 1736~1795)는 종종 그 위대한 업적으로 '장엄한 건륭'이라 불린다. 그러나 이 황제는 무역항으로 광동廣東 한 군데만 열어주고 나머지는 모두 꽁꽁 문을 닫았다. 황제의 일차적 관심사는 거대한 제국의 통제였고, 쇄국정책은 그런 통제를 한결 쉽게 해주었다. 그러나 영국은 무역에 목말라 있었다. 영국이 중국에서 수입해가는 주요 품목은 비단과 차인데, 차는 그 당시 오로지 중국에서만 재배되었다. 해마다 차 수입은 연간 300만 파운드 이상의 수입관세를 재무부에 가져다주었는데, 이 금액은 영국 해군의 군비 절반을 충당할 정도의 돈이었다. 건륭제에게 무역항을 더 많이 개방해달라고 요청하기 위해 1793년에 영국 사절단이 북경에 도착했다. 사절 단장인 조지 매카트니George Macartney 경은 중국의 요구 사항을 최대한 수용하려 했고, 그의 사절단을 운송하는 수송선과 수레에 한자로 '중국 황제에게 공물을 가져오는 영국 대사'라고 적힌 깃발을 다는 것도 용납했다. 건륭제를 알현하기 위해 그는 반드시 해야 하는 의례인 삼궤구고三跪九叩도 수행했다. 이는 황제에게 세 번 무릎을 꿇고 땅바닥에 아홉 번 이마를 부딪치는 인사법이다. 매카트니는 몹시 망설이고 끝까지 저항하다가 마침내 수락했는데, 이걸 안 하면 황제가 알현을 허용하지 않을 것 같았기 때문이다.*

건륭제는 매카트니 경이 말한 바에 따르면 '은고와 배려의 외적 표시'를 다하면서 영국 사절을 맞았으나 더 이상 교역은 절대 허가하지 않으려 했다. 영국이 제공할 수 있는 것을 보여주기 위해 매카트니 경은 여

* 이것은 중국 측 기록에 의한 것이다. 어떤 사람들은 매카트니 경이 이 의례를 수행하지 않았다고 말한다. 그러나 건륭제는 궁정 신하들에게 아주 분명하게 말했다. "이제 그가 이 문제에 대하여 천조天朝의 규칙을 따르기로 합의했으므로" 그를 만나보겠다. 매카트니 경이 삼궤구고를 실제로 수행했다고 말하는 다른 주장에 대해서는 윌리엄 W. 록힐William W. Rockhill, 《청 황실의 외교관 접견 의례*Dipiomatic Audiences at the Court of China*》, 31쪽을 참조하라.

러 가지 선물들 가운데 포가砲架, 앞차, 탄약 등 일체를 갖춘 산악용 곡사포를 2문 가지고 왔다. 황제는 곡사포를 원명원에 보관시키고 거들떠보지도 않았다. 영국 왕 조지 3세George III 에게 보내는 회신에서 건륭제는 영국 왕의 요구 사항들을 조목조목 거부했다. 즉 더 많은 교역 항구를 개방하는 것은 '불가능하다'는 것과 영국 상인들의 거류지와 물품 보관소를 확보하려는 영국에 중국 해안의 자그마한 섬을 내주는 것도 허용할 수 없으며, 영국 사절이 수도인 북경에 상주하는 것은 '생각조차 할 수 없다' 등이었다. 매카트니 경은 기독교 선교사들이 중국 내륙으로 들어가는 것을 허락해달라고 요청했다. 황제의 대답은 이러했다. "기독교Christianity는 서방의 종교다. 천조天朝는 열성조들이 부여해주신 나름의 신앙을 갖고 있다. 그 덕분에 우리의 4억 백성들은 질서정연한 방식으로 살아가고 있다. 우리 신민들의 정신을 이단으로 혼란시켜서는 안 된다……. 중국인과 외국인은 철저하게 분리되어야 한다."

황제는 또 "천조는 그 넓은 경계 내에 모든 물자를 풍성하게 소유하고 있으며 그 경계 내에서 생산되지 않는 물건이란 없다(地大博物)."고 주장했다. 따라서 외부 세계에서 수입해야 하는 물건은 없다는 얘기였다. 또 중국 물건이 없으면 생활이 불편하게 될 외국인들을 위한 자상한 배려에서 하나의 항구라도 개방한 것이라고 말했다. 이런 거들먹거리는 말은 진실이 아니고 황제 자신도 실은 그렇게 생각하지 않았다. 광동에서 들어오는 관세 수입은 청의 국고에 실질적인 기여를 했다. 매카트니 사절단이 도착하기 3년 전인 1790년에 관세 수입은 은 110만 테일 이상이었다. 이 가운데 상당 액수가 궁중으로 흘러들어갔는데, 당시 궁중의 연간 경비는 60만 테일이었다. 건륭제는 정기적으로 거래 장부를 점검했으므로 이런 사실을 잘 알고 있었다. 또 유럽의 과학과 기술이 훨씬 앞서 있다는 것도 알았다. 청 제국의 농업 생산을 지원하는 데 중요한 중국 농력農曆이 17세기에 유럽 예수회 선교사들에 의해 결정적으로 수정되었다. 특히 페르디낭 베르비에스트Ferdinand Verbiest가 유명했는데, 그는 건륭제의 할아버지인 강희제康熙帝(1661~1722)가 고용한 선교사였다. 그 이후로 유럽의 예수회 회원들이 유럽식 장비를 사용하는 청 제국 천문대에서 계속 일해왔고, 현재는 건륭제를 보필하고 있었다. 강희제 때는 물론이고 건륭제 때 작성된 중국 지도도 유럽 방식으로 제국의 영토를 측지한 선교사들이 작성한 것이다.

건륭제가 매카트니 사절의 요구 사항을 완강하게 거부한 것은 쇄국 정책의 경우와 마찬가지로 중국 전역의 통제권 약화를 우려했기 때문이었다. 황제의 통제권은 신민들의 무조건적이고 철저한 복종에 바탕을 둔 것이었다. 이런 맹목적 복종을 위태롭게 하는 외국인들과의 접촉은 황위를 위태롭게 했다. 건륭제의 관점에서 보면 외세의 접근을 그냥 놔두어서 자유롭게 백성들과 접촉하게 된다면 제국의 통제권은 걷잡을 수 없는 상태가 될 터였다. 특히 일반 백성들이 여러 지역에서 반란의 기미를 보이는 상황에서는 더욱 그러했다.

장기간(강희제 시절의 약 50년 동안)의 좋은 날씨로 상당한 번영을 누려왔던 청조는 18세기 말에 들어와 이미 쇠퇴하고 있었다. 인구 폭발이 그 주요 원인인데, 미 대륙에서 감자나 옥수수 같은 생산성 높은 곡식을 수입해온 결과였다. 매카트니 사절단 도착 당시, 중국의 인구는 50년 만에 갑절로 불어나서 3억 명을 넘어섰다. 그로부터 50년이 더 지나면 4억 명 선을 너끈히 돌파할 추세였다. 중국의 전통 경제는 이런 극적인 인구 폭발을 지탱할 수가 없었다. 매카트니 경은 이렇게 말했다. "일부 성에서 반란이 일어나지 않고 지나가는 해가 없다. 반란들은 곧 진압되지만 그

빈도는 내부의 염증이 심각하다는 강력한 징조다. 마비 증세는 진압되었지만, 병은 치료되지 않은 것이다."

사실상 매카트니를 내쫓으면서 건륭제는 조지 3세에게 공격적인 어조로 편지를 썼다. 영국 화물선들이 또다시 중국 연안에 도착하면 그들을 무력으로 격퇴할 것이라며, 이렇게 마무리했다. "사전 경고를 해주지 않았다고 나에게 원망하지 말기를 바란다!" 황제는 위험을 감지하면 목털을 세우고 달려드는 동물같이 행동했다. 건륭제의 쇄국정책은 경계심과 계산속에서 나온 것이지, 사람들이 주장하는 것처럼 무지한 자부심에서 나온 것이 아니었다.

그의 후계자인 가경제嘉慶帝(아들)와 도광제(손자)는 제국이 점점 약해지는데도 고집스럽게 쇄국정책을 밀어붙였다. 그리고 실패로 끝난 매카트니 방문 후 50년 뒤에, 제국의 닫힌 문은 아편전쟁(1839~1842)에 의해 영국이 강제로 열어젖혔다. 아편전쟁은 중국이 서방과 처음으로 벌인 군사적 충돌이었다.

아편은 영국령 인도에서 생산되어 (주로) 영국 상인들이 중국으로 밀수해 들여왔다. 청나라 정부에서는 아편이 국가 경제뿐만 아니라 개인들에게도 엄청난 피해를 입힌다는 사실을 알고서, 1800년 이래 아편의 수입, 재배, 흡입을 금지해왔다. 아편 중독자에 대한 당시의 묘사는 다음과 같다. "그들의 허리는 굽었고 두 눈은 축축했으며, 콧물을 줄줄 흘리고 숨을 헉헉거리는 것이, 산 사람이라기보다 죽은 사람에 더 가까웠다." 만약 이런 아편 복용 사태가 계속된다면 나라에 튼튼한 병사와 인부가 사라지는 것은 물론이고, 중국의 기본 화폐인 은마저도 없어지게 될 판이었다. 1839년 3월, 도광제는 아편 퇴치의 선봉장으로 흠차대신欽差大

臣 임칙서林則徐를 광동으로 파견했다. 당시 광동의 해안에는 아편을 실고 온 외국 배들이 많이 정박해 있었다. 임칙서는 외국 상인들에게 보유중인 아편을 모두 내놓으라고 명령했다. 외국 상인들이 명령을 거부하자 그는 외국인들의 거주지를 포위해 격리시키고, 중국 해역에 있는 아편을 모두 포기하면 포위를 풀겠다고 선언했다. 그리하여 100만 킬로그램이 넘는 2만 813궤짝의 아편이 임칙서에게 인도되었고, 그제야 포위를 해제했다. 임칙서는 광동 밖에서 아편을 녹인 다음에 모두 바다에 내던졌다. 마약을 바다에 투입하기 전에 그는 해신海神에게 제사를 올리면서 '물고기들이 해악을 피하기 위해 잠시 멀리 가 있게 해달라'고 빌었다.

임칙서는 영국의 최고 통치자가 젊은 여자이며, 모든 명령이 그 여왕으로부터 나온다는 것을 알았다. 그는 1837년 이래 영국 왕좌에 오른 빅토리아 여왕에게 협조를 구하는 편지를 썼다. "영국에서도 아편 흡입은 엄격하게 금지되어 있다고 들었습니다. 영국은 마약의 피해를 잘 알고 있습니다. 자국민에게 이런 해악이 돌아가지 않게 하고 있다면 다른 나라의 국민들에게도 똑같이 대우해야 할 것입니다." 도광제는 그 편지를 승인했다. 그러나 흠차대신이 그 편지를 누구에게 맡겼는지 분명하지 않을 뿐 아니라 빅토리아 여왕이 그 편지를 받았다는 기록도 없다.*

사태가 이렇게 돌아가자, 런던에서 글래스고에 이르는 주요 무역회사

* 윈저Windsor의 왕실 문서 보관소에는 이 편지가 없고 또 편지가 런던에 도착했다는 표시도 없다. 그러나 당시의 광동 영자신문인 《광주신문廣州新聞(*Canton Press*)》에 실려 있고, 개신교 선교사들을 위한 정기간행물인 《중국박물中國博物(*Chinese Repository*)》의 1840년 2월 호에도 실렸다.

들과 상공회의소들이 들고 일어났다. 임칙서의 조치는 영국의 재산에 '피해'를 입힌 것이며, '보복과 보상'을 위해 전쟁을 해야 한다는 목소리가 들끓었다. '포함외교砲艦外交'의 주창자인 외무장관 파머스턴Palmerston 경은 전쟁을 지지했다. 이 문제가 1840년 4월 8일 의회에서 토의되자, 당시 토리당 의원이며 장차 총리가 된 윌리엄 글래드스턴William Gladstone은 전쟁 반대를 열렬하게 호소했다.

> 그 근원이 이처럼 불공정한 전쟁, 실시될 경우 이 나라에 영원한 치욕을 안겨줄 것으로 보이는 전쟁, 나는 이런 전쟁에 대해서 알지 못하며 읽어본 적도 없습니다. 존경하는 장관께서는 지난밤 광동에서 영국 깃발을 명예롭게 휘날리는 것을 찬성한다며 웅변조로 말했습니다……. 하지만 고상한 외무장관의 비호 아래, 악명 높은 밀수품 거래를 보호하기 위해 그 깃발을 올리려 하고 있습니다……. 이 안건과 관련하여 정부는 하원이 이런 불공정하고 부당한 전쟁을 지원하도록 설득하지 못할 것입니다.

그러나 야당이 발의한 전쟁 반대투표는 271대 262, 즉 아홉 표 차이로 부결되었다. 그 후 2년 동안 수십 척의 영국 전함과 2만 명의 병력(7천 명의 인도인 부대 포함)이 중국의 남부와 동부 해안을 공격하여 광동을 점령했고 곧 이어 상해도 장악했다. 전함이 없는 데다 육군마저 부실한 중국은 패배하여 1842년 남경조약南京條約에 강제로 서명해야 했고, 2100만 달러 은화silver dollar에 달하는 배상금도 물어주어야 했다.*

* 그 당시 배상금을 요구하는 것은 유럽의 표준 관행이 아니었다. 나중에 공격을 당해 자신을 변명해야 했던 파머스턴은 의회에 이렇게 말했다. "지난 정부가 요구한 것은 국가의 손상된 명예에 대한 보상이었으며, 그 보상을 위한 한 가지 방법이 압수된 아편 대금을 지불하게 하는

이런 식으로 격려를 받게 되자 아편 밀수는 더욱 번성했다. 당시 영국의 식민지였던 인도의 콜카타와 뭄바이에서 들어오는 선적량이 즉시 두 배 가까이 늘어났고, 그 후 10년이 안 되어 세 배 이상으로 증가했다. 1840년에 1만 5619궤짝, 1841년에 2만 9631궤짝, 1860년에 4만 7681궤짝으로 늘어났다. 아편과의 전쟁이 무용하다는 현실에 굴복하여 중국은 1860년에 아편 무역을 합법화했다. 당시 '양약洋藥'이라고 불렸던 아편은 서방과 밀접한 관계가 있었다. 헤들랜드 여사는 이렇게 회상했다. "중국 가정을 방문했을 때 종종 아편 파이프를 제공받았다. 내가 거절하면 여자들은 놀라운 표정을 지으며 외국인들은 모두 아편을 흡입하는 줄 알았다고 말했다."

남경조약으로 인해 중국은 광주廣州 이외에 복주福州, 하문厦門, 영파寧波, 상해 등 네 곳의 무역항을 더 개방해야 했다. 조약 항구로 알려진 이곳들은 서방의 정착지였고, 중국 법보다 서방 법의 지배를 받았다. 남경조약의 별도 조문에는 또 홍콩을 영국의 배와 화물이 머물 수 있는 섬으로 '준다'는 것을 명기했다. 당시 홍콩은 햇볕이 쨍쨍 내리쬐는 불모의 땅에다 어부들의 오두막만 몇 채 있을 뿐이고, 상해의 외국인 정착지는 들판에 면해 있는 늪지에 지나지 않았다. 이 한미한 땅에서 두 국제적인 대도시가 중국인의 노동력과 외국(주로 영국)의 투자 그리고 행정이 결합하여 생겨나게 되었다. 20세기 초에 자희 밑에서 유능한 외교관으로

것이었습니다……. 중국이 '전쟁 비용'을 지불하는 것은 유럽의 전쟁 관행에 비추어 이례적인 것이지만," 하고 한 걸음 양보한 파머스턴은 이렇게 말을 이었다. "그러나 중국인들이 저지른 소행이 얼마나 모욕적인 것이었는지 깨우쳐주기 위해 또 영국이 명예 회복을 위해 어떤 무력을 행사할 수 있는지 알려주기 위해, 중국인들이 피해자들에 대하여 보상하는 것 이외에 전쟁 비용을 지불하도록 하는 것이 적절하고 또 쉬운 방편이라고 생각합니다."

활약했던 오정방伍廷芳은 홍콩에 대하여 이렇게 썼다.

> 영국 정부는 해마다 홍콩의 개선과 발전을 위해 엄청난 돈을 투자했다. 또 현지 정부의 현명한 행정을 통해 자유무역을 위한 모든 시설이 제공된다. 홍콩은 이제 번영하는 영국 식민지이다……. 이 식민지의 번영은 중국인들에게 달려 있다. 이곳의 중국인들은 영국인 거주민들이 누리는 모든 특혜를 갖고 있다……. 영국 정부가 홍콩에 좋은 일을 많이 했다는 것을 나는 인정한다. 홍콩은 중국인들에게 서방 행정제도의 살아 있는 모범을 제공했다……. 그 행정제도는 불모의 섬을 번영하는 도시로 바꾸어놓는 데 성공했다……. 공정한 법 집행과 죄수들에 대한 인도적인 대우는 원주민들의 찬탄을 이끌어내며 그들의 신임을 얻었다.

아편전쟁은 중국에 서방의 선교사들을 받아들이도록 강제했다. 그 무렵 선교사 입국 금지가 100여 년 이상 실시되어왔다. 그러나 전쟁 후에 중국과 교역이 별로 없고 가톨릭교회를 전파하는 데 관심이 많은 프랑스는 유럽 국가의 승리에 편승하여 선교사 입국 금지를 해제해달라는 적극적인 막후교섭을 벌였다. 도광제는 당초 그 요구 사항에 저항했다. 그러나 전쟁 패배에 압도당한 데다 원래 우유부단한 성격인 도광제는 프랑스의 집요한 압박에 굴복하고 말았다. 서구인들과 협상을 전담한 흠차대신 기영耆英이 요구를 받아들이라고 상신했던 것이다. 1846년 2월 20일, 기독교 선교사의 입국 금지를 해제하는 역사적인 칙명이 내렸다. 하지만 이 칙명은 조약 항구들에만 해당하는 것이고 중국의 나머지 지역에서는 여전히 입국 금지가 실시되었다.

그러나 선교사들은 다스리기 어려운 존재였다. 이처럼 일단 교두보를 확보하자 그들은 금지 조항에도 불구하고 광대한 내륙으로 침투하기 시작했다. 궁정에서 직원으로 일하면서 황제의 명령을 잘 따르던 예수회 회원들과는 다르게, 포함砲艦의 지원을 받는 선교사들은 대담하고 도전적이었다. 그들은 이 오래된 나라의 내륙으로 열성적으로 뛰어들어 서방의 사상과 실천을 널리 퍼뜨리며 중국을 근대화시켰고, 그 과정에서 그들의 본의든 아니든 청 왕조의 붕괴에 일조했다. 그들은 비교적 소수의 사람들만 개종시켰으나 그 개종자들이 중국의 변화에 핵심적인 역할을 했다.

도광제는 미래를 내다보지는 못했으나, 획기적이면서도 무서운 힘을 풀어놓았다는 것은 알았다. 이는 그를 당황하게 했으며 심리적으로 크게 압박했다. 그는 영국인과의 거래를 성공적으로 하지 못한 것에 대하여 깊은 후회와 절망을 느꼈다. '이런 형언할 수 없는 괴롭힘에 쫓기다 보니 엄청난 분노와 증오가 내 속에서 들끓었다'라고 도광제는 썼다. 황제는 이렇게 느꼈다. '오로지 나 자신을 질책할 뿐이고 스스로에 대하여 엄청난 수치심을 느낀다……. 꽉 쥔 두 주먹으로 가슴을 치고 또 치고 싶을 뿐이다.' 그 운명적인 칙명을 내리고 몇 달 후에 선교사들이 도착하면서 일으키는 문제점에 대하여 여러 성에서 경고가 들어왔다. 황제의 고뇌는 더욱 깊어졌고, 바로 이 무렵에 유언서를 작성하고 후계자를 지명했다. 그는 좀 더 단호하고 더욱 강력하게 서방에 저항할 수 있는 아들의 손에 제국을 맡겨야 했다. 그래서 넷째 아들 혁저奕詝를 선택했는데, 이 사람이 바로 함풍제이며 자희의 남편이다. 혁저는 어릴 때부터 서구인들을 철저하게 미워하면서 성장했다.

청 왕조는 맏아들이 자동적으로 왕위를 계승하는 적장자 제도를 시행하지 않고, 통치하는 황제가 은밀하게 작성하여 후계자를 지명하는 방식을 취했다. 도광제는 은밀하면서도 엄숙한 방식으로 유서를 작성했다. 아주 중대한 문서이니만큼 중국어와 만주어 두 언어로 작성했다. 이어 그 종이를 반으로 접어서 노란색 황실 전용 봉투 안에 넣은 다음 다시 봉투 위에 서명을 하고 날짜를 적었다. 그는 이 봉투를 다시 노란색 덮개가 달린 판지 서류철 안에다 집어넣었다. 그는 이어 또 다른 노란 종이로 서류철을 싸고 그 종이에다 서명한 뒤 만주어로 '만세萬歲'라는 글자를 적어서 그 유서가 최종본이라는 것을 확인해주었다. 마침내 그는 유서를 이전 황제들이 유서를 넣어둘 때 사용하던 최고급 녹나무로 만든 상자에다 집어넣었다. 상자의 자물쇠와 열쇠에는 구름 속을 날아가는 박쥐의 상서로운 문양이 새겨져 있었다(박쥐는 '행운'을 의미하는 '행幸'과 같은 발음이다). 도광제는 상자를 곧바로 밀봉하지는 않았는데, 하루를 기다리면서 더 좋은 생각이 떠오르지 않는지 살피고 또 자신의 결정을 확신할 시간적 여유가 필요했기 때문이다. 이어 그는 직접 상자의 자물쇠를 잠그고 종이끈으로 밀봉한 뒤 그 끈에다 서명을 하고 맨 위에 날짜를 적었다. 이어 상자를 자금성의 건청궁乾清宮 입구에 걸린 거대한 현판 뒤에 잘 보관해두었다. 그 현판에는 청 제국의 표어인 '정대광명正大光明'이 적혀 있었다.

도광제는 여러 비빈들에게 아홉 아들을 두었으나 넷째 혁저와 여섯째 혁흔奕訢만이 적령기에 이르러 황제 후보가 될 수 있었다.* 여섯째는 황제 자신이 배제했는데, 도광제는 혁흔에게 황자 중에 가장 높은 지위인 '친왕親王'을 부여했다. 인품이 매력적이어서 궁중에서 인기가 높던 혁흔(공친왕恭親王)은 그의 이복형이며 지명 후계자인 혁저와는 다르게 외국

* 첫째에서 셋째 아들까지는 사망했고, 일곱째(혁현奕譞 순친왕, 뒷날 자희의 여동생과 결혼), 여덟째, 아홉째는 너무 어렸다. 다섯째 아들은 사망한 형제의 양아들로 주어 계승 서열에서 제외되었다.

인들을 그리 적대시하지 않았다. 도광제는 혁흔이 외국인들의 요구 사항에 넘어가서 중국의 문호를 더욱 넓게 개방할지 모른다고 걱정했다.*
아버지는 아들들에 대해 잘 알고 있었고 뒷날 두 아들은 아버지가 예상한 그대로 행동했다.

함풍제는 아편전쟁이 터졌을 때 여덟 살이었는데, 그 후 그 전쟁이 얼마나 아버지인 도광제를 심로하게 만들고 괴롭혔는지 직접 보면서 성장했다. 1850년 제위에 올랐을 때, 함풍제가 첫 번째 내린 조치들 중 하나는 기영을 비난하는 장문의 칙명이었다. 기영은 흠차대신으로 남경조약에 서명했으며, 도광제에게 기독교 선교사들에 대한 입국 금지 해제를 건의한 신하였다. 칙명에서 함풍제는 기영을 이렇게 비난했다. "나라를 희생시키면서 언제나 외국인들에게 굴복하는 자", "아주 무능력한 자", "일말의 양심도 없는 자". 기영은 직급이 강등되었고 나중에 자결하라는 명령을 받았다.

한번은 함풍제가 이런 보고를 받은 적이 있었다. 폭풍우 때문에 상해에 있는 교회의 지붕이 무너졌는데, 그리스도 상을 떠받치던 커다란 나무 가로대가 파괴되었다는 것이다. 함풍제는 이 변고를 황제가 해야 할

* 도광제가 넷째 아들을 선택한 것에 대하여 다음과 같은 설명이 있다. 황제가 봄날 사냥을 나갔는데 넷째가 새끼 밴 짐승들을 죽이려 하지 않는 어진 마음을 가진 걸 보고서 낙점했다는 것이다. 이것은 아주 감상적인 헛소리이다(넷째와 여섯째는 넷째의 어머니가 일찍 죽는 바람에 여섯째의 어머니 강자 태비 밑에서 함께 자랐다. 그러나 강자 태비가 자신의 소생인 여섯째, 즉 공친왕을 더 총애하는 것으로 오해를 한 넷째, 즉 함풍제가 그 후에 이복동생을 미워하여, 함풍제는 임종하는 자리에서 고명 여덟 대신을 임명하면서도 자신의 동생인 공친왕은 그 여덟 명의 명단에서 제외했다. 만약 공친왕이 함풍제의 신임을 얻어 고명대신에 들어갔더라면 당연히 그중의 영수가 되었을 것이다. 또한 청조의 조상들은 수렴보다 고명대신에 의한 섭정을 더 중시했으므로 공친왕이 어린 황제가 성년이 될 때까지 섭정했을 것이고, 자희 태후가 수렴청정의 명분으로 정권에 끼어드는 일은 없었을 것이다. 결국 함풍제와 공친왕의 형제간 대립은 자희 태후 한 사람에게 권력을 몰아주는 예기치 못한 결과를 가져왔다. —옮긴이).

일을 하늘이 대신한 것이라고 생각해 보고서에 이렇게 적었다. '나는 너무나 겁나고 감동하고 또 수치심을 느낀다.' 그는 원래 기독교와 서구인들을 싫어했는데, 태평천국군들의 움직임 때문에 그 혐오증이 더욱 깊어졌다. 그의 제위를 뒤흔들던 홍양군洪楊軍들은 기독교를 믿는다고 말했고, 그 지도자인 홍수전은 자신이 예수그리스도의 동생이라고 선언했던 것이다. 함풍제는 서구인들을 중국에서 몰아내기 위해 철저히 그들과 싸우면서 절대 양보하지 않겠다고 결심했다.

한편 영국은 더 많은 교역 항구들을 개방하고 또 북경에 영국 공사가 주재하기를 희망했다. 함풍제는 영국을 상대하는 협상 대신으로 양광兩廣 총독 섭명침葉名琛을 임명했다. 섭 총독은 황제와 비슷한 기질을 갖고 있어 영국인들의 요구 사항에 대하여 모르쇠로 일관했다. 결국 영국은 "전함 파견이 절대적으로 필요하다"는 결론을 내렸다. 애로호Arrow號라는 배를 둘러싼 사건이 이른바 1856년의 제2차 아편전쟁을 일으켰다. 1856년은 자희의 아들이 태어난 해였다. 그다음 해인 1857년 엘긴Elgin 경(엘긴 마블스로 유명한 7대 엘긴 백작의 아들)이 전함들을 이끌고 중국으로 파견되었다. 프랑스도 동맹국으로 따라나섰는데 선교사들을 중국 내륙으로 무제한 진출시키려는 희망을 품고 있었다. 연합국들은 광동을 점령하고 섭 총독을 콜카타로 이송했는데 총독은 그곳에서 곧 사망했다. 유럽인들은 북상하여 1858년 5월에는 북경에서 남동쪽으로 약 150킬로미터 지점인 대고大沽 포대를 점령하고 그 인근의 천진天津에 입성했다. 적군이 성문 앞까지 와 있는데도 함풍제는 그들의 요구 사항을 무조건 거부했다. 마침내 엘긴 경이 북경으로 진격하겠다고 위협하자, 황제는 할 수 없이 협상단을 보내 그들의 요구 조건을 수용했다. 즉 북경에 공사관 설립을 허용하고 더 많은 무역항을 개방하며, 선교사들이 내륙에 들어가는 것을 허가한다는 조건이었다. 며칠간의 고통스러운 나날을 보낸 후 함풍제는 프랑스 사절 그로Gros 남작이 말한바 "목구멍에 들이민 권총"에 굴복해 그 조건들을 승인했다. 연합국들은 만족하여 그들의 전함을 타고서 대고 포대를 떠나갔다.

함풍제는 그에게 강요된 새로운 거래를 증오했다. 거기서 빠져나갈 방법을 찾느라 머리를 쥐어짜다가, 황제는 영국과 프랑스가 그 새로운 합의를 취소해준다면 모든 수입관세를 면제해주겠다고 제안하기까지 했다. 그러나 두 나라는 수입관세를 면제받으면 좋기야 하겠지만 그래도 원래의 합의안을 고수하겠다고 말했다. 황제는 상해에서 유럽인들과 협상 중인 신하들을 맹렬하게 비난했지만 아무런 소용이 없었다.

1년이 지나고 합의안에 규정된 대로 이제 그것을 북경에서 비준해야 할 시간이 되었다. 엘긴 경의 남동생인 프레더릭 브루스Frederick Bruce는 1859년 영국군과 소수의 프랑스 군대(프랑스는 이 당시 인도차이나 식민지 전쟁으로 바빴다)를 이끌고 북경으로 갔다. 함풍제는 브루스와 그 일행들을 좌절시키려고 온갖 장애물을 만들어냈다. 그는 사절들의 배가 자그마한 연안 도시에 정박해야 한다고 했으며, 또 이렇게 요구했다. "10명 정도의 비무장 수행원을 데리고 북경으로 오라……. 가마를 타거나 행렬을 이루어 이동해서는 안 된다……. 비준이 완료되는 즉시 북경을 떠나야 한다." 가마는 품위를 유지시켜주는 수송 수단이었다. 가마를 포기할 경우 사절들은 노새가 끄는 수레를 타고서 울퉁불퉁한 시골길을 불편하게 가야만 하는데 그건 아주 굴욕적인 처사였다. 브루스는 황제의 요구를 거부하며 대고 포대를 공격했다. 하지만 브루스의 군대가 격퇴되자 이 영국인은 깜짝 놀랐다. 중국인들은 대고 포대를 지난 1년 동안 강화했던 것이다. 황제는 자신감이 크게 높아져 즉시 지난해의 합의안을 취소하라는 명령을 내렸다.

그러나 연합국은 1년 뒤인 1860년에 더 큰 규모의 군대를 거느리고 돌아왔다. 이번에는 엘긴 경이 영국 측 전권 대사였고, 그로 남작은 프랑스 측 대사였다. 두 사람은 먼저 홍콩에 도착했고 이어 상해를 거쳐 해로로 북상했다. 그들은 광동인 쿨리coolie 수송대를 포함하여 2만 명의 병력을 거느리고 진군했다. 연합군은 무력으로 대고 포대를 점령했으나 양측에 엄청난 희생자가 발생했다. 울즐리G. J. Wolseley 중령은 이런 논평을 했다. "영국은 아주 조직적이며 효율적인 군대를 가지고 전투에 임했다. 일찍이 이처럼 잘 조직된 군대는 없었다." 이와는 대조적으로 대부분의 중국 군대는 "옷도 제대로 못 입었고, 타고 있는 말도 장비도 형편없었으며, 일부는 화살, 또 일부는 창 그리고 나머지는 녹슨 오래된 화승총을 들고 있었다". 유럽인이 보기에 중국 측의 전의戰意 역시 빈약했다. "만약 중국인들이 1809년에 웰링턴Wellington이 포르투갈 방어 때 사용한 전투 계획이나 1812년에 러시아인들이 모스크바 방어 때 채택한 작전 계획을 썼더라면 우리는 1860년에 북경에 입성하지 못했을 것이다. 그들이 시골 지방을 황폐화하고, 비축 중인 곡식들을 불태워버리고, 모든 가축을 소개하고, 백하白河 강의 배들을 파괴해버렸다면, 우리는 아주 난감했을 것이다." 울즐리는 또 그가 군대를 이끌고 갔을 때 '백성들은 아주 친절하게 그들이 아는 정보를 다 알려주려고 했다'고 적었다. "그들은 타타르Tartar 부대(당시의 중국 측 군대는 몽골 부대였다)를 증오하는 것 같았다." 현지 중국인들은 몽골인들을 가리켜 "끔찍한 종족으로 전혀 알 수 없는 말을 사용하고, 주로 요리하지 않은 양고기를 먹는다."고 말했다. 또 "당신네들(영국인들)보다 더 심한 냄새가 난다."고 했다. 중령은 다소 유머러스하게 이렇게 적었다. "그건 우리 민족에 대하여 크게 칭찬해주는 말이었다. 특히 존 불John Bull(영국인의 특성을 나타내는 전통적인 인물)은 그 자신을 이 세상에서 가장 깨끗한 사람이라고 생각하므로……."

전쟁은 황실의 문제였지 일반 백성의 문제는 아니었다. 황제는 일반 백성들에게는 아주 멀리 떨어져 있었다. 일반 관리들도 별 걱정을 하지 않았다. 이것은 그리 놀라운 일이 아니다. 청 왕조는 교육을 받은 계급인 식자층까지 정치 참여를 막는 정책을 취했으니 말이다. 그래서 연합국 군대는 별 저항을 받지 않고 북경까지 진격할 수 있었다. 그들은 이제 2년 전에 서명한 합의안의 비준을 원할 뿐만 아니라 거기에 덧붙여 천진항도 추가 교역항으로 개방하고 전쟁배상금도 지불하라고 요구했다. 연합군을 떠나게 하려면 그들의 요구 사항을 받아들일 수밖에 없다는 신하들의 진언에 함풍제는 화가 나서 제정신이 아닌 상태로 품위 없는 조롱과 욕설을 퍼부었다. 그는 군대에 전의를 불어넣고자 현상금을 내걸기도 했다. "검은 야만인—영국군에 소속된 인도인—의 머리 하나에 은 50테일, 백인의 머리 하나에 은 100테일……."

엘긴 경은 협상을 원하여 선발 대표자 해리 파크스Harry Parkes를 휴전 깃발 아래 북경 근처의 마을로 보냈다. 파크스와 그의 호위군들은 체포되어 형부의 감옥에 투옥되었다. 황제는 친히 '가혹한 구금'을 명령했다. 포로로 붙잡힌 사람들은 양 손발이 묶였고 가장 고통스러운 방식으로 수갑을 찼다. 이를 가추枷杻라고 하는데, 포로를 죽일 수도 있었다. 중국의 전투에서 적의 전령에 이런 식으로 피해를 입힌다는 것은, 우리는 너희와 죽을 때까지 싸우겠다는 최후통첩이다. 몽골군 지휘관은 연합군과의 전투에서 이길 수 없다는 것을 알고서 포로들에게 편안한 숙소와 좋은 음식을 제공하면서 너그럽게 대해야 한다는 긴급 호소문을 청 황실에 보냈다. 그리고 그는 너무나 초조한 나머지 평화와 화해를 원한다는 내용의 유화적인 편지를 엘긴 경에게 보냈다. 화가 난 함풍제는 그를 크게 비난했다. 황제의 최측근인 황자들과 고위 대신들은 그에게 결코 타협하지 말라고 진언했다. 그들 중 한 명인 초우영焦祐瀛은 이런 말도 했다. "파크스는 아주 고통스러운 방식으로 사형에 처해져야 합니다." 즉 능지처참해야 한다는 얘기였다. 함풍제는 그 진언을 좋아하며 이런 지시를 내렸다. "경의 말이 절대로 옳다. 그러나 우리는 며칠 더 기다려야 한다."

황제의 낙관론은 그가 '야만인들을 다루기 위해' 임명한 최측근 인사들이 심어준 것이었다. 그들은 황제에게 말했다. "야만인 파크스는 군사작전에 능한 자입니다. 모든 야만인들이 그에게 지시를 받습니다. 이제 그가 잡혔으니 적군의 사기는 떨어질 수밖에 없고, 이때 기회를 잡아 섬멸 작전을 편다면 승리는 우리의 것입니다." 이런 기괴한 망상적인 진언이 나온 지 사흘 후인 1860년 9월 21일, 중국군은 북경 외곽에서 완패했다. 함풍제는 그 소식을 여름 궁전인 원명원에서 들었다. 그가 할 수 있는 일은 이제 도망치는 것뿐이었다. 그날 밤 황실은 혼란과 공포에 싸여 황급히 피난 보따리를 쌌다. 그다음 날 아침에 신하들이 황제를 알현하러 왔을 때 황제가 사라진 것을 발견했다. 궁중 사람들은 대부분 나중에 각자 떠나야 했다. 황제가 궁전을 떠났다는 이야기를 듣고서 도망치려는 북경 주민들로 길이 너무나 붐볐기 때문이다.

10월 6일 프랑스 군대가 원명원에 침입했으며, 8일에 파크스와 다른 포로들이 석방되었다. 그 후 며칠 동안 더 많은 사람들이 풀려났으나 대부분 시체가 되어 돌아왔다. 체포된 39명 중 21명이 황제가 명령한 대로 손발을 묶는 가추형을 당했다. 포로들을 발견한 동료들은 이렇게 말했다. "그들은 양 손발을 등 뒤로 돌린 채 아주 단단하게 줄로 묶여 있었다. 그런 다음 줄에 물을 부어 줄의 강도를 높였는데, 그러면 그 줄이 살을 파고들면서 엄청난 고통을 안겼다. 그들은 이런 끔찍한 자세로 갇혀 있었기 때문에 발견되었을 때의 상태는 너무나 끔찍해서 형언할 수가 없었다." 그들은 살갗이 찢어지는 고통을 며칠씩 당하다가 죽어갔다. 파크스와 다른 생존자들은 형부의 지각 있는 관리들이 은밀하게 보호해 주었기 때문에 살아남을 수 있었다.

엘긴 경은 자신이 보고 들은 것에 엄청난 충격을 받았다. 그는 아내에게 이렇게 썼다. "여보, 우리는 몇몇 붙잡힌 친구들의 운명에 대해 아주 끔찍한 소식을 들었소. 이건 아주 극악한 범죄요. 복수가 아니라 미래의 안보를 위해서 반드시 심각하게 대처해야 할 범죄요." 유럽인들이 이제 중국에 건너오고 있었다. 그들이 두 번 다시 이런 대접을 받지 않으려면 엄중한 경고를 할 필요가 있었다. 그것도 황제를 아주 뼈아프게 만들 경고여야 했다. 그래서 엘긴 경은 여름 궁전인 원명원을 불태우기로 결심했다. 그랜트Grant 장군은 그의 보고서에서 이렇게 썼다. "이런 보복 조치가 없으면 중국 정부는 우리 동포를 잡아서 죽여도 아무 벌을 받지 않는다고 생각할 것이다. 이 점에 대해 그들의 미망을 반드시 깨뜨려주어야 한다." 엘긴 경은 다른 대안도 고려했으나 모두 거부했다. "나는 인근에 있는 중국군을 모조리 분쇄해버리고 싶다. 그러나 우리가 그 일에 착수하여 북경 성벽을 따라 그들을 추격하다가는 운명의 날이 올 때까지도 쫓아다녀야 할 것이다." 그는 서둘러 군사작전을 완료하고 떠나고 싶어 했다. 중국에 갇혀 있다가는 곧 날씨도 추워지고 어디서 중국 증원군이 나타날지도 모르기 때문이었다. 그러니 재빨리 불을 지르는 것이 가장 간편한 선택 방안이었다.

원명원은 18세기 초에 건설되기 시작한 궁전 단지인데 그 후 100년에 걸쳐 계속 증축되어왔다. 면적 3.5제곱킬로미터를 자랑하는 이 여름 궁전은 건륭제가 고용한 예수회 수도자 주세페 카스틸리오네Giuseppe Castiglione와 미셸 베누아Michel Benoist가 설계한 장엄한 유럽식 건물들을 포함했다. 그 외에 수백 동의 중국식, 티베트식, 몽골식 건물들이 들어서 있다. 또 중국 전역의 건축양식들이 골고루 갖추어져 있었다. 조경 공원들은 제국의 다양한 풍경들을 옮겨다 놓은 것이다. 그중에서 양자강 계곡의 논밭은 배꽃과 대나무 숲, 그 숲 사이로 구불구불 흐르는 개울로 유명했다. 위대한 시詩의 아름다운 풍경 이미지들도 재현되었다. 가령 8세기 시인인 이백의 시에 따라 깎아놓은 돌 위로 떨어지는 폭포도 조성되었는데, 물이 떨어지는 강도에 따라 다른 물소리가 나도록 고안되어 있었다. 또한 해가 적당한 위치에 떠오르면 폭포수에 무지개가 서는데, 폭포 꼭대기에서 그 밑의 연못으로 떨어지는 그 모습은 인공 다리의 날카로운 아치형과 한 쌍을 이루었다. 연못 가장자리에 세워진 멋진 정자에 앉아 무지개를 보고 또 물의 음악을 듣는 것은 황실 사람들이 좋아하는 오락이었다. 이 즐거운 궁전에서 장엄함은 관심사가 아니고 아름다움이 최고로 중요했으며, 100년 이상 축적되어온 엄청난 가치의 예술품과 보물들이 원명원의 구석구석을 채웠다.

엘긴 경이 이 거대한 보물 창고에 불을 지르기 전에, 그곳에 먼저 도착한 프랑스인들이 보물들을 약탈했다. 프랑스 군 지휘관인 드 몽토방De Montauban 장군은 이 궁전을 보고서 이렇게 썼다. "유럽에 있는 그 어떤 것도 이런 사치스러움에 견줄 수 없다. 이 화려함을 몇 줄의 글로는 도저히 묘사할 수가 없다. 나는 이 경이로운 광경을 보고서 놀라움과 동시에 깊은 감명을 받았다." 그의 부대는 아무런 거리낌 없이 이 희생물에 달려들었다. 울즐리 중령은 그 약탈 현장의 목격자였다. "너무 무거워서 옮길 수 없는 물건들에 대하여 무분별한 약탈과 방종한 파괴 행위가 즉시 자행되었다……. 장교와 사병들은 일시적인 정신이상 상태가 된 듯했다. 그들은 몸과 마음이 오로지 하나의 행위에만 집중되어 있었다. 그들은 약탈하고 또 약탈했다." 나중에 도착한 영국 군대도 곧 약탈 행위에 동참했다. 그랜트 장군의 통역 참모인 로버트 스윈호Robert Swinhoe는 이렇게 썼다. "장군은 약탈에 대하여 아무런 이의도 제기하지 않았다. 아, 이 얼마나 끔찍한 파괴의 장면인가!" 그랜트 장군은 이렇게 썼다.

> 궁전의 한 방만 건드리지 않은 채 남아 있었다. 드 몽토방 장군은 그 방 안에 있는 귀중품들을 영국과 프랑스가 공평하게 나누려고 아직 건드리지 않았다고 말했다. 그 방의 벽은 벽옥으로 덮여 있었다……. 프랑스 장군은 내게 황금과 초록 벽옥으로 장식된 두 사무실을 발견했다고 말했다. 그중 하나를 빅토리아 여왕에 대한 선물로 내게 주겠다고 했고, 나머지 하나는 나폴레옹 황제에 대한 선물이라고 했다.

빅토리아 여왕이 받은 선물들 중에는 자그마한 개가 있었다. 황실 사람들과 함께 달아나지 못한 나이 든 후궁은 연합군 군대가 도착하자 두려움에 죽고 말았다. 그녀가 기르던 다섯 마리의 페키니즈가 영국으로 보내져 중국 바깥에서 페키니즈를 퍼뜨리는 시조가 되었다. 그 개 가운데 한 마리는 윌트셔Wiltshire 연대의 하트 던Hart Dunne 대위가 데려왔는데 이름을 '루티Lootie'라고 붙여서 빅토리아 여왕에게 진상했다. 그 개를 올리는 편지에서 대위는 이렇게 썼다. "아주 귀엽고 똑똑한 작은 개입니다. 이 개는 애완견 취급을 받는 데 익숙해 있으며 폐하와 왕실 가족들도 그런 대접을 해주리라는 희망 아래 제가 중국에서 가져왔습니다." 그 작은 개는 윈저 궁에서 약간의 흥분과 화제를 일으켰다. 어느 날 가정부는 상급자에게 이렇게 보고했다. "이 개는 식성이 까다로워 빵과 우유는 먹으려 하지 않습니다. 약간의 닭고기와 익힌 쌀을 국물과 함께 섞어주면 잘 먹는데, 이것이 이 개에게는 가장 좋은 음식인 듯합니다." 그녀의 상급자는 짜증을 내면서 보고서의 뒷면에다 휘갈겨 썼다. "식사에 닭고기를 고집하는 중국 개라니!" 그러면서 가정부에게 이런 지시를 내렸다. "약간 굶기고 어르면 그(실제로 루티는 암컷이다)는 아마도 자기에게 주는 음식을 좋아하게 될 것입니다." 윈저 궁에서 빅토리아 여왕은 독일 화가 프리드리히 케일Friedrich Keyl에게 루티를 그리게 했다. 여왕은 개인 비서를 통해 이런 주문도 했다. "케일 씨가 그 개를 그릴 때, 몸집이 아주 작다는 것을 보여줄 수 있는 물건을 옆에다 두고 그리면 좋겠어요." 루티는 윈저 궁의 개집에서 10년을 더 살았다.

엘긴 경이 원명원을 불태우려고 했을 때, 프랑스는 '방어 없는 전투 지역'을 공격하는 파괴 행위라며 참가를 거부했다. 그렇지만 불태우기 작전은 조직적으로 진행되었다. 그랜트 장군은 런던의 국무장관에게 보낸 편지에서 그 장면을 다음과 같이 묘사했다.

> 10월 18일 존 미첼John Michel 사단이 기병 여단을 상당 부분 데리고 와서 왕궁으로 진군해 건물들을 모두 불태웠다. 그것은 정말 엄청난 광경이었다. 나는 그처럼 오래된 웅장한 건물들이 파괴되는 것에 슬퍼하지 않을 수 없었고, 문명국답지 않은 조치라고 느꼈다. 그러나 중국인들에게 따끔한 경고를 하기 위해서는 어쩔 수 없는 일이었다. 다시는 유럽의 사절들을 살해하면 안 되고, 또 국제공약을 잘 지켜야 한다는 것을 명심시켜야 하는 것이다.

200여 동의 화려하고 웅장한 궁전, 정자, 사찰, 불탑, 조경 공원 등에 붙은 불은 여러 날 동안 타오르면서 북경의 서부를 검은 회색 연기로 뒤덮었다. 울즐리는 이렇게 썼다. "우리가 처음 원명원에 들어갔을 때 그곳은 동화 속에 나오는 마법의 땅을 연상시켰다. 10월 19일 그곳을 떠날 때 우리 뒤에는 다 무너져서 아무것도 없는 황폐한 땅만 남았다."

엘긴 경은 어느 정도 자신의 목표를 달성했다. 뒷날 중국 당국자들은 아주 특별하게 신경 써서 서구인들을 대했다. 그들의 백성을 다루는 태도와는 영 딴판이었다. 그러나 서구인들이 느꼈을 편안함은 원명원의 잿더미에 뿌려진 증오의 씨앗에 의해 무색해져버렸다. 나중에 '중국인 고든'이라는 별명을 얻게 된 찰스 고든Charles Gordon은 당시 침입군의 대위였고 그 파괴 행위에도 참가했다. 그는 고향에 이런 글을 써 보냈다. "일반 백성들은 공손하지만 고관들은 우리를 증오합니다. 우리가 그들의 궁전에다 저지른 일을 생각하면 그럴 수밖에 없겠지요. 우리가 불태운 궁전들의 아름다움과 장엄함을 당신은 상상하지 못할 겁니다. 그것들을 불태우다니 정말 가슴이 아픕니다." 빅토르 위고Victor Hugo는 1년 뒤에 이렇게 썼다. "이 경이가 사라져버렸다……. 우리 유럽인들은 문명한 사람들이고, 우리가 볼 때 중국인들은 야만인이다. 이것은 이른바 문명이 야만인들에게 한 짓이다."

1860년 9월에 자희가 남편, 아들과 함께 그곳을 떠났을 때 원명원은 예전의 영광을 그대로 간직하고 있었다. 가을은 북경에서 가장 좋은 계절이다. 태양이 더 이상 뜨겁지 않고, 매서운 추위도 아직 오지 않았고, 봄철이면 도시를 괴롭히는 북서쪽 사막에서 불어오는 황사 바람도 없다. 연합국 군대가 해안에 상륙하기 며칠 전, 그녀의 남편은 30세 생일을 맞았다.*

황제는 여러 가지 문제들로 번민이 많았으나, 생일을 축하하는 전통에 따라 연극을 사랑하는 군주는 나흘 동안 연극에 대한 열정을 불태웠다. 3층으로 구성된 대형 무대가 넓은 호수 옆의 실외에 설치되었다. 자희는 안뜰 맞은편에 설치된 정자에서 황제와 함께 연극을 관람했다. 연극이 절정에 이르자 수많은 배우들— 남녀 역할과 신들의 역할을 하는 남자 배우들—이 무대 3층에 걸쳐서 노래를 부르고 춤을 추면서 황제의 생일을 축하했다. 청명한 가을 하늘 아래에서 음악은 바람에 실려 향을 뿌린 궁전의 격자 창문 속으로 흘러들어갔다. 그 당시 원명원의 화려함이 자희의 마음속에 새겨졌고 종종 다시 떠올라 그녀를 괴롭혔다. 앞으로 그녀는 그 궁전을 새로 지어야 한다는 강박에 시달리게 될 터였다.

북동쪽으로 200킬로미터를 여행하기 위해, 황실은 만리장성을 넘어서 승덕承德의 몽골 스텝 지대 가장자리에 자리 잡은 황실의 피서산장避暑山莊에 도착했다. 이곳은 선대 황제들이 여름철 피서지로 애용하던 별궁으로 원명원보다 훨씬 넓지만 화려하게 장식되어 있지는 않았다. 이 피서산장을 1703년에 지은 강희제는 한 주에 호랑이를 여덟 마리나 잡은 뛰어난 사냥꾼이었다. 저녁이면 선대 황제들과 그 수행원들은 모닥불을 피워놓고 사냥해온 동물을 구우면서 술을 마시고 노래를 부르고 춤을 췄다. 모두 남자였다. 그들은 레슬링 시합도 하고 구불구불 뱀처럼 흘러가는 호수에서 노 젓기 경기도 했다. 여기에 있는 건물 가운데 하나는 라싸Lasa에 있는 포탈라Potala 궁을 그대로 모사한 것이었다. 그리고 이 피서산장의 다른 지역에 있는 몽골 유르트yurt에서 매카트니 경은 1793년에 건륭제를 만났으나 아무런 소득도 건지지 못했다. 자희는

* 태어나자마자 한 살로 보는 중국의 전통적인 나이 계산 방식을 따른 것이다.

전에 승덕의 피서산장에 와본 적이 없었다. 남편은 통치 기간 내내 점점 복잡해지는 혼란한 정국을 힘들게 헤쳐왔고, 이제 여기에 도망자 신세로 와 있었다.

이 전례 없는 청 왕조의 위기 상황에서 자희는 정치적 역할을 전혀 하지 못했다. 그녀는 후궁 지역에만 머물렀는데, 그곳에서 자신의 정치적 견해를 드러낸다는 것은 위험한 일이었다. 그녀의 임무는 당시 네 살 된 아들을 잘 돌보는 것이었다. 반세기 뒤, 자희가 죽은 지 2년 후인 1910년에 영국인 에드먼드 백하우스Edmund Backhouse 경은 자주 인용되는 자희의 전기인《황태후 치하의 중국*China under the Empress Dowager*》을 썼다. 이 책에서 그는 일기를 날조하여 자희를 아주 호전적인 인물로 묘사했다. 그녀가 남편에게 도망치지도 말고 외국인들과 평화 협상을 하지도 말며, 그들의 전령들을 모두 죽이라고 했다는 것이다. 이것은 순전히 날조이다.*

앞으로 전개되는 사건들이 보여주겠지만, 자희는 남편과 최측근들이 추구하는 외교정책을 반대했는데, 여기에는 그녀 나름의 뚜렷한 이유가 있었다. 그녀는 가까이서 말없이 지켜보는 동안 황제의 측근들이 추

* 백하우스는 이후 문서의 날조자라는 신분이 폭로되었다. 그는 자희에 관하여 날조한 다섯 문장을 지어내 오가독吳可讀이라는 북경 관리가 펴낸 잘 알려진 일기에 삽입한 것으로 보인다. 백하우스는 먼저 이 전기를 영어로 발표했기 때문에, 그 날조한 다섯 문장은 그가 인용한 일기의 영역본에 녹아들어 갔다. 그런데 그의 책이 다시 중국어로 번역될 때, 그 날조된 문장들이 버젓이 일기의 한 부분으로 등장한 것이다. 이 날조는 역사가들을 어리둥절하게 만들었다. 중국에 남아 있는 일기의 판본들은 자희에 대하여 그런 언급을 하고 있지 않기 때문이다. 날조된 문장 속에서, 북경의 주민들은 제국의 앞날과 관련해 자희의 말 한 마디 한 마디에 매달리는 것처럼 묘사되어 있다. 수십 년 뒤에 백하우스가 중국을 방문했던 그 당시에는 이것이 맞는 얘기이다. 그러나 1860년에 자희에게는 그런 권위가 없었다. 이 당시 자희는 황실의 귀비로서 일반인에게는 전혀 알려져 있지 않았다.

진하는 완고한 쇄국정책이 어리석고 잘못된 것이라고 생각했다. 서방을 봉쇄하려는 그들의 증오 어린 노력은, 그녀가 볼 때 제국을 보존하는 것이 아니라 파괴하고 있었다. 그것은 제국에 재앙을 가져왔으며, 그 대표적인 사례가 그녀가 그토록 사랑한 원명원의 전소였다. 그녀는 앞으로 새로운 노선을 추구할 것이었다.

3

함풍제의 사망

(1860~1861)

승덕 피서산장으로 도망치기 직전에 함풍제는 이복동생인 공친왕에게 수도에 남아 침입자들을 상대하라고 지시했다. 27세의 공친왕은 도광제의 여섯째 황자였다. 그는 서구인들을 별로 미워하지 않고 그들의 요구를 수용하려는 경향을 보였기 때문에 아버지 도광제는 그를 아예 황위 후계자 대상에서 제외했다. 하지만 이제 그런 기질 덕분에 그는 연합국들과의 협상을 재빨리 마무리할 수 있었다. 그는 연합국의 요구 조건을 모두 수용했는데 그중에는 영불 두 나라에 각각 은 800만 테일의 배상금을 지불한다는 내용도 들어 있었다. 영국과의 북경조약北京條約은 1860년 10월 24일에 서명되었고, 프랑스와는 그다음 날 체결했다. 연합국들이 군대를 거두어 북경을 떠나면서 평화는 회복되었다. 서방 국가들은 북경에 공사관을 설치했고, 공사들은 공친왕을 상대역으로 삼았다.

공친왕은 어릴 적에 천연두를 앓아서 얽은 자국이 있었으나, 그래도 보기 좋은 용모였다. 나중에 그의 사진을 찍은 저명한 사진작가 존 톰슨John Thomson은 공친왕에 대하여 이렇게 말했다. "그는 골상학자들이 말하는 훌륭한 두상을 갖고 있다. 두 눈은 꿰뚫어보는 듯하고, 평온한 상태의 얼굴은 무뚝뚝한 결단을 드러내 보였다." 앉아 있는 모습은 만주 귀족들처럼 두 다리를 약간 벌리고 두 발은 '10시 10분'의 자세를 취했다. 그의 겉옷은 금색 실로 용을 수놓은 것이었고 모자는 비취에 깃털을 꽂아 장식했으며, 단추 색깔은 그의 신분을 드러냈다. 누가 봐도 금방 알아볼 수 있는 지체 높은 황자의 모습이었다. 그가 기다란 담뱃대를 빨아들일 때마다 보석이 달린 맨 앞의 자그마한 담배통이 빨갛게 달아올랐고, 담뱃재는 한쪽 무릎을 꿇고 있는 하인이 털어주었다. 공친왕의 담뱃대는 평소에 줄이 쳐진 검은 공단 신발의 안쪽 보관소에 들어가 있었다. 그 당시 이 공간을 신사의 '호주머니'라고 했는데, 여기에 담배를 비롯해 국가 문서, 과자, 입을 닦는 휴지, 식사 때 사용하는 상아 젓가락(그들은 통상적으로 젓가락을 가지고 다녔다) 등 다양한 물건을 수납했다. 공친왕의 젓가락 통이나 부채 통 같은 물품은 보석이 많이 박혀 있었고 허리춤에 매달고 다녔다. 도성을 여행할 때면 그가 탄 가마 위에 천개를 쳤고, 화려한 차림의 말을 탄 수행원들이 그 가마를 둘러쌌다. 그러면 모든 통행인과 수레는 멈추어 길을 양보해야 했다. 목적지에 다가가면 말을 탄 수행원이 앞으로 달려나가 공친왕의 도착을 사전 통지했고, 그러면 그 집의 사람들이 문 앞에 나와 도열하고서 환영 인사를 했다.

함풍제는 동생 공친왕에게 황실의 지체 높은 황자이므로, 비록 유럽인들이 승자이기는 하지만 그들을 친히 맞아서는 안 된다고 명령을 내렸다. 그러나 공친왕은 실용적인 사람이어서 황제의 지시가 비현실적이라는 사실을 알았다. 그는 영국과 프랑스를 상대로 몸소 합의서에 서명을 했고, 심지어 약속 장소에 먼저 가서 엘긴 경을 기다리기도 했다. 엘긴 경이 400명의 보병, 100명의 기병 그리고 각 행렬 앞에 선 군악대를 이끌고 도착했을 때, 공친왕은 상대방을 동등한 사람으로 받아들인다는 뜻인 공수拱手를 하고서 영국 대표를 맞으러 나갔다. 그랜트 장군은 그 만남에 대하여 이렇게 썼다. "엘긴 경은 경멸하는 듯한 오만한 눈빛으로 쳐다보면서 약간 고개를 끄덕였을 뿐이다. 불쌍한 공친왕은 자신의 피가 차갑게 얼어붙는 것을 느꼈으리라. 그는 부드러우면서도 신사처럼 보이는 남자였다." 엘긴 경은 곧 오만한 태도를 누그러뜨렸다. "양국의 대표자들은 …… 상급자가 아니라 서로 동등한 자격으로 대할 용의가 있는 것 같았다." 공친왕의 부드러운 태도는 유럽인들의 공감을 샀다. 엘긴 경은 본국으로 떠나갈 때 다정한 작별 편지를 보내왔는데, 미래의 중국 외교 문제를 공친왕이 담당했으면 좋겠다는 내용이었다.

함풍제는 조약들을 승인하면서 공친왕의 노고를 치하했다. 황제는 그 조약을 각 성에 보내고 또 북경에서는 방榜을 내걸어 제국 내의 전 지역에 조약이 성립되었음을 선포했다. "전쟁을 빌미로 반란을 일으키려 하는 자들은 다시 한 번 생각해볼 일이다. 이제 평화가 회복되었음을 그들도 잘 알 것이다." 한 지식인은 그 방을 보고서 눈물을 흘렸다. 중국의 황제가 영국과 프랑스의 군주들과 동등한 지위로 격하된 것이었다. 그는 그것이 '전대미문의 일로서 우리의 지위가 믿을 수 없을 정도로 추락한 것'이라고 여겼다.

전쟁으로 가장 큰 이득을 본 나라는 제3자인, 중국 북방의 이웃 러시아였다. 11월 14일 공친왕은 러시아 대표 니콜라이 이그나티예프 Nikolay Ignatyev와 조약을 체결했다. 아무르Amur 강 북방과 우수리Ussuri 강 동쪽의 수십만 제곱킬로미터에 달하는 땅을 러시아에 양도한다는 내용인데, 이 경계는 오늘날까지도 지켜지고 있다. 보통 '큰 황무지'라고 알려진 이 땅은 이 지역을 지키던 만주의 장군 혁산奕山이 1858년 러시아에 그냥 내주고만 것이었다. 당시 러시아가 전쟁을 일으킬 것 같은 소란을 피우자 혁산이 놀라서 미리 겁을 집어먹고 굴복했다. 혁산은 과거 아편전쟁 당시에도 거짓말을 둘러댄 한심한 겁쟁이 장군이었다. 세 개의 조문으로 되어 있는 이 짧은 문서를 함풍제는 결코 승인하지 않았다.

그러나 이제 이 엉터리 문서를 공친왕이 인정해주면서 그 내용이 러시아와 맺은 북경조약에 편입되었다. 니콜라이 이그나티예프는 공친왕에게 영불이 평화협정을 받아들이도록 주선한 것이 자신이었으며 러시아는 보상받을 자격이 있다고 주장했다. 공친왕은 함풍제에게 이그나티예프는 그런 주선을 한 일이 없다고 보고했다. 사실 그는 영국과 프랑스를 부추겨 침입하도록 했다. 이제 그는 "영불 군대가 북경에 들어와 있는 사실을 이용해 자신이 원하는 것을 빼앗으려는 것이다". 그러나 공친왕은 이그나티예프의 '아주 교활하고 완고한 성격'을 우려하면서 그가 '장난질을 치면서' 연합국을 상대로 '예측할 수 없는 문제를 일으킬 수도 있다'고 보고, 황제에게 그의 요구 사항을 들어줄 것을 진언했다. 함풍제는 이그나티예프를 '가장 혐오스러운 자'라고 욕했지만 결국에는 동의했다. 하지만 과연 이 교활한 러시아 외교관이 무슨 문제를 일으킬지 상상하기 어려웠다. 그 당시 연합국들은 귀국하지 못해 안달하고 있었기 때문이다. 그렇게 하여 청 왕조는 역사상 가장 큰 영토를 잃고 말았다. '이 조약을 호주머니에 넣고서', 니콜라이의 증손 마이클Michael은 썼다. "이그나티예프와 그의 코사크 기병대는 페테르부르크로 향했다."

그들은 말을 타고서 6주 만에 아시아 대륙을 횡단했다. 그는 차르를 알현했고 성

블라디미르St. Vladimir 훈장을 받았으며, 장군으로 승진되어 그 직후 외무부의 아시아 담당 국장이 되었다. 그는 총 한 방 쏘지 않고서 프랑스와 독일을 합친 크기의 땅과 블라디보스토크의 배후지를 얻었다. 블라디보스토크는 새로운 제국이 태평양으로 나가는 출발 항구가 될 것이었다.

공친왕이 싸움도 해보지 않고 굴복해버렸다는 것은 강단이 없는 사람임을 보여주는 대목이다. 이런 기질은 이미 아버지 도광제가 내다본 것이었는데, 다른 결정적 상황에서 또다시 나타난다. 당시 함풍제의 최대 관심사는 북경에 부임한 서방 공사들의 접견을 거부하는 것이었다. 그들은 황제에게 신임장을 제출하게 해달라고 줄기차게 요구했다. 황제는 적들과 대면해야 한다는 사실을 참을 수 없어서 공친왕에게 이 문제가 다시는 거론되지 않도록 그들의 요구를 단호히 거절하라고 지시했다. 황제는 다소 심술궂게 이런 위협도 했다. "만약 내가 북경에 돌아갔는데도 그들이 와서 다시 요구한다면 책임을 물어 너를 처벌하겠다." 공친왕은 유럽인들이 아무런 사악한 의도도 없다고 주장했으나 황제는 요지부동이었다. 엘긴 경은 1858년과 1860년 두 번의 중국 여행 때 빅토리아 여왕이 직접 쓴 호의의 친서를 가져왔다. 그러나 이 편지들은 전달되지도 않고 개봉되지도 않은 채로 다시 영국으로 돌아갔다.

만리장성 너머 승덕 피서산장에 있으면서 함풍제는 북경에 있는 공친왕과 연락을 취하며 일상적인 행정 업무를 계속했다. 그는 매일 제국 각지에서 오는 수십 건의 보고서를 읽고 결재했다. 그 문서들은 오래되었지만 효율적인 파발마 제도에 의해 전달되었다. 파발마는 문건의 긴급성에 따라 달리는 속도가 규정되어 있었다. 가장 긴급한 보고는 북경에서 도착하는 데 이틀이 걸렸다. 처음에 황제는 영불 군대가 퇴각하면 북경으로 돌아갈 생각이 간절했다. 날이 흘러갈수록 승덕의 날씨는 점점 추워지고 나빠졌다. 수십 년 동안 사람이 살지 않았으므로 피서산장은 추운 겨울을 나기에는 부적절한 곳이었다. 하지만 그는 자꾸만 망설였다. 여러 번 곧 환궁하겠다고 선언했다가 귀경 여행을 취소했다. 관리들은 하루빨리 환궁해야 한다고 아뢰며, 황제가 수도의 황위에 있지 않으면 국정이 불안정해진다고 건의했다. 그러나 이런 주장은 황제의 마음을 움직이지 못했다. 또 자신의 건강이 나빠지고 있다는 사실도 개의치 않았다. 그는 북방 황무지에서 겨울을 나는 것은 허약한 몸 상태에 좋지 않다는 것을 알면서도 승덕에서 월동하기로 결정을 내렸다. 황제는 서방의 공사관들이 들어와 있는 북경에는 가고 싶지 않은 모양이었다. 그는 지독한 증오감을 드러내는 중국식 불공대천不共戴天 사상을 실천하려는 듯했다. 어쩌면 파괴된 원명원 근처로 가는 것이 너무나 싫었을 수도 있다. 그가 스스로 선택한 유폐 기간은 늘어났고 결국 항구적인 것이 되었다. 시설이 미비한 피서산장에서 혹독나게 추운 겨울을 나는 바람에 그는 병에 걸려 객혈을 했다. 피서산장에 도착한 지 11개월째 되던 1861년 8월 22일 함풍제는 사망했다.

생애 마지막 몇 달 동안 함풍제는 병상에 누워 있는 날을 빼고는 근면하게 국사를 돌보았지만, 더 이상 예전처럼 보고서에 자세한 지시 사항을 적지 않았다. 그는 정말로 좋아하던 연극과 음악에 몰두해서 거의 날마다 연극 공연을 지시했다. 북경에서 피서산장으로 불려온 연기자들은 도착 즉시 궁으로 불려가는 바람에 옷을 제대로 갈아입을 시간조차 없었다. 마침내 200명이 넘는 가수, 무용수, 음악인 들이 피서산장을 가득 메워 궁에는 그들을 재울 방이 부족할 지경이었다. 황제는 연기자들과 많은 시간을 보내면서 무대에 올릴 연극을 선정하고, 배역을 고르고, 예행 연습을 지켜보고, 연기자들과 작품 해석에 대하여 의견을 나누었다. 그는 자신이 직접 작곡한 곡의 연주를 듣기도 했다. 보통 몇 시간씩 공연되는 연극은 때로는 호수 한가운데에 있는 작은 섬이나 '편운片雲(조각구름)'이라는 시적인 이름이 붙은 궁중 안뜰의 극장에서 상연되었다. 때로는 황제가 사는 궁전이나 자희와 어린 아들이 사는 궁전에서 연극이 상연되었다. 생애 마지막 16일 동안, 황제는 11일간 그것도 매일 몇 시간씩 연극을 보았다. 죽기 이틀 전 황제는 오후 1시 45분에서 6시 55분까지 창극唱劇을 들었고, 중간에 겨우 27분만 쉬었다. 그다음 날 계획된 연극은 취소해야 했다. 황제가 그날 심하게 앓다가 의식불명에 빠졌기 때문이다.

그날 밤 의식을 되찾은 함풍제는 침상 곁으로 최측근 8명을 불러 그의 유언을 말했다. 자희가 낳은 이제 다섯 살 된 외아들 재순이 황위에 오를 것이고, 이 8명은 고명대신으로 섭정단攝政團을 구성하여 공동으로 후임 황제를 보필하라는 내용이었다. 그들은 황제에게 유언에 신성한 권위를 부여하기 위해 친히 붉은 먹으로 쓴 상유上諭를 내려줄 것을 요청했다. 하지만 황제는 너무 허약하여 붓을 쥘 수가 없었다. 그래서 그들 중 한 사람이 대필하고서 그것이 황제의 뜻임을 확인 받았다. 함풍제는 그들이 지켜보는 가운데 몇 시간 뒤에 사망했다. 중국은 이제 8인의 고명대신들의 손아귀에 들어갔다.

이 8명은 엘긴의 전령들을 붙잡아서 고문하라고 지시한 자들이었다. 영국 전령들은 가추형을 받고 그중 일부는 사망했는데, 이것이 결국 원명원 전소의 빌미가 되었던 것이다. 이 8명은 함풍제가 재앙적인 결정을 내리도록 옆에서 엉뚱하게 조언한 자들이었고, 그 재앙은 황제 자신의 죽음으로 막을 내렸다. 자희는 이들과 함께 지금까지의 자기 파괴적 인 길을 걸어간다면 청나라의 재앙은 끝이 없으리라는 사실을 알았다. 그것은 곧 제국과 그녀의 아들을 파멸시키는 길이었다. 그녀는 정변을 일으켜 고명대신 8명에게서 정권을 탈환하리라고 단단히 결심했다.

4

중국에 변화를 가져온 신유정변新酉政變

(1861)

아들이 황위에 올랐지만 자희는 정치적 실권이 없었다. 귀비의 신분이었기 때문에 새 황제의 공식적인 어머니도 아니었다. '공식 어머니'는 정 황후의 역할이라서 황후는 곧바로 황태후라는 칭호를 얻었으나 자희에게는 아무런 칭호도 주어지지 않았다. 고명대신들이 어린 황제를 데리고 가서 선제에게 작별 인사를 시킬 때에도 그녀는 그 옆에 있지 않았다. 새 황제는 술이 든 황금 잔을 머리 위로 올렸다가 다시 그 술을 땅에 붓고서 황금 잔을 관대 앞에 있는 황금 탁자 위에다 올려놓는 의식을 거행했다. 자희는 궁중 기록에서 이름 없는 '기타'에 속했다. 황태후는 내명부를 이끌면서 새 황제와 비슷한 의식을 수행했다.

자희는 황태후라는 칭호가 필요했다. 그래야 황제의 어머니라는 지위를 얻을 수 있었다. 그것이 없으면 그녀는 그저 귀비일 뿐이었다. 정 황후와의 갈등은 불가피했고, 두 여인은 난생처음으로 서로의 관계에서 감정적인 어려움을 겪었다. 하지만 그들은 곧 해결안을 찾아냈다. 황실 기록을 샅샅이 뒤져보니 그와 유사한 사례가 있었음이 밝혀졌다. 약 200년 전 강희제가 황위에 올랐던 1662년에, 강희제의 어머니 또한 후궁이었으나 황태후라는 칭호가 부여되었다. 그래서 두 황태후가 동시에 존재하던 때가 있었다. 이것을 전례 삼아 섭정단은 자희에게도 황태후라는 칭호를 주었다. 두 여인의 우정은 상처받지 않고 그대로 유지되면서 함께 '태후'라는 호칭을 쓸 수 있게 되었다. 대신 두 사람을 구분하기 위해 정 황후는 자안慈安 태후,* 그때까지 의 귀비라고 불렸던 자희는 자희 태후가 되었다. 이렇게 하여 이때 이후 자희는 동태후와 구분되어 서태후라고 불리게 되었다.

두 여인은 중요한 문제를 해결한 것 이상의 일을 해냈다. 그들은 정치적으로 동맹하여 정변을 일으켜 성공했다. 서태후는 스물 다섯이었고 동태후는 그보다 한 살 아래인 스물 넷이었다. 그들이 대적해야 할 상대는 국정의 키를 잡고 있는 8명의 고명대신들이었다. 두 여인은 그들이 무릅써야 할 위험이 얼마나 위중한지 잘 알았다. 정변은 대역죄이고 실패할 경우 능지처참형이었으나 그들은 모험을 해보기로 결심했다. 그들은 아들과 왕조를 구해야겠다는 결심이 확고했을 뿐만 아니라 궁중 과부라는 답답한 삶을 거부했다. 그 삶은 후궁 지대에 갇혀서 수인囚人이나 다름없는 신세로 평생을 살아야 하는 것이었다. 제국뿐만 아니라 자신의 운명 또한 바꾸기로 선택한 두 여인은 정변의 음모를 꾸몄다. 종종 커다란 물독 주위에서 독 윗부분의 수면에 비친 그들의 얼굴을 보는 척하면서, 혹은 수다를 늘어놓는 척하면서 은밀한 이야기를 주고받았다.

* 두 황후가 거처하는 황궁의 위치가 각각 동쪽과 서쪽에 있었는데 이에 따라 동쪽의 자안 태후는 동태후가, 서쪽의 자희 태후는 서태후가 되었다. 독자들의 혼란을 피하기 위해 두 태후는 앞으로 동태후, 서태후라고 부르기로 한다.

서태후는 교묘한 계획을 고안했다. 그녀는 선제의 임종 조치에서 소홀한 구석을 발견했다. 청 황제들은 붉은 먹을 사용해 그들의 권위를 드러냈다. 근 200년 동안 젊은 강희제를 위시하여 이 붉은색 포고布告는 황제 자신이 직접 썼다. 그러나 현 황제는 어린아이이므로 붓을 쥘 수가 없었다. 그래서 섭정단이 어린 황제의 이름으로 상유를 내릴 때, 그 권위를 보여줄 수 있는 것이 아무것도 없었다. 공식 옥쇄가 있기는 했지만 그것은 공식적인 행사 때에나 사용되는 것이고, 일상적인 지시에는 사용하지 않았다. 섭정단이 최초의 포고를 발표할 때 이런 소홀한 측면이 지적되었다. 이어 선제가 서태후에게 비공식 인장을 주었고 또 동태후에게도 유사한 인장을 준 사실을 널리 알렸다. 두 태후는 섭정단에 이 인장을 포고문에 찍어서 황제의 붉은색 글씨에 갈음하여 권위의 표상으로 사용하는 것이 어떻겠느냐고 제안했다. 포고문의 결점을 지적하고 이런 제안을 한 것은 두 황후 중의 한 사람이었을 것이다. 청 황실에는 이런 비공식 인장이 수천 개는 되었는데 정치적 목적으로 사용되는 것은 아니었다. 황제들이 수집품으로 제작한 예술품으로서 황제들이 그린 그림이나 지은 책에 찍는 낙관으로 사용했고, 때로는 후궁들에게 선물로 주기도 했다.

섭정단은 그 제안을 받아들여 앞으로 모든 칙명에는 두 인장을 사용한다고 선언했다. 그들은 이미 작성되어 반포될 예정이던 포고문의 추기追記로 그 선언 내용을 알렸다. 이것은 그 제안이 갑작스럽게 나와 그들이 황급하게 수용한 것임을 보여준다. 또 추기는 현재의 칙명은 인장을 찍을 시간이 없어서 날인 없이 반포한다고 적고 있다. 섭정단은 그때까지 그 인장의 존재를 몰랐기 때문에 후궁 지역에 가서 날인을 받아와야 했다.* 아무튼 그 후에 모든 칙명에는 반드시 두 인장을 맨 앞과 맨 뒤에 찍어야 한다는 공식적인 포고가 나왔다.

이렇게 하여 두 인장의 권위가 확립되었는데, 이는 장차 있을 정변에서 핵심적인 수단이 되었다. 어린 황제에게 주었고 서태후가 보관하고 있다는 인장은 실제로는 황제가 그녀에게 준 선물이었을 가능성이 높은데, 서태후가 그 인장의 무게를 더 하기 위해 그렇게 둘러댔을 것이다. 섭정단은 두 인장이 기계적으로 찍힐 고무도장이나 다름없다고 보았기 때문에 그 제안에 즉각 동의했다. 두 태후는 섭정단에 '모든 것이 평화롭게 잘되어가고 있다' 혹은 '모든 것이 옛 법도를 따르고 있다'는 망상을 심어주었다. 섭정단은 두 태후의 순종적인 태도에 아주 흡족했고, 그들의 마음속에서 무슨 생각이 오고 가는지 전혀 알지 못했다.

다음에 두 태후는 공친왕을 동맹으로 확보하려 했다. 공친왕은 제국 내에서 가장 신분이 높은 황자로서 높은 명성을 누리고 있었다. 고위 관료와 장군들 사이에서는 그가 섭정단의 일인으로 들어가야 마땅하다고 생각했다. 고명대신 8인은 제국에 재앙만 가져왔지만 공친왕은 영불 연합군을 북경에서 철수시키고 평화를 회복한 주인공이었다. 야전군과 근위대는 모두 그의 지시를 따랐다. 서태후는 그가 선제와는 다른 외교정책을 지향한다는 것을 분명하게 알았다.

공친왕은 당시 북경에 있었다. 그는 지난해에 영불과 조약을 체결하고 함풍제의 특명에 따라 수도에 계속 머물렀다. 그가 황제에게 병문안을 할 수 있도록 승덕 피서산장 방문을 허락해달라고 요청했을 때 함풍

* 함풍제가 동태후와 서태후에게 섭정단을 견제할 수단으로 이 인장을 주었다는 것이 일반적인 추정이다. 그러나 이에 대한 객관적 증거는 없다. 사실 그는 8명의 고명대신에게만 권력을 넘겼다. 그가 두 여인에게 정치적 실권을 주려고 했다는 것은 그럴 법하지 않은 얘기이다.

제는 이렇게 대답했다. "우리가 서로 만나게 되면 과거를 회상할 수밖에 없고 그러면 자연 슬픈 느낌이 일어날 텐데, 그것은 내 건강에 좋을 리 없다……. 그러므로 오지 말기를 명하노라." 임종의 자리에서도 황제는 공친왕에게 수도에 그냥 남아 있으라는 특명을 보냈다. 그는 공친왕을 섭정단에서 배제할 생각이었으므로 피서산장 근처에 오는 것을 원하지 않았다. 이런 조치를 취한 것은 선제인 도광제가 공친왕을 후계자 후보에서 배제한 것과 마찬가지 이유에서였다. 공친왕은 서방 세력을 철저하게 미워하는 사람이 아니었다. 영불과 맺은 조약이 보여주듯이 그는 서구인들을 유연하게 대했다. 다행히 공친왕은 이복형인 함풍제의 지시가 아무리 부당해도 적개심을 품지 않았다. 그는 명예를 지키는 사람으로 명성이 높았다. 형이 황위에 오른 후에도 분노하는 마음이나 개인적인 야심을 조금도 보이지 않았다. 그는 신하가 황제에게 하듯이 형에게 찬사를 바쳤고, 아주 친한 문인들 사이에 그렇게 하듯이 형이 그린 그림에 대한 찬양의 시를 지었다. 그런 공친왕의 사심 없는 마음이 황제의 신임을 얻어서 함풍제는 그를 수도에 홀로 남겨두고 유럽인들을 상대하게 했다. 황제는 외국인들이 공친왕을 더 좋아하고, 그를 밀어내고 대신 아우를 황제로 세우고 싶어 한다는 것도 알았으나 동생의 고결한 충성심을 확신했다. 공친왕의 절대 충성, 최고 권력과 음모에 대한 무관심은 서태후에게도 중요한 고려 사항이었다. 그녀는 자신이 공친왕을 직접 부리는 실권자로 올라설 생각을 하고 있었던 것이다.

함풍제 사후 며칠 만에 서태후는 섭정단에서 공친왕이 피서산장을 방문해 선제를 조문하도록 허가하는 칙명을 받아냈다. 계속 수도에 머물러 있으라는 선제의 지시를 무시한 것이었으나, 선제가 사망했는데 동생이 문상하지 못하게 한다는 것은 부적절한 일이었다.

공친왕은 피서산장에 도착하자 관대 앞에 엎드려 눈물바다를 이루며 대성통곡했다. 옆에서 지켜본 사람들은 이렇게 말했다. “공친왕처럼 깊은 슬픔을 표시한 사람은 없었다.” 상청에 모여 있던 사람들도 모두 감동하여 흐느껴 울었다. 슬픔 가득한 조문 절차가 끝나자 두 황후의 전언을 가지고 온 환관이 나타났다. 지금 즉시 후궁 지역으로 오라는 전갈이었다. 일부 고관들은 시동생이 형수를 직접 만나는 일은 없으며 또 형이 방금 사망한 상태에서 그러한 면담은 불가하다며 가지 말 것을 권했다. 면담 시에 두 태후와 공친왕 사이에 비단 장막이 내려와 있을 테지만 그래도 불가하다는 것이었다. 하지만 두 태후는 몇 번에 걸쳐 환관을 보내어 반드시 오라고 요구했다. 늘 법도에 맞추어 행동하는 것을 좋아하는 공친왕은 섭정단에 함께 가자고 말했다. 그러나 두 황후는 함께 와서는 절대 안 된다는 전갈을 보내왔다. 그는 혼자서 갔고, 그 후 두 시간 동안 태후전에서 나오지 않았다.

그것은 일찍이 섭정단에도 해준 적이 없는 장시간 접견이었다. 하지만 섭정단은 그에 대해서 별로 놀라지 않았다. 두 태후에게 한시 바삐 환궁하라고, 북경으로 돌아와도 외국인들의 위협은 없다는 것을 설득하느라고 장시간이 걸렸다는 공친왕의 말을 믿었다. 섭정단은 공친왕의 정직함을 철저하게 믿었고 또 두 태후의 양동작전에 넘어가서 아주 느긋한 상태로 자만에 빠졌다.

서태후는 공친왕이 매우 신중한 사람이라는 것을 알고 있었기 때문에 이 첫 만남에서 정변의 계획을 털어놓지는 않은 듯하다. 선제의 고명顧命을 뒤엎는 일을 그가 간단히 승낙할 리가 없었다. 그녀는 이날의 대화로 공친왕의 생각을 대강 파악할 수 있었다. 과거에 그토록 어처구니없는 실수를 많이 저지른 섭정단의 손에 일방적으로 제국의 운명을 맡길 수 없다는 것이었다. 이를 바탕으로 공친왕은 자신의 진영에 있는 관리를 통해 두 황후에게 탄원서를 올리도록 하는 데 동의했다. 탄원서는 두 황후가 의사결정에 참여하고, '한두 명의 친왕들이 국가 대사를 거들도록 한다'는 내용이 될 예정이었다. 하지만 탄원서에는 공친왕의 이름을 구체적으로 거명하지 않기로 했다. 그는 권력을 공유하자고 주장할 만한 자격과 지위에 있었지만, 권력을 탐하는 인상을 피하고자 했다.

이 생각은 북경에 있는 공친왕 진영에 은밀히 전달되어 한 하급 관리가 그 탄원서를 작성하도록 지명되었다. 공친왕은 섭정단이 탄원서를 보고서 자신을 배후로 생각할 것을 우려해 탄원서가 도착하기 전에 승덕을 떠났다. 북경으로 떠나기 직전에 그는 서태후와 동태후를 다시 만났다. 당연히 이 만남에서 섭정단이 탄원서를 기각할 경우에 어떻게 대응할 것인지를 논의했다.

공친왕은 섭정단을 몰아내기 위해 무력을 사용하는 데 동의했으나 그것은 최후의 수단이라는 단서를 달았다. 즉 섭정단이 용서받지 못할 죄를 저질러서 정변이 불가피하고 또 합법적이라는 명분이 있어야 한다는 것이다. 공친왕은 자신의 명예를 아주 소중하게 여겼다. 정변 이후에 그가 맡을 역할에 대해서는 논의되지 않았다. 이는 공친왕이 설사 정변이 일어나더라도 가까운 시일은 아닐 것이라고 짐작했음을 보여준다.

만약 서태후가 추가로 배후에서 추동력을 제공하지 않았더라면 아무런 일도 벌어지지 않았을 것이다. 예상했던 대로 섭정단은 탄원서를 일언지하에 기각했다. 선제의 유언을 바꿀 수 없으며, 여자가 정치에 간여해서는 안 된다는 철칙을 근거로 내세웠다. 서태후는 이제 섭정단이 용서받지 못할 죄를 저지르게 의도적으로 유도하여 공친왕의 개입을 불러오기로 결심했다. 그래서 두 태후는 그들이 죄를 짓도록 일을 꾸몄다.

어린 황제를 어르면서 두 태후는 섭정단을 불러들여 탄원서에 대한 열띤 논쟁을 벌였다. 고명대신들은 점점 화를 내며, 섭정인으로서 두 황후에게 답변해야 할 의무가 없다고 경멸하는 어조로 말했다. 그들이 고함을 지르자 어린 황제는 겁먹고 울음을 터뜨리며 바지에 오줌을 쌌다. 장시간의 싸움 끝에 서태후는 그들의 판결에 승복한다는 표시를 했다. 탄원서는 어린 황제의 이름으로 공식 거부되었다.

그렇지만 서태후는 섭정단의 중대한 잘못을 유도했다. 그들은 감히 황제 앞에서 소리를 지르며 불손하게 행동하여 황제를 겁먹게 한 것이다. 이 사건을 거론하면서 서태후는 친필로 섭정단을 비난하는 황제 명의의 편지를 작성했다. 그녀의 글은 학식이 부족하여 문장에 문법적 오류가 많고 우아하지 못했으며, 잘못 쓴 글자들도 많았다. 서태후는 자신의 단점을 잘 알았기에 칙명 초안의 말미에다 이런 말을 적었다. "나를 위해 일곱째 황자가 이 칙명의 문장을 다듬어주세요."

일곱째 황자는 순친왕醇親王을 가리키는데, 그는 서태후의 여동생 복진과 결혼한 서태후의 제부弟夫였다. 이제 스무 살인 그는 다섯 살 때부터 철저한 고전 교육을 받아서, 제사帝師 옹동화翁同龢에 의하면 '훌륭한 글과 아름다운 문장을 쓰는' 학생이었다. 옹동화는 나중에 동치제同治帝와 광서제光緖帝의 스승이 되는 인물인데 그의 학식은 아주 고명했다. 근면한 학생인 순친왕은 밤늦게까지 고전을 공부했다. 그 자신의 말에 따르면 스승의 말씀을 '겨울의 햇빛처럼' 여겼고, 그 가르침을 '절벽 가의 좁은 길을 따라가듯 한 치의 어긋남도 없이' 지켰다. 그는 길 안내가 필요한 사람이었고, 서태후는 앞으로 그 역할을 할 생각이었다.

순친왕은 제국이 서구인들에게 패배하고, 원명원이 전소되고, 형이 분사憤死하는 것을 보고서 큰 충격을 받았다. 황실이 북경에서 승덕으로 떠나기 전에 그는 황제에게 수도를 버리지 말라고 호소하면서 침략자들에게 맞설 군대를 내려달라고 애원했다. 동생을 생죽음으로 내몰고 싶지 않았던 황제는 그의 호소를 거부했다. 심한 좌절감을 느낀 이 열혈 청년은 일을 이토록 만든 황제의 고문관들을 증오했고, 그들을 제거하고 싶어 했다. 그래서 서태후는 동태후 다음으로 순친왕에게 자신의 계획을 알려주었다.

서태후의 칙명 초안은 환관 유복희劉福喜가 순친왕에게 전달했다. 그 다음 날 순친왕은 섭정단을 해임한다는 내용으로 글이 마무리되는 문장을 다듬은 칙명을 보내왔다. 그의 아내이며 서태후의 여동생이 직접 그 초안을 궁내로 가져왔고, 동태후의 웃옷 안쪽에 실로 꿰매어 보관되었다. 순친왕은 서태후가 행동에 나선 것은 '우리나라에 행운이고', 앞으로 '어떤 일이 벌어지더라도' 서태후의 편에 서겠다고 말했다.

순친왕의 말은 친왕, 장군, 관리 들의 일반적인 정서를 반영한 것이었다. 서태후는 자신의 행동이 호응을 얻으리라는 것을 알았다. 이러한 확신과 왕권을 상징하는 두 인장의 힘으로 공친왕의 참여를 확보할 수 있을 것으로 내다보았다. 그가 수도에 있었기 때문에 서태후의 계획은 섭정단보다 먼저 북경에 들어가 그와 합류해 계획을 확정하여 뒤따라오는 섭정단을 체포하는 것이었다. 그래서 순친왕은 어린 황제가 선제의 관을 따라가지 않고 지름길로 먼저 북경으로 들어가도록 섭정단을 설득하는 일을 맡았다. 선제의 관은 주요 통로를 따라서 수십 명의 남자들이 메고 가야 하는데, 황실이 모두 그 뒤에서 따라가기 때문에 자연 진행이 느릴 수밖에 없었다. 어린 황제가 이런 힘들고 오랜 여행을 면제받는 것은 당연한 일이었다.

함풍제 사후 두 달이 지난 어느 길일에 그의 자궁(梓宮, 황제의 관)을 앞세운 대행렬이 승덕 피서산장을 떠났다. 이 여행을 위해 다리들은 보수되고 파인 도로는 평평하게 흙을 다졌으며, 황제가 지나가는 길에는 언제나 그러하듯이 노란 흙을 덮었다. 관을 들어올리기 전에 어린 황제는 작별 인사로 그 옆에서 무릎을 꿇었다. 그는 열흘 뒤 자금성 동화문東華門에 그 관이 도착하면 똑같은 의식을 올리기로 되어 있었다. 섭정단 중 절반이 그 관을 따라 여행했고, 순친왕이 그들을 감시했다. 나머지 절반은 어린 황제를 따라갔다. 황제는 궁중 예절에 따라 동태후 옆에 앉아서 갔고, 모자가 탄 가마에는 상중을 표시하는 검은 휘장이 둘러쳐졌다. 그들은 전속력으로 여행하여 선제의 관보다 나흘 앞서서 엿새 만에 북경에 도착했다. 수도의 외곽에 도착하자마자 서태후는 공친왕을 불러서 두 태후의 인장이 앞뒤로 찍혀 있는 정변 칙명을 보여주었다. 공친왕은 이제 섭정단을 쫓아내는 것이 새 황제의 명령이라는 것을 확신했고, 그것을 바탕으로 동료들을 설득할 수 있었다.

그는 그 칙명에 몇 가지 수정을 제안하여 관철했다. 우선 제국에 평화를 가져온 그의 공로를 치하하는 문안을 삭제하고, 또 외국인을 '서양 야만인'으로 표현한 것을 중립적인 '외국'으로 바꾸었다. 수정 작업이 끝나자 공친왕은 정변에 필요한 병력을 조직하는 일에 착수했다.

함풍제의 자궁이 아직 수도를 향해 천천히 전진하던 1861년 9월 마지막 날(음력)에 서태후는 정변의 도화선에 불을 붙였다. 그녀는 공친왕에게 그의 동료들을 두 태후 앞으로 데려오라고 지시하여, 도착한 그들에게 정변의 칙명을 낭독시켰다. 두 태후는 가득한 슬픔을 표시하면서 그들과 어린 황제를 모욕하고 괴롭힌 섭정단을 비난했다. 참석한 사람들은 모두 분노를 표시했다. 그렇게 성토하고 있는데, 서태후와 함께 도착한 네 명의 고명대신들이 궁중으로 달려와 두 태후가 남자 관료들을 후궁 지역으로 불러들임으로써 엄중한 궁중의 법규를 깨뜨렸다고 문밖에서 규탄했다. 서태후는 엄청난 분노를 터뜨리면서 그 자리에서 두 번째 칙명을 작성하여 인장을 찍었다. 황제가 신하들을 만나려고 하는데 그것을 막았으니 막중한 범죄를 저지른 것이므로 현장에서 그 네 명을 체포하라는 칙명이었다.

원래의 칙명은 섭정단을 현재의 직위에서 면직시킨다는 것이었다. 이제 공친왕은 새 칙명을 받아들고 자리에서 일어나 소리치는 네 섭정을 체포하러 갔다. 그들은 계속 외쳐댔다. "칙명을 작성하는 사람은 우리들이다! 우리가 그것을 쓰지 않았으니 그 칙명은 가짜다!" 하지만 두 황후의 인장이 그들을 침묵시켰다. 공친왕이 동원한 근위대가 그들을 끌고 갔다.

이제 또 다른 인장이 찍힌 칙명을 받아든 순친왕은 자궁과 함께 여행하는 네 명의 섭정을 체포하는 절차에 들어갔다. 그는 섭정들 사이의 지도자인 숙순肅順을 직접 잡으러 갔다. 그가 숙순이 하룻밤 묵는 집에 들이닥쳤을 때, 비만한 숙순은 두 명의 첩을 거느리고 침대에 누워 방사를 벌이고 있었다. 숙순은 '표범처럼' 고함을 치면서 '체포 영장'을 인정하지 않는다고 말했다. 황제의 칙명에 이처럼 도전한 것, 또 선제의 관을 따라오면서 금욕해야 하는데도 방종한 성행위에 몰두했다는 것 등은 서태후에게 처형의 빌미를 주었다. 숙순은 섭정단 중에서 서태후의 총명함을 희미하게나마 알고 있는 유일한 자로서 그녀를 살해하려고 했었다. 그러나 그녀의 야망과 수완이 겉으로 드러난 바가 없기 때문에 다른 섭정들의 만류로 그 계획을 접고 말았다. 처형장으로 가는 길에 그는 '저 맹랑한 계집'을 과소평가한 것을 후회하며 울부짖었다.

그들에 대한 처벌은 사전에 정해진 절차를 따랐다. 먼저 공친왕이 친왕과 고위 관리들로 구성된 징계 심사단을 구성해 단장이 되었고, 형법에 따라 각각의 섭정들에게 해당하는 징벌을 심사했다. 섭정단을 완전히 무너뜨리려면 그들을 대역죄로 다스려야 했다. 그러나 조사된 비행만으로는 그런 중죄를 부과할 수가 없었다. 심사를 착수한 지 닷새째 되는 날 심사단의 활동이 중지되자, 두 태후가 결정적인 증거를 들고서 개입했다. 즉 8명의 고명대신들이 선제의 유언을 날조했다는 것이었다. 이 새로운 혐의는 너무나 중대하면서도 그럴 법하지 않아서 심사단은 그 증거의 채택을 망설였다. 하마터면 증거를 날조했다는 비난을 들을 수도 있는 상황이었다. 두 태후는 그 증거를 직접 내놓은 것이라고 밝혀도 좋다며 전적인 책임을 지겠다고 말했다. 그리하여 공친왕과 심사단은 8명의 고명대신들에게 대역죄를 선고할 수 있었는데, 그중 3명은 능지처참에 처해졌다. 서태후는 관대함을 보여주려는 계산된 의도 아래, 그들의 형벌을 크게 경감하여 숙순만 처형하되 그것도 능지처참이 아닌 단두형으로 하라고 하교했다.

숙순의 처형은 그를 미워하는 많은 사람들이 환호하며 환영했다. 관리를 선발하는 과거에서, 숙순은 시험관으로서 응시자들을 심히 가혹하게 대했다. 그들은 각지에서 힘든 노정을 거쳐 북경에 도착한 수험생들이었다. 하지만 숙순은 부고관副考官이었던 옹동화의 말에 따르면 그들을 '노예처럼' 대했다. 자칭 '반反부정부패'주의자였던 숙순은 자그마한 실수에도 엄청난 징벌을 부과했다. 정작 그 자신은 다른 관리들보다 훨씬 더 부패했으면서 말이다. 그는 하급자인 영록榮祿이 국가 재산을 '횡령'했다면서 참수형을 내리려다가 그만둔 적도 있었다. 그러나 영록의 말에 의하면, 그가 수집한 코담뱃갑 수장품들과 좋은 말[馬]을 상납하지 않았다는 이유로 그런 보복을 하려고 한 것이다. 숙순이 처형되는 날 아침에 영록은 일찍 기상해 처형장으로 가서 정적의 목이 굴러떨어지는 것을 똑똑히 지켜보았다. 그 후에 그는 술집으로 가서 대취했다. 영록은 평생 동안 서태후의 충직한 부하로 지냈는데, 너무 충성심이 강해서 두 사람이 연인 관계가 아니냐는 소문이 나돌기도 했다.

서태후는 8인의 섭정 중 두 주요 인물인 정친왕鄭親王 단화端華와 이친왕怡親王 재원載垣에게 자결을 명하면서 그들에게 기다란 비단 천을 내려보냈다. 황실에서는 종종 이런 명령을 내리는데, 사형치고는 관대한 처분이었다. 처형이 아니라 자살이고 또 본인이 사적으로 결행할 수 있기 때문이다. 나머지 5인은 모두 방면되었는데, 그중 한 명만 변방으로 유배되었다. 그 외에 다른 사람들은 일체 불문에 붙이겠다는 신속한 칙명이 뒤따랐다. 또 숙순의 집에서 압수된 개인 문서들은 읽어보지도 않은 채 군기처 앞뜰에서 불태워졌다.

그래서 남편 사후 두 달 만에 스물다섯의 서태후는 단 세 명만 죽이고 정권을 빼앗아오는 정변을 성공시켰다. 하지만 그 과정에서 아무런 유혈 사태나 봉기도 벌어지지 않았다. 북경의 영국 사절 프레더릭 브루스는 깜짝 놀랐다. "오랫동안 권력을 잡으면서 국가재정과 이권을 관장하던 사람들이 단 한 번의 저항도, 심지어 단 한 마디의 자기변명도 없이 쓰러지다니 정말로 놀랍다." 이것은 서태후가 주도한 정변이 얼마나 높은 호응을 받았는지 보여준다. 브루스는 런던에 이런 보고서를 보냈다. "조사한 바로는, 일반 여론이 공통적으로 숙순과 그 일당들을 비난하면서 그들에게 내려진 징벌을 당연하다고 여기고 있다." 그 정변은 사람들의 여망을 반영한 것일 뿐만 아니라 '능수능란하게 처리되어' 장관 한 사람을 바꾸는 것처럼 자연스러웠고, 아무런 '혼란도 일으키지 않았다'. 그 정변을 성공시킨 배후 인물이 서태후라는 말이 흘러나오면서 그녀는 엄청난 존경의 대상이 되었다. 광동의 총독은 '흥분하면서' 그녀의 과감함을 영국 영사에게 칭찬했고, 영사는 다시 런던에 보고서를 보냈다. "서태후는 단호한 마음과 강인한 의지를 가진 인물로서, 정변이 성공해 앞으로 희망이 보인다." 유명한 군사작전가이자 주요 개혁파 인사인 증국번曾國藩은 친구들에게 정변 소식을 듣고서 일기에 이렇게 썼다. "나는 황태후의 현명하고 단호한 조치에 깜짝 놀랐다. 이런 일은 과거의 현군들도 해낼 수 없는 것이었다. 깊은 존경심과 외경심을 갖게 된다."

공친왕도 그에 못지않게 감명을 받았다. 그의 진영에서는 공친왕이 아니라 서태후가 국정 운영에 나서야 한다는 호소가 나왔다. 이것은 아마도 공친왕의 제안이었을 것이다. 고위 대신들은 그런 일이 청대에서는 전례가 없지만 1700여 년을 거슬러 올라가면 다른 왕조에서 유사한 사례가 있었다는 주장을 폈다. 그들은 어린 아들을 대신해 국정에 참여했던 황태후의 명단을 제시했다. 하지만 그 명단에 측천무후則天武后(624~705)는 제외되어 있었다. 측천무후는 중국 역사상 자신을 '황제'라고 선언하고 자신의 이름으로 국정을 운영한 유일한 여성이었다. 이 때문에 그녀는 후대에 많은 비난을 받았다. 대신들이 서태후를 지지하는 배경에는 임시 과도 조치라는 이유가 있었다. 즉 그녀의 아들이 성년이 되어 친정親政을 할 수 있을 때까지만 한시적으로 정치적 역할을 담당해 달라는 요청이었다.

서태후는 공친왕을 섭정으로 임명할까 하는 생각도 했으나 이제 마음이 바뀌었다. 사실 정변의 주도적 역할은 그녀가 했고, 공친왕은 보조역에 지나지 않았다. 그런 만큼 그녀의 자신감은 크게 솟구쳤다. 서태후는 공친왕에게 의정왕議政王이라는 칭호를 주어서 그녀가 상급자임을 분명히 했다. 그 외에 공친왕에게 많은 영예가 수여되었으나 그는 계속 고사하며 심지어 눈물을 터뜨리기도 했다. 그는 진심으로 자신이 그런 상을 받을 만한 자격이 없다고 생각했는지도 모른다. 그리고 그 후 계속해서 서태후와 공동의 대의를 위해 충실하게 일했다.

1861년 10월 9일(음력), 서태후의 26세 생일 하루 전에 온 제국을 상대로 새 황제 명의의 칙명이 선포되었다. "앞으로 국사는 두 황태후가 친히 결정할 것이며, 의정왕과 군기대신들에게 지시를 내려 실무를 진행하도록 할 것이다. 그러나 앞으로의 칙명은 계속 황제의 이름으로 나가게 된다." 이렇게 하여 서태후는 중국의 실질적인 통치자가 되었다. 동시에 그녀는 이처럼 통치에 나선 것이 그녀 자신이나 동태후의 본의가 아님을 밝혀야 할 필요를 느꼈다. 두 황태후는 친왕들과 대신들의 호소를 물리치지 못한 것이며, 그들은 이 어려운 시기에 국가 보존의 의무를 잊지 말아달라고 호소해왔다고 밝혔다. 그녀는 백성들에게 두 태후의 난관을 이해해달라고 호소했고 또 어린 황제가 성년이 되면 곧바로 친정 체제로 전환될 것이라고 약속했다.

서태후의 생일 전날은 흐린 데다 이슬비가 내릴 기세였다. 그날은 그녀의 아들 재순의 대관식 날이었는데, 그는 동치同治라는 연호와 함께 황제로 대관되었다. '동치'는 좋은 정부가 사회를 위해 해내야 하는 '질서와 번영'을 가리키는 유교 용어이다*. 아침 7시에 어린 황제는 자금성에

* 동치라는 연호가 두 태후의 '공동 통치'를 가리킨다고 널리 알려져 있다. 동치라는 말은 현대 중국어에서 '공동 통치'를 의미하기 때문이다. 하지만 그들의 '공동 통치'는 일시적 조치로서 수렴청정에 대해 변명을 하기도 했다. 따라서 황제의 통치 기간을 가리키는 연호가 그런 의미를 갖고 있다는 것은 말이 되지 않는다. 이 연호는 《서경書經》〈채중지명蔡仲之命〉의 "爲善不同, 同歸于治. 爲惡不同, 同歸于亂"이란 구절에서 따온 것으로, 풀이 하면 다음과 같다. "좋은 정치에는 여러 가지가 있지만 모두 제대로 다스려지게 하고, 나쁜 정치에도 여러 가지가 있지만 모두

서 가장 큰 전각인 태화전太和殿으로 갔다. 형형색색의 구름을 타고 오르는 용들을 수놓은 황색 곤룡포를 입은 황제는 황금색으로 칠해진 옥좌에 앉았다. 옥좌는 아홉 마리의 찬란한 황룡으로 장식되어 있었다. 옥좌 뒤의 장막에는 더 많은 용들이 새겨 있었으며, 주위의 기둥들과 천장에도 역시 황룡으로 장식되었다. 천장의 중앙에 똬리를 틀고 있는 용은 이빨 사이에 커다란 은빛 공을 물고 있었다. 군주가 되라는 천명을 받지 않은 자가 옥좌에 앉을 경우에는 그 공이 머리 위로 떨어진다고 했다. 다들 그 얘기를 믿었고, 서태후 자신도 옥좌에 앉은 적이 없었다.*

옥좌 앞에는 금빛 칠을 하고 상서로운 구름 무늬가 새겨진 비단으로 덮은 직사각형 탁자가 있었다. 탁자 밑에는 노란 양탄자가 깔려 있었다. 탁자 위에 말아놓은 족자에는 새로운 통치를 알리는 황실의 선언문이 들어 있었다. 중국어와 만주어가 병기된 이 족자는 길이가 몇 미터에 이르고, 새 황제의 공식 인장이 찍혀 있었다. 태화전 앞뜰은 넓이가 3만 제곱미터 이상 되는 광장인데, 여기에 새벽부터 모여든 고위 신하와 관리들이 품계에 따라 질서정연하게 늘어서 있었다. 밝은 색깔의 깃발과 천개 아래, 장엄한 북소리와 종소리가 울려 퍼지는 가운데, 신하들은 새 황제를 향해 거듭 무릎을 꿇고 부복했다.

예식이 끝나자 족자를 옹위하는 행렬이 자금성을 빠져나가 남쪽의 천안문天安門으로 향했다. 그 문의 꼭대기에서 족자를 펼치고 포고문을 먼저 만주어로 읽은 다음에 중국어로도 읽었다. 땅바닥에 무릎을 꿇고 있던 모든 신하와 관리들은 엄숙한 표정으로 포고문을 들었다. 포고와 고

혼란스럽게 만든다."

* 수십 년 뒤인 1915년에 원세개는 자신을 황제라고 선포하면서 옥좌를 뒤로 물려 은빛 공이 떨어지지 않는 곳에다 놓았다. 그는 공이 자신의 머리 위로 떨어질 것을 두려워한 듯하다.

두 의식이 모두 끝나자, 그 족자는 황금 봉황의 부리 속에 넣어져 외벽에 설치된 밧줄을 타고 서서히 하강하여 사당에 안치되었다가, 다시 황실 근위들의 경호 속에 예부禮部로 갔다. 예부에 도착한 포고문은 황실 전용 종이에 복사하여 예하 각 성들로 보내졌다. 성에 도착한 포고문은 직급에 따라 관리들에게 거듭하여 낭독되었고, 이렇게 하여 백성들도 모두 그 내용을 알게 하였다. 도시에는 공고문을 내붙였고, 산하 작은 마을들에는 소문이 널리 퍼져나갔다. 그 포고문의 사본이 지나가는 길을 따라, 모든 관리와 백성들이 몸을 땅에 내던지며 경의를 표시했다.

서태후는 대관식에 참석하지 않았다. 자금성의 가장 장엄한 구역은 그녀가 접근할 수 없는 곳으로서 여성에겐 금지 구역이었다. 그녀는 이제 사실상의 국가 통치자이면서도 그곳에 발을 들여놓을 수가 없었다. 그녀가 탄 가마가 대관식장 근처에 이르자 그녀는 가마의 휘장을 내리고서 그 광경을 보지 않음으로써 공손함의 예의를 다했다. 사실상 모든 포고가 그녀 아들의 이름으로 내려지기 때문에 서태후는 통치의 천명을 갖고 있지 못했다. 그녀는 이런 불리한 입장에 있었으나 그래도 중국을 변화시키는 일에 착수했다.

제 2 부

아들의 옥좌 뒤에서 통치하다

| 1861~1875 |

5

근대화 대장정의 첫걸음

(1861~1869)

새로운 시대의 표징은 즉각적으로 드러났다. 공친왕은 군기처의 영수가 되었고 새롭게 임명된 여섯 명의 군기대신은 그에 못지않게 현명하고 합리적인 사람들이었다. 북경 주재 초대 영국 공사인 프레더릭 브루스가 볼 때, 이 사람들은 '우리의 특성과 동기를 잘 알고서 우리를 신임할 정치가들'이었고, '우리의 힘뿐만 아니라 우리의 절제에 대해서도 만족하는 사람들'이었다. 그는 새 지도부의 발족을 '우리의 대중對中 관계에서 지금껏 있었던 일 가운데 가장 우호적인 사건'이라고 보았다.

서태후는 공친왕의 보고서와 영불군이 북경에서 철수한 사실로부터 서구와의 우호적인 관계가 가능하다고 보았기 때문에 이런 관계를 유지하려고 애썼다. 그녀는 가장 근본적이면서도 분명한 질문을 던졌다. 해외 교역과 개방정책이 중국에 그토록 나쁜 것인가? 우리는 그것들로부터 혜택을 볼 수 없나? 우리의 문제를 해결하기 위해 그것들을 활용할 수는 없을까? 이처럼 사물을 새롭게 보는 방식이 곧 서태후 시대의 개막이었다. 그녀는 중국을 막다른 골목에서 빠져나오게 하려고 했다. 함풍제의 과도한 외국인 증오와 지난 100년 동안의 쇄국정책이 중국을 그런 난국으로 몰아넣었다. 그녀는 나라를 새로운 노선 위에 올려놓고, 또 외부 세계에 개방할 용의가 있었다.

이런 지난한 사업 과정을 서태후는 동태후와 함께 감독했다. 두 황태후는 아침 5~6시에 일어났으며(때로는 4시에도 일어났는데 서태후로서는 늘 힘겨운 일이었다) 7시에는 신하들의 알현을 받을 준비를 끝냈다. 두 태후는 봉황 무늬의 웃옷, 진주가 박힌 신발, 탑 모양의 머리 장식 등 아주 화려한 차림을 했다. 그러고는 건청궁乾清宮에서 노란 비단 장막 뒤에 나란히 앉아 군기대신들과 국사를 의논했다. 대신들은 접견이 시작되기 전에 소박한 천으로 덮인 평범한 탁자와 의자 들을 갖춘 집무실에 앉아 몇 시간씩 기다렸다. 군기대신들과 회의가 끝나면 두 태후는 전국 각지에서 온 관리들을 접견했다. 어린 동치제가 장막 앞의 옥좌에 앉아서 신하들을 마주하노라면, 그의 뒤로 두 황태후가 희미하게 보였다. 이 알현을 위해 관리들은 자정 직후에 잠자리에서 일어나 노새가 끄는 수레를 타고 텅 빈 북경 거리를 지나 자금성으로 왔다. 접견 내내 그들은 눈을 내리깔고서 바닥에 엎드려 있어야 했다.

주로 질문을 던지는 사람은 서태후였다. 그녀는 아주 권위가 있었다. 많은 사람들이 관찰한 바에 따르면 후궁 지역에 있을 때 그녀는 생기가 넘치고 웃는 것을 좋아했다. 그러나 환관이 다가와 무릎을 꿇고서 건청궁으로 갈 가마가 대령되었다고 알리면 그녀는 웃음을 싹 거두고 근엄한 표정을 지었다. 장막이 중간에 가로막고 있었지만 신하들은 당당한 그녀를 느낄 수 있었다. 또 그녀도 신하들의 인품을 잘 파악했다. 서태후를 만나본 많은 사람들이 그녀가 '우리의 생각을 읽는 것 같았다'고 말했

1. 서태후는 독실한 불교 신자로서 관음보살을 경배했다. 1903년 관음보살로 분장한 서태후의 사진이다. 그녀의 양옆에 있는 두 환관은 이연영(태후의 왼쪽)과 최옥귀(태후의 오른쪽)인데, 둘 다 관음보살과 관련된 복장을 하고 있다.

2. 예전의 북경 거리 모습. 노새가 끄는 수레는 그 당시의 택시였다. 1852년 후궁 후보에 오른 서태후는 이런 노새를 타고 자금성으로 갔다. 함풍제는 그녀를 후궁의 하나로 선택했다.

3. 북경 성문 앞을 지나가는 낙타 행렬. 매일 약 5천 마리의 낙타가 북경으로 들어왔다고 한다.

4. 1861년에 함풍제가 사망하자 서태후의 5세 된 아들이 황위에 올랐다. 그녀는 함풍제가 지명한 8명의 고명대신을 상대로 궁내 쿠데타를 일으켜 중국의 실질적 통치자로 올라섰다. 그녀가 화려한 옷을 입은 환관들에 둘러싸여 가마를 타고서 아침 정기 접견실로 가고 있다. 왼쪽이 최옥귀, 오른쪽은 이연영.

서태후를 지지하는 남자 측근들(도판 5~10)

5. (위) 서태후의 여동생 복진과 결혼한 순친왕.

6. (위 오른쪽) 서태후의 오른팔이자 의정왕인 공친왕.

7. 장지동 총독. 서태후의 주된 지지자이며 저명한 개혁파.

8. (위) 서태후에게 충실하게 봉사한 가장 중요한 개혁파인 이홍장 백작. 1896년 영국 방문 길에 당시 영국 총리인 솔즈베리 경(왼쪽), 커즌 경(오른쪽)과 함께.

9. (왼쪽) 원세개 장군. 나중에 중화민국 초대 대총통에 오른다.

10. (아래) 서태후의 충실한 심복인 영록(앞쪽 가운데)이 서양의 부인 방문객들을 접대하고 있다.

서태후의 서양인 친구들(도판 11~14)

11. (위) 링컨 대통령 시절의 초대 중국 주재 공사 공사(1861~1867)인 앤슨 벌링게임. 그는 나중에 서양 국가들에 파견된 중국의 최초 대사가 되었다. 벌링게임이 대표하는 사절단으로 중앙에 그가 서 있고 두 명의 중국인 부사(앉은 이들)인 지강과 손가곡 그리고 두 명의 서기인 영국인과 프랑스인(앉은 이들).

12. (왼쪽) 태평천국의 난을 진압하는 데 공을 세우고 중령으로 진급한 찰스 고든('중국인 고든'). 반란의 진압은 서태후 시대의 문을 열었다.

13. 주중 미국 공사(1898~1905)의 아내인 세라 콩거(오른쪽에서 두 번째)가 서태후의 손을 잡고 있다. 다른 여자들은 미국 공사관 소속의 부인들이다.

14. 중국인 음악가들로 구성된 서양식 밴드와 함께 한 로버트 하트. 그는 서태후의 통치 기간 내내 중국 해관의 총세무사로 있었다.

15. (위) 서태후의 그림

16. (위 오른쪽) 서태후는 이처럼 큰 글자(판의 크기는 세로 211센티미터, 가로 102센티미터)를 일필휘지하는 기술을 배웠다. 키가 작고 또 나이가 들었는데도 그녀가 이런 기술을 익혔다는 것은 이례적이다. 이 글자는 '장수'를 의미하는 수壽자이다.

17. 함풍제가 16세 때 그린 말 그림과 서예.

고 또 '그녀는 딱 보면 상대방의 성격을 간파하는 것 같았다'는 말도 했다. 동태후는 조용히 뒤로 물러서는 성격으로 기꺼이 2인자 역할을 맡았다.

접견이 끝난 후 거처로 돌아오면 두 태후는 덜 공식적인 편안한 옷으로 갈아입었고, 머리 장식으로 단 무거운 보석류도 떼어냈다. 그들은 노란 상자에서 보고서들을 꺼내 궁중의 보고서 처리 방식에 따라 손톱으로 문서에 표시를 하여 '보고서를 접수했음', '건의한 대로 할 것' 등을 하교했다. 일상적 업무의 상당 부분이 관리 임명 같은 순전히 행정적인 것이었는데, 이런 서류는 동태후가 주로 전담하면서 그녀의 인장을 찍었다. 정책은 서태후가 맡았다. 1881년 동태후가 사망할 때까지 20년 동안 두 여인은 완벽한 조화를 이루며 일했다. 그들이 정치적 동반자였을 뿐만 아니라 평생의 친구였다는 사실은 아주 놀라운 것이다. '역사상 전무후무하다고 할 수는 없어도 아주 희귀한 일이다'라고 한 미국인 선교사는 논평했다.

서태후는 반문맹이어서 지식이나 경험에 한계가 있어 그녀를 위해 모든 결정을 내려준 사람은 공친왕이라고 널리 주장된다. 하지만 두 사람 사이에 주고받은 많은 문서들과, 서태후와 관리들 사이의 교환 문서들은 정반대의 사실을 가리킨다. 실제로는 공친왕과 군기대신들이 보고를 했고, 서태후가 결정을 내렸다. 물론 태후는 공친왕과 상의를 했으며 때로는 고위 대신들 사이의 의논을 종용하기도 했다. 그녀의 지시는 주로 구두로 이루어졌는데, 군기처 혹은 군기대신이나 군기장경軍機章京이 그것을 포고문으로 작성했다. 일단 재가를 하면 두 태후가 앞뒤로 인장을 찍었다. 청 왕조의 규정에 따라 군기대신들(공친왕 포함)은 포고문에다 문자를 더하거나 뺄 수 없었다.

정책에 대한 견제 방안으로 청 왕조는 '어사御史'를 두었는데 이들은 공식적인 '비판자' 역할을 했다. 이들 이외에도 서태후는 다른 관리들의 비판적 논평을 권장했다. 이렇게 하여 지식인들이 국정에 참여하는 흐름이 시작되었는데 이는 그들의 정치 참여를 억제했던 기존의 전통에서 과감히 벗어난 것이었다. 이 비공식적인 '반대자'들은 나라 안에서 상당한 세력을 형성하여 '청류清流'라는 별명을 얻었다. 청류는 자신의 이기심을 벗어난 사람들이라는 뜻이다. 그들의 공격 목표에는 서태후도 포함되었다. 그 후 여러 해에 걸쳐 정부의 관리들은 이들의 공격이 일을 방해한다고 불평했으나 서태후는 그들의 목소리를 억누르려 하지 않았다. 그녀는 정부 내에 반대하는 목소리가 있어야 한다는 것을 본능적으로 알고 있는 듯했다. 그녀는 이런 목소리들 가운데 뛰어난 사람들을 발탁하여 고위직에 승진시켰다. 이런 사람들 중 하나가 장지동張之洞인데 그는 뒷날 뛰어난 개혁파의 일인이 되었다. 서태후는 다수 의견을 거스르려 하지 않았으나 최종 결정은 언제나 그녀가 내렸다.

제국을 운영하기 위해서 서태후는 더욱 많은 언어적 지식과 고전 지식을 갖추어야 했다. 그래서 그녀는 유식한 환관을 선생으로 모시고 공부를 시작했다. 주로 점심 식사 후에나 잠들기 전에 책을 읽었는데, 그녀는 시집이나 고전을 손에 들고 침대에서 책상다리를 하고 공부했다. 그녀의 선생은 옆에서 글 뜻을 가르쳤고, 그녀는 선생을 따라서 과문科文을 읽었다. 공부는 그녀가 잠들 때까지 계속되었다.

서태후의 통치 아래, 중국은 서구와 장기적인 평화의 시기로 들어섰다. 예컨대 영국 정부는 사태를 이렇게 파악했다. "중국은 현재 외국인들과 우호적인 관계에 들어갈 준비가 되어 있다. 과거에 외국인들과의 교류를 무조건 방해하려 했던 것과는 아주 다르다." 그리고 이런 논평도 했다. "중국의 정책은 세계 여러 나라들과의 통상을 장려하는 것이므로, 우리가 개명된 중국 정부를 도와주지 않는다면 그것은 치명적인 실수가 될 것이다." 그래서 영국과 다른 나라들은 '협조적 정책'을 채택했다. 당시 영국의 총리였던 파머스턴 경은 이렇게 말했다. "우리의 현재 노선은 중국 제국을 강화하고, 그 세수를 증가시키고, 제국이 더 나은 해군과 육군을 갖추도록 도와주는 것이다."

중국 최초의 외교부(총리아문) 책임자이자 군기처의 영수인 공친왕은 서방 외교관들과 좋은 관계를 유지했다. 영국 공사관의 앨저넌 프리먼 미트퍼드는 공친왕이 '농담을 잘하는 재미있는' 사람이고 또 '어떤 때는 장난꾸러기처럼 보인다'고 말했다. "나의 외알 안경이 공친왕에게는 좋은 핑계거리였다. 그는 어떤 주장을 하다가 막다른 골목에 이르러 할 말이 없을 때에는 갑자기 말을 멈추고 놀랍다는 듯이 양 손바닥을 위로 들어올려 나를 가리키면서 소리쳤다. '외알 안경! 정말 멋있어요!' 그는 이렇게 나를 놀려 한숨 돌리면서 대답할 시간을 벌었다."

서태후가 서방과의 좋은 관계에서 얻은 직접적인 혜택은 태평천국의 난을 진압하는 데 도움을 얻었다는 것이다. 1861년 당시에 주로 농민들로 조직된 태평천국군은 10년 동안 중국의 중심 지역에서 맹렬한 대정부 전투를 벌인 결과, 양자강 연안의 비옥한 땅의 상당 부분과 여러 도시들을 차지했다. 그들의 수도인 남경은 상해 바로 옆에 있었다. 태평천국군들이 자신을 기독교인이라고 자처했기 때문에 서구인들은 처음엔 이들에게 동정적이었으나 곧 환멸이 찾아왔다. 태평천국군이 기독교인들과 아무런 공통점이 없다는 게 너무나 분명해졌기 때문이다. 태평천국군의 지도자인 홍수전은 오랫동안 태평천국군에 성적 금욕을 부과하여 이를 위반한 사람은 사형에 처했다. 설사 남녀가 부부 사이라고 해도 예외가 없었다. 천왕天王 홍수전은 동왕, 서왕, 북왕, 남왕 등 네 명의 왕들에게는 11명의 공식 아내를 인정했고, 천왕 자신은 88명의 아내를 거느렸다. 그는 여자들이 천왕에게 봉사하는 방식을 노래한 400편의 조잡한 시를 지었다. 하지만 이런 허랑방탕과 음풍농월은 태평천국군이 가는 곳마다 마을과 도시를 불태우고, 무고한 사람들을 잔인하고 방자하게 살해한 것에 비하면 아무것도 아니었다. 그들이 황폐하게 만든 지역은 서유럽과 중부 유럽을 합친 것만큼이나 넓은 지역이었다. 중국의 영자신문인 《노스 차이나 헤럴드*North China Herald*(북화첩보北華捷報)》는 이런 결론을 내렸다. "태평천국의 역사는 유혈, 약탈, 무질서의 행위들이 계속되는 역사이다. 그들이 남부에서 북부로 행군할 때, 또 이 불운한 나라의 동부에서 자리 잡고 있는 현재, 그들이 가는 곳마다 파괴와 기아와 전염병이 반드시 따라다닌다." 태평천국군은 서구 기독교인들에게도 우호적이지 않았다. 그들은 상해를 건드리지 말라는 서구인들의 요청을 무시하고 함락시켜 서구인들의 사업과 안보를 위태롭게 하려 했으나 맹렬한 저항에 부딪쳐 퇴각했다.

함풍제가 아직 살아 있을 때 일부 서방국가들은 태평천국군과 싸우는 데 도움을 주겠다고 제안했다. 하지만 황제는 태평천국군을 미워하는 만큼이나 서구인들도 싫어했다. 그가 죽은 직후 이 문제가 다시 거론되자 서태후는 적극적으로 그들의 지원을 받아들였다. 서구인들은 무용지물이며, 태평천국군으로부터 빼앗은 땅을 차지하려 들지 모른다고 주장하는 자들에게 서태후는 이렇게 말했다. "조약이 체결된 이후 영국과 프랑스는 약속을 지키고 철군했다. 우리를 도와주는 것은 그들에게도 도움이 된다." 하지만 그녀는 조심했다. 외국 군대가 중국 땅에 들어오는 것은 좋지 않다는 영국 공사관 서기 토머스 웨이드Thomas Wade의 조언을 새겨듣고 서방 군대를 끌어들이는 것은 거부했다. 웨이드가 중국의 이익을 염두에 두면서 조언했다는 사실을 서태후는 잊지 않았다. 그녀는 중국인 사령관이 총괄 지휘를 맡는 가운데 서방 장교들은 현지인을 무장, 훈련, 인솔하는 일만 맡도록 했다.*

웨이드는 1862년의 전투에서 부상을 당해 사망했는데, 서태후는 그를 추모하는 사당을 세우라고 지시했다. 영국군 장교인 찰스 고든은 상승군常勝軍의 지휘를 맡았다. 고든은 "반란은 반드시 분쇄되어야 한다"는 소신을 갖고 있었다. 그는 이렇게 썼다. "이 사람들이 태평천국군들에 당한 끔찍한 피해, 그들이 이 풍요한 성省에 저지른 파괴는 말로 다 표현할 수가 없다. 비非개입을 말하는 것도 좋다. 나는 특별히 민감한 사람도 아니고 우리 병사들도 마찬가지이다. 그러나 이 불쌍한 사람들이 겪고 있는 비참함과 처참함은 우리를 가슴 아프게 한다." 웨이드와 마찬가지로 고든 역시 허세를 부리는 성향이 있어서 아무런 무장도 하지 않은 채 등나무 지팡이 만들고 전투에 참가하기도 했다. 부하들에게 영웅 대접을 받았던 그는 '중국인 고든'이라는 별명으로 유명했으며, 태평천국을 패배시켜 청나라를 구하는 데 중요한 역할—어떤 사람들에 따르면 결정적 역할—을 했다.

서태후는 서방의 군인이나 사절과는 직접 교류하지 않았다. 그러나 그녀는 서방에 대해서 서구인들과 접촉하는 공친왕과 기타 인사들의

* 웨이드는 뛰어난 중국학 학자로서 중국어를 로마자로 표기하는 웨이드자일스식 표기법을 개발했다. 이 체계는 외국인이 중국어를 배우는 중요한 수단이 되었고, 중국인들 자신도 모국어를 배우는 데 아주 귀중한 도움을 받았다. 이 책의 저자 이름인 'Chang Jung'은 웨이드자일스식 표기 체계를 따른 것이다.

자세하고도 방대한 보고서들을 통해 재빠르게 전반적인 윤곽을 파악했다. 한번은 황제가 포고를 내려 태평천국군을 대포로 공격한 '영국과 프랑스'에 대한 감사를 표시했다. 프랑스 사절은 그 공격에는 프랑스만 참여했지 영국은 가담하지 않았다며 불평했다. 서태후는 중국 외교관들에게 말했다. "당신들은 이걸 보고 외국인들이 옹졸하다고 말할지 모른다. 하지만 그들이 정확한 것을 좋아한다는 것도 알아두어야 한다. 앞으로 보고서를 작성할 때는 사실관계를 하나도 빼놓지 말고 보고하도록 하라." 그녀는 중국인들의 뿌리 깊은 성향인 부정확성을 지적한 것이었다.

그녀에게 깊은 인상을 준 한 가지 정보는 서구인들이 중국인 개인들의 목숨을 소중하게 여긴다는 사실이었다. 이런 사실은 웨이드와 고든의 지휘관인 이홍장李鴻章이 자주 보고했다. 염소수염을 길렀고 찌푸린 눈으로 많은 것을 잘 살피는 이홍장에게는 백작이라는 귀족 호칭이 수여되었다. 그는 전형적인 선비였지만 나중에 중국의 모든 개혁파들 가운데 으뜸가는 인사가 되었다. 이즈음에 그는 서구인들과 날마다 접촉하면서 그들에게서 배웠다. 당시 그의 동료들 대부분은 서구인들을 무식한 외국인 정도로 깔보고 있었다. 1863년 말, 이홍장과 고든은 비단, 정원, 운하로 유명한 소주蘇州(어떤 사람들은 이 도시를 중국의 베네치아라고 한다)를 포위하고 있었다. 소주는 태평천국군의 수도인 남경에 가까이 있는 전략적 도시였다. 그들은 그 도시를 지키는 태평천국군 지도자 8명에게 항복을 설득하면서 그 대가로 신변 안전과 청 정부의 고관 자리를 약속했다. 그들이 항복하자 이홍장은 도시 성문 밖에 있는 그의 막사에서 그들을 위한 잔치를 열었다. 이 잔치에 고든은 초대되지 않았다. 술잔치가 절반쯤 진행되었을 때 8명의 장교가 고관 모자를 들고 잔치 장소에 들어섰다. 맨 꼭대기에 붉은 단추가 달려 있고 공작 깃털이 비죽 밖으로 튀어나온 모자였다. 장교들은 태평천국군 지도자들에게 무릎을 꿇고 그 모자를 진상했다. 잔치에 참가했던 사람들은 모두 일어서 그 장면을 지켜보았다. 태평천국군 지도자들은 일어서서 머리에 쓰고 있던 노란 두건을 벗고서 그 고관 모자를 받아 쓰려고 했다. 그 순간 장교들이 칼을 뽑았고 잠시 뒤 장교들은 태평천국군 지도자들의 수급을 손아귀에 들고 있었다. 장교들이 입장하기 직전에, 살해 현장을 목격하지 않으려고 잠시 자리를 비웠던 이홍장은 지도자들의 배신을 사전에 막기 위해 아예 목을 베라고 지시해두었던 것이다. 그 후 그의 군대는 소주에서 자신들을 살려줄 거라고 믿고 있던 태평천국군 수만 명을 학살했다.

태평천국군 지도자들에게 몸소 약속했고 또 그들의 목숨을 보장했던 고든은 이홍장에게 의분을 터뜨리면서 상승군의 지휘관 자리를 사퇴했다. 그는 나중에 이홍장의 관점을 마지못해 이해하기는 했지만, 영국군 장교이자 기독교인 신사로서 이런 '아시아적 야만' 행위로부터 자신의 명예를 보호해야겠다고 느껴 사퇴를 선택했던 것이다.

이홍장은 고든의 격렬한 반응과 학살에 대한 서구 외교관 및 상인들의 비판을 서태후에게 보고했다. 서태후는 이 문제에 대하여 아무런 논평도 하지 않았지만 서구인들을 존경하는 시선으로 보지 않을 수 없었다. 유교도 무고한 사람과 항복한 사람을 죽이지 말라고 가르친다. 그런데 관군들은 자신들이 경멸하는 태평천국군과 똑같이 학살하는 등 그들과 별반 다를 바 없이 행동했다. 하지만 고든의 상승군만은 희귀한 예외였다. 이홍장은 한 동료에게 이런 말을 했다. "고든의 부하들은 태평천국군을 패배시킨 후에는 되도록 사람을 죽이려 하지 않았다. 그래서 늘 그들을 돕기 위해 나의 군대를 옆에 배치해야 했다." 서태후와 최측근 관리들은 서구인들이 '야만인'이라는 생각을 서서히 버렸다. 사실 이 시점부터 그녀는 중국의 관습에 대해 다소 유보적인 생각을 갖게 되었다.

고든은 이홍장과 함께 상승군을 해체하는 작업에 착수했다. 전쟁이 끝나면 상승군을 어떻게 할지 고심하던 서태후는 안도의 숨을 내쉬었다. 이 무적의 군대는 고든의 말만 따르고 북경의 명령은 듣지 않았기 때문이다. 그녀는 공친왕에게 보내는 편지에 이렇게 썼다. "만약 고든이 상승군을 해체하는 적절한 조치를 취하고 외국 장교들을 귀국시킨다면 그는 정말 우리에게 잘 대해왔고, 그동안 우리의 이익을 위해 일해왔다는 것을 증명하는 것입니다." 그가 출발하기 전에, 서태후는 이 영국인의 공적을 칭송하고 그에게 은 1만 테일을 위시해 여러 가지 푸짐한 선물을 내렸다. 고든은 자신이 용병이 아니라 장교라는 점을 내세우며 그 돈을 거부했다. 서태후는 다소 당황하면서 공친왕에게 물었다. "그는 정말로 그렇게 생각하는 건가요? 외국인들은 오로지 돈만 바라보는 게 아닌가요?" 이홍장과 다른 관리들은 고든에게 흡족한 선물이 무엇인지 알아냈고, 서태후는 이홍장의 제안으로 그에게 특별한 영예를 내렸다. 그것은 황실 고유의 노란색으로 만든 고관용 겉옷인데, 오로지 황제만 입을 수 있는 옷이었다. 고든은 서태후에게 서구인들에 관한 많은 생각거리를 안겨주었다.*

태평천국군을 물리치기 위해 서태후는 전례 없이 한족 출신들을 등용했다. 우선 이홍장 백작이 있고 또 후작으로 승격한 증국번이 있었다. 1864년 7월 남경을 다시 탈환한 것은 증국번의 군대였다. 이렇게 하여

* 고든의 동상이 런던의 트라팔가 광장에 세워져 있었는데 나중에 빅토리아 강둑으로 이전되었다. 윈스턴 처칠은 1948년 의회에서 연설하면서 고든을 '크리스천 영웅의 표본'으로 칭송하며 그 동상을 원래의 자리로 되돌려놓자고 제안했다. 처칠은 "고든의 이름에는 많은 소중한 이상들이 결부되어 있다"는 말도 했다.

중국 역사상 가장 큰 규모의 농민반란인 태평천국의 난이 막을 내렸는데, 15년간의 내전에서 약 2천만 명이 희생되었다. 태평천국의 지도자 홍수전은 남경이 함락되기 전에 병사했으며, 그의 아들 겸 후계자는 열네 살밖에 안 되었지만 생포되어 청의 법률에 따라 능지처참에 처해졌다. 다른 태평천국의 왕들도 능지처참되었다. 《노스 차이나 헤럴드》 같은 신문에 사진과 함께 실린 이 처참한 처형에 관한 기사를 접한 서구인들은 경악을 금치 못했다. 토머스 웨이드는 공친왕에게 편지를 보내 이제 반란이 진압되었으니 중국은 이 야만적인 형벌을 폐지해야 한다고 건의했다. 웨이드는 그 형벌이 '너무나 잔인하고 비인간적'이라고 지적하면서 이 형벌을 폐지하면 제국은 더 많은 호의와 정치적 이득을 볼 수 있을 것이라고 말했다. 공친왕은 이 건의를 거부하면서 이 형벌은 아주 드물게 내려지며, 반란을 일으켜 무수한 인명을 희생시킬지도 모르는 장래의 반도들에게 일벌백계의 효과가 있다고 설명했다. "이 형벌이 없으면 중국 사람들은 아무것도 두려워하지 않을 것이다……. 만약 이 형벌을 폐지하면 곧 더 많은 범죄자들이 생겨날 테고 평화와 안정을 확보하기가 어려워질 것이다." 공친왕은 참수형 정도로는 반란을 막지 못하므로 이런 잔인한 제재가 제국의 생존에 필수적이라고 덧붙였다. 서태후는 공친왕의 주장에 이의를 제기하지 않았으나 개인적인 언급도 하지 않았다. 일찍이 건륭제는 1774년에 청수교清水教 반란군의 지도자인 왕륜王倫을 능지처참형에 처하라고 손수 글을 써서 명령을 내린 바 있었다. "그자의 피부가 생선 비늘같이 보일 때까지 온몸을 갈가리 찢을 것이며, 그 가족들은 남녀노소를 불문하고 모두 참수형에 처하라."

서구 문화의 인간적 측면은 유교의 이상인 인仁과도 일치되는 것이었다. 일찍이 공자孔子는 인이 모든 통치자의 궁극적 목표가 되어야 한다고 가르쳤다. 웨이드는 공친왕이 '인의 사상'을 가졌다고 칭찬했으나 이런 이상이 중국에서는 아직 적용될 수 없다며 한탄했다.

태평천국의 종말과 함께 다른 농민반란들도 하나씩 진압되었다. 서태후는 권력을 잡고 몇 년 되지 않아 평화를 회복했다. 지배계층이 볼 때 이런 업적은 그녀에게 절대적인 권위를 부여했고 파탄 상태에 빠진 국가*를 재건하려는 그녀의 정책에 힘을 실어주었다. 그동안 크고 작은 전쟁을 치르면서 은 3억 테일 이상의 돈이 들어간 상태였다. 북경의 거리에는 거지들로 넘쳐났는데, 그들 중 일부는 여자였다. 평소 같으면 여자들은 공공장소에 나타나지 않았지만 그들은 남루한 옷을 입고서 노골적으로 행인에게 접근해 구걸을 했다. 그러나 서태후의 지도 아래 중국은 10년도 지나기 전에 놀라운 회복세를 보이며 새로운 번영을 맞는 중이었다. 그중 특별하게 도움을 준 것은 새로운 국가 수입의 원천이었다. 서방과의 교역이 늘어나면서 관세 수입이 증가했는데 이것 또한 서태후의 개방정책이 가져온 결과였다.

서태후는 국제 교역의 엄청난 잠재력을 알아보았다. 교역의 중심지는 상해였는데 이 도시는 히말라야에서 발원한 양자강이 중국 중부 지역을 흘러서 바다로 빠지는 곳에 있었다. 그녀는 신유정변辛酉政變을 일으킨 지 몇 달 후인 1862년 초에 공친왕에게 이런 말을 했다. "상해는 먼 곳에 있지만 태평천국군들에 의해 누란의 위기에 처했을 때 외국과 중국의 상인들 덕분에 우리 군대를 유지하는 재원의 원천이 되었어요. 지

* 농민반란으로 파괴되거나 점령되지 않은 지역에서는 회복세가 즉각적으로 나타났다. 영국 공사관의 참사관 프리먼미트퍼드는 이미 1860년대 중반에 들어서서 "광동의 번영은 뚜렷하면서도 현저했다."고 썼다.

난 두 달 동안 상해는 수입관세로만 80만 테일을 징수했다고 해요. 우리는 이곳을 잘 보존하기 위해 최선을 다해야 합니다." 상해는 서구 개방 정책이 제국에 엄청난 기회를 가져다준다는 것을 보여주었고, 서태후는 그 기회를 붙잡았다. 1863년에 6800척 이상의 화물선이 상해를 찾았는데, 함풍제 시절의 연간 1천 척에 비하면 엄청난 발전이었다.

해외무역의 확대로 인해 중국은 효율적인—부패하지 않은—관세청을 확보해야 했다. 공친왕의 추천을 받아서 서태후는 중국 해관의 총세무사總稅務司로 북아일랜드 출신 28세의 로버트 하트Robert Hart를 임명했다. 하트는 당시 이미 세관에서 근무하고 있었다. 그곳에 부임한 지 1년도 되지 않아 이런 고위직에 올라선 것이다.

서태후와 마찬가지로 1835년에 태어나 벨파스트의 퀸스 칼리지Queen's College를 졸업한 하트는 똑똑하고 성실하고 순진한 19세의 통역사로서 영국 영사관에서 근무하기 위해 처음 중국 땅을 밟았다. 언어에 뛰어난 그는 논리, 라틴어, 영문학, 역사, 형이상학, 자연사, 법률, 지리 등에도 밝았다. 그의 일기는 그가 독실한 기독교인임을 보여준다. 도덕적이고 정의로운 것에 관심이 많았으며, 중국 사람들에 대하여 깊은 연민을 느꼈다. 그가 홍콩에 도착한 직후에 쓴 일기에는 스테이스Stace 씨라는 사람과 부두에 저녁 산책을 나간 일이 기술되어 있다. "그가 중국인을 대하는 태도는 나를 놀라게 했다. 중국인들의 물건을 물속에다 던지고서 지팡이로 그 물건을 툭툭 쳤다. 그가 보트에 들어섰을 때 중국인들이 부두에서 나오지 않았기 때문이다. 그때 그들은 저녁 식사 시간이었다. 그들은 이 시간을 소중히 여겨 저녁 식사가 끝날 때까지 일을 하지 않으려 했다."

하트는 중국에서 10년간 일하면서 공정하고 유능한 사람이라는 명성을 쌓아올렸고 또 일을 중재하는 능력과 실현 가능한 타협안을 이끌어 내는 데 귀재라는 평가를 얻었다. 그는 자신의 장점들을 잘 알았으므로 매사에 자신감이 있었다. 총세무사로 임명하는 공식 문서가 도착하던 날 아침에 그는 문서를 곧장 개봉하지 않았다. 그는 약간의 만족감을 느끼며 일기에다 이렇게 썼다.

> 나는 평소처럼 아침 식사를 했다. 그리고 평소처럼 아침 성경 봉독을 하고 기도를 올렸다……. 공식 문서를 개봉했다. 첫째, F. 브루스 경이 보낸 편지인데 나보고 총세무사 자리를 맡으라면서 외무부에서 전적으로 지원하겠다고 약속하는 내용이었다. 둘째, 기다란 편지…… 셋째, 기다란 중국어 편지…… 넷째, 총리아문에서 보낸 문서인데 나를 총세무사에 임명하는 것이었다…….

하트의 지휘 아래 중국 세관은 노후하고 부패한 조직에서 잘 정비된 근대적 기관으로 탈바꿈하여 중국 경제에 크게 기여했다. 1865년 중반부에 이르기까지 5년 동안, 세관은 중앙정부에 3200만 테일이 넘는 돈을 올려 보냈다. 영국과 프랑스에 대한 배상금은 이 관세 수입으로 지불되었고 1866년 중반부에 완불되었는데, 배상금이 국가 전반에 미친 고통은 미미했다.

새로운 부富가 확보되자 서태후는 대규모로 식량을 수입하기 시작했다. 중국은 오래전부터 자급자족할 수 있는 식량을 생산하지 못했기에 곡식 수출을 금지했다. 1867년부터 세관 기록부는 무관세 수입품들을 체계적으로 기록했다. 1867년에 주식인 쌀 수입은 110만 테일어치였다. 식량 조달과 구매는 하트 휘하의 세관이 맡은 주된 업무였다. 서태후는 이 업무를 총 지휘하는 하트에 대하여 각별한 신임을 보냈다.

하트와 다수의 외국인들을 고용한 것은 중국인 관리들 사이에서 분노를 일으켰다. 서태후는 이에 개의치 않았는데, 당시로서는 아주 용감한 조치였다.

서태후 정부의 표어는 '중국을 강하게 하자', 즉 자강自强이었다. 하트는 청 왕조에 근대화를 통해 이 목표를 달성할 수 있다는 것을 보여주려 했다. 그가 일기에다 썼듯이 그의 목표는 "중국을 기독교 문명의 온갖 혜택에 개방시키는 것이었다. 물질적이든 정신적이든 인간의 편의와 복지에 도움이 되는 모든 것을 알게 하려는 것이었다……". 그는 중국의 '발전'을 원했다. 그 당시의 국가 발전이라고 하면 곧 근대적 채광, 전신과 전화 그리고 무엇보다도 철도의 부설이었다. 1865년 10월 하트는 공친왕에게 각종 내용을 담은 건의서를 제출했다.

'오래된 나라 중국에 신선한 출발을 안겨주려는' 열망 속에서 하트는 경고도 하고 위협도 했다. 그는 '세계의 모든 국가들 가운데 중국처럼 취약한 나라는 없다'면서 중국이 군사적으로 패배한 것은 지도자들의 '열등한 머리' 때문이라고 비난했다. 만약 중국이 그의 조언을 따르지 않는다면 서구 열강은 '그것(발전)을 강요하기 위해 다시 전쟁을 일으킬 수도 있다'는 불길한 예상을 했다. 이러한 경고는 서구인들 사이의 공통적인 태도를 반영한 것이었다. 서구인들은 '중국보다 중국인이 원하는 것을 더 잘 안다'고 느꼈다. 그들은 '중국의 멱살을 잡고 발전을 강요해야 한다'고 생각했다.

공친왕은 하트의 건의서를 여러 달 동안 서태후에게 올리지 않았다. 이처럼 질질 끈 것은 서태후가 크게 분노하여 하트를 총세무사 자리에서 해임할까 봐 우려해서였다. 그렇게 된다면 황금 알을 낳는 거위를 죽이는 꼴이 될 터였다. 서태후가 관리들의 날카로운 비판과 노골적인 진언을 격려했지만, 아무도 이런 오만한 태도와 노골적인 위협의 말을 드러내지는 않았다. 공친왕은 그녀가 어떻게 반응할지 알 수 없었기에 하트를 일단 외국으로 내보내기로 했다. 그렇게 하면 황태후가 그를 해임하라고 지시해도 당사자가 부재중이라 즉각 조치를 취할 수 없고, 그녀의 마음을 바꿀 시간을 충분히 벌 수 있었다. 그리고 바로 그때에 하트가 한동안 요청해왔던 고국으로 휴가를 떠날 수 있는 허락이 떨어졌다.

하트는 1866년 3월 말에 휴가를 떠났고, 그의 건의서는 4월 1일에 서태후에게 올려졌다. 토머스 웨이드의 건의서도 함께 상신되었다. 웨이드의 글도 거의 비슷한 어조로 비슷한 문제를 다룬 것이었다. 하트에 의하면, 그건 "그들을 겁주기 위한" 것이었다. 공친왕은 이 두 문건을 상신하고 나서 두려움에 사로잡혔다. 프리먼미트퍼드는 공친왕을 만나러 왔는데 '철도와 전신' 그리고 '기타 백 번은 되풀이한 안건들'을 타령처럼 늘어놓으면서 그가 평소와는 다르게 '아주 긴장하고 불안해하며 산토끼처럼 이리저리 움직이면서 어쩔 줄 모르는 것'을 발견했다.

공친왕은 서태후를 과소평가했다. 그녀는 그 건의서들을 주의 깊게 읽고서 해외 업무, 무역, 각 지방을 담당하는 고위 대신 열 명에게 하달해 그들의 의견을 구했다. 그녀의 첨부 편지에는 하트나 웨이드에 대한 분노나 악감정이 전혀 적혀 있지 않았다. 그와는 정반대로 공친왕의 상신서는 여기저기에 개탄하고 분노하는 표현이 들어 있었다. 그녀는 서구인들의 오만한 태도를 너그럽게 받아들였고, 그것 때문에 판단을 그르치는 일이 없었다. 오히려 그 제안에서 잠재적인 혜택을 발견했다. 그녀는 '하트가 중국의 정부, 군사, 금융 등에서 몇몇 훌륭한 지적을 했다'고 여겼다. 또 '채광, 조선, 무기 생산, 군사훈련 등에서 서구의 방법을 채택해야 한다는 제안도 일리가 있다……. 다른 나라에 대사를 보내는 등

대외 관계에 관한 것은 우리가 어차피 해야 할 일이다'라고 보았다. 그녀는 위협적인 언어나 어조는 문제 삼지 않고 중국 정부의 표어를 다시 상기시켰다. "자강은 외국이 우리를 상대로 전쟁을 벌이거나…… 우리를 깔보지 못하게 하는 유일한 방법이다." 그녀는 하트의 오만한 태도를 관대히 보아 넘겼다. 중국인들도 외국인 얘기를 할 때에는 '양귀자洋鬼子(서양 귀신 놈)' 운운하며 그런 오만한 언어와 어조로 말한다는 것을 잘 알기 때문이었다. 그렇지만 공친왕은 외국 사절들에게 말을 조심하라고 주의를 주었다. 그들은 명심했고, 그 후에는 통신문에서 자극적인 표현을 쓰지 않았다.*

몇몇 고위 대신들이 하트에 대하여 불쾌감을 표시했으나 서태후는 그에게 반감을 품지 않았다. 하트는 정직한 데다 세관 업무를 아주 효율적으로 성실하게 운영하고 있었다. 부정부패가 만연한 나라에서 단 한 푼도 사복私服으로 챙기지 않고 모두 정부에 올려 보내는 것만 해도 대단한 업적이었다. 서태후로서는 그것으로 충분했다. 결코 옹졸하지 않은 그녀는 나무보다 숲이라는 더 큰 그림을 보았고, 하트에게 그 공로를 인정해 또 다른 영예를 수여했다. 하트는 그녀가 통치하는 한 중국의 세관을 책임지게 되었다. 외국인이 국가의 주요 수입원을 근 50년 동안 책임진다는 것은 놀라운 현상이고, 서태후가 편견이나 의심 없는 사람이고 또 판단력이 예리하다는 것을 보여주는 결정적 증거이다. 그것은 맹목

* 하트는 처음에는 그의 건의서가 일으킨 불쾌감에 대해서 잘 몰랐다. 서태후 정부를 강권하여 산업화로 나아가게 할 수 있겠다고 생각해 건의서를 제출한 후 그는 일기에다 "잘했어!"라고 썼다. 그는 총리아문에서 또 한 번 전신과 철도에 대한 막후교섭을 하고 나서 중국 측의 유보적 태도를 깨닫게 되었다. 그는 그 후에 일기에다 이렇게 썼다. "중국인들은 내가 중국이 아니라 외국을 위해 일한다고 생각할 수도 있었다." 그래서 그는 중국인들에게 말했다. "나는 지금껏 이야기해온 것들을 앞으로는 다시 거론하지 않겠습니다."

적인 믿음이 아니었다. 그녀는 하트의 궁극적인 충성심이 그 자신의 조국인 영국에 있다는 것을 의심하지 않았다. 중국의 한 외교관은 그녀에게 이런 보고서를 올렸다. 그 외교관이 하트에게 중국과 영국 사이에 충돌이 벌어지면 그의 충성심은 어느 쪽에 있느냐고 묻자 하트는 "나는 영국인입니다."라고 대답했다. 그러나 서태후는 하트가 중국에 공정하게 대하리라고 믿었고, 하트에게 그런 이해利害의 충돌 관계를 만들지 않으려고 애썼다. 고위 대신들도 하트에게는 별로 반감이 없었는데 아주 이례적인 일이었다. 일부 대신은 반 서방파였지만 중국의 세관 업무를 서구인에게 맡기는 데 이의를 제기하지 않았다. 하트도 그들을 실망시키지 않았다. 그는 중국의 재정 안정에 크게 기여했을 뿐만 아니라 외부 세계와의 관계 개선에도 도움을 주었다. 그는 서방과의 각종 문제에 대하여 공친왕이 제일 먼저 조언을 구하는 사람이 되었다. 서태후는 그를 직접 만난 적은 없지만 그를 통해 간접적으로 서방 문명을 알게 되었다.

그러나 하트가 제안한 근대화 사업들은 서태후가 하문한 모든 사람들에 의해 거부되었다. 서구인들이 높이 평가하는 가장 개혁 지향적인 인물인 이홍장도 반대하면서 그 '헤아릴 수 없는 피해'를 이렇게 요약했다. "그 사업들은 우리의 국토 풍경을 훼손하고, 들판과 마을을 침해하고, 풍수를 망치며, 우리 백성들의 생계를 파괴한다." 그들은 이런 값비싼 기술 공사가 좋은 혜택을 가져온다고 보지 않았고, 서방의 공사公使들도 근대화 사업을 뒷받침하는 설득력 높은 주장을 펴지 못했다. 공친왕은 서태후에게 서구인들은 '근대화 사업이 어떻게 중국에 좋은 일이 될 것인지 구체적으로 답변하지 못했다'고 보고했다.

근대화 사업은 오히려 서구에만 많은 이점을 가져다줄 것 같았다. 중국은 전쟁배상금을 거의 다 갚아가는 시점에 와 있었고 앞으로 막대한 무역 흑자를 올릴 수 있었다. 중국은 근대화 사업을 할 여력이 있었다. 중국 내륙에 발을 들여놓은 서구인들은 개발되지 않은 천연자원이 풍부하다는 것을 발견했다. 영국의 해군 장교 헨리 노엘 쇼어Henry Noel Shore는 이렇게 적었다. "유능한 당국자에 의하면 탄광의 면적은 41만 9천 제곱미터 이상으로 유럽의 탄광보다 20배는 더 넓으며, 관물 특히 양질의 철광석이 각 성에 풍부하게 매장되어 있다." 그리고 채광을 하려면 전신과 철도가 반드시 있어야 했다.

여러 가지 반대 의견들 가운데 서구인들이 중국의 지하자원에 접근해 그것을 통제하려 들지 모른다는 우려가 있었다. 철도는 서방이 중국을 침략할 경우에 침략군을 내륙으로 이동시킬 수 있었다. 또 여행과 통신업에 종사하는 수백만 명의 중국인들, 가령 수레꾼, 짐꾼, 여관 주인 등이 일거리를 잃을 수도 있었다. 그러나 허리를 휘게 하는 노동 업무의 완화나 새로운 형태의 고용 창출에 대해서는 아무도 말하지 않았고 또 예상하지도 못했다. 기계들이 내뿜는 시끄러운 소음과 검은 연기는 자연 경관을 훼손한다고 하여 특히 혐오의 대상이었다. 더욱 나쁜 것은 철도가 중국 전역에 흩어져 있는 무수한 개인 조상 묘들의 정적을 뒤흔들어놓는다는 사실이었다.

그 당시 중국의 대가족들은 저마다 개인 묘지를 갖고 있었다. 이 땅은 그들에게 신성한 것이었다. 프리먼미트퍼드는 이렇게 적었다. "땅 중에서 가장 좋은 땅을 골라 돌아가신 분들을 묻었다." 실제로 중국 사람들은 묘지를 그들의 최종 목적지로 여겼으며 죽은 후에 먼저 돌아가신 아버지와 할아버지를 만날 수 있다고 생각했다. 이러한 생각은 죽음에 대한 공포를 없애주었다. 적에게 할 수 있는 가장 무서운 치명타는 그의 조상 묘를 파괴하는 것이었다. 그러면 그 적과 가족들은 죽은 후에 집 없는 귀신이 되어 영원한 고독과 비참함의 나락으로 떨어지게 된다.

그녀의 동시대인들과 마찬가지로 서태후는 조상 묘를 거의 종교적 신앙심으로 바라보았다. 신앙은 그녀의 생활에서 필수적인 것이었고, 그녀를 두렵게 하는 유일한 것은 하늘의 분노였다. 이 하늘이라는 신비하고 형체 없는 존재는 서태후 당시의 중국인들에게 신神과 같은 개념이었다. 하늘에 대한 믿음은 불교나 도교에 대한 신앙과 얼마든지 병존하는 것이었다. 중국인의 종교적 감정은 기독교 세계의 그것처럼 잘 정의된 것이 아니었다. 하나 이상의 종교를 갖는 것이 흔했다. 실제로 호화로운 장례식 등 장대한 예식이 치러지는 곳에서는 불교의 스님, 도교의 수도자, 티베트 불교의 라마가 며칠 간격으로 돌아가며 망자의 영혼을 위한 기도를 올렸다. 이런 전통 속에서 자라났기 때문에 서태후는 독실한 불교 신자이면서 동시에 도교 신봉자였다. 그녀가 가장 존경하는 보살은 자비의 여신이며 불교에서 유일한 여신인 관음觀音이었다. 동시에 관음은 도교의 신이기도 하다. 그녀는 관음상을 모신 개인 사당에서 두 손을 가슴 앞에 모으고 자주 기도를 올렸다. 사당은 그녀의 개인적 성소 노릇도 했는데 서태후는 그곳에 혼자 가서 마음을 정리하면서 중요한 결정을 내리곤 했다. 불제자로서 그녀는 방생放生 의식을 수행하기도 했다. 그녀의 생일 때면 많은 새들을 돈 주고 사서—궁녀의 말에 따르면 나중에는 1만 마리까지 샀다—생일날의 가장 상서로운 시간을 골라 산 위에 올라가서 환관들이 가져온 새장의 문을 열고 새들을 한 마리씩 공중으로 날려보내면서 그 장관을 지켜보았다.

서태후 정부가 기계시대의 근대화 사업들을 거부한 것은 주로 조상 묘 때문이었다. 망자의 고요한 영혼을 괴롭혀서는 안 되는 것이었다. 공친왕은 외국 공사들에게 이렇게 근대화 사업을 거부하여 그들이 전쟁을 벌이겠다면 중국은 준비가 되어 있다고 말했다. 서태후는 전쟁 위협을 중대하게 보아서 각 성의 총독이나 순무巡撫에게 서구인들과 관련된 분쟁을 신속히 해결해 전쟁의 빌미를 제공하지 말라는 아주 준엄한 칙명을 내려보냈다. 그녀의 정부는 조약을 철저하게 지키려고 최선을 다했다. 하트는 "나는 조약 위반의 건수를 들어보지 못했습니다."라고 말했다. 몇 번 더 헛된 막후교섭을 시도하다가 외국 회사들은 마침내 손을 들면서 중국의 산업화는 연기되었다.

하지만 그것은 다른 문을 통해 슬금슬금 들어왔다. 서태후 정부는 근대식 군대와 산업을 육성한다는 점에서는 일치단결되어 있었다. 군대를 훈련시키기 위해 외국 장교들을 채용했고 무기 제조법을 가르치기 위해 외국 엔지니어들을 고용했으며, 기술과 장비를 적극적으로 사들였다. 1866년 근대식 함선 건조가 진지하게 시작되었다. 조선 사업을 감독하는 외국인 감독자는 프랑스인 프로스페르 지켈Prosper Giquel이었다. 그는 영불 침략군을 따라 중국 땅에 처음 발을 내디뎠는데 그 후로 중국에 계속 머물렀다. 그는 영국-중국의 상승군을 연상시키는 상첩군常捷軍이라는 프랑스-중국 군대를 이끌고 태평천국의 난을 진압하는데 도움을 주었다. 그 후에는 로버트 하트 밑에서 중국 세관 일을 보았다. 서태후는 지켈을 신임하여 조선 사업에 드는 돈은 얼마가 되었든 승인해주었다. 예전에 침략군에 소속되었던 이 전직 프랑스 장교에 대하여 많은 사람들이 의심을 품었고 또 그가 집행하는 천문학적 액수의 예산에 대해 경악하는 사람들도 있었다. 그러나 서태후는 일단 믿으면 좀체 의심을 하지 않았다. 그녀는 중국 관리들에게 지켈과 다른 외국인들을 '아주 잘 대해주라'고 일렀다. "이 함선 건조 사업은 자강 정책을 달성하는 데 핵심이 되는 사업이다."라고 그녀는 흥분한 어조로 말했다.

불과 몇 년 사이에 9척의 증기선이 건조되었는데, 그 품질은 서양의 배에 견주어도 손색이 없었다. 이 배들이 진수進水했을 때 샴페인을 터뜨리는 일은 없었다. 천왕모天王母와 하백河伯과 지신地神들에게 엄숙한 의례를 올렸을 뿐인데, 증기선이 이들의 정적을 깨뜨릴까 봐 우려했기 때문이다. 1869년 첫 번째 배가 멋지게 천진항에 들어서자 중국인들과 외국인 거주자들이 그 광경을 지켜보려고 몰려들었다. 배를 건조하는 데 참여한 사람들은 얼굴에서 자랑스러운 눈물을 닦아냈다. 지켈은 노고에 대하여 많은 보상을 받았는데, 그중에는 황실을 상징하는 노란색 고관 겉옷도 있었다.

통치 첫 10년이 끝나갈 무렵 서태후는 전쟁으로 피폐해진 나라를 소생시켰을 뿐만 아니라 근대식 해군을 창설하고, 근대식 육군과 최신식 장비를 갖춘 무기 산업을 육성하기 시작했다. 이 오래된 나라는 뿌리 깊은 단단한 전통을 가지고 있어서 전면적인 산업화는 즉각 실시되지 못했지만 탄광, 철광, 제철 공장, 기계 제작 등 현대적 사업들이 하나씩 하나씩 나타났다. 엔지니어, 기술자, 장교, 해군 선원 등을 교육하기 위해 근대식 교육이 도입되었으며, 철도와 전신은 이제 지평선 너머에서 기다리고 있었다. 이제 중국은 서태후 통치 아래 근대화를 향한 첫걸음을 내디뎠다.

6

서방에 최초의 시찰단을 파견하다

(1861~1871)

근대화로 나아가는 길에 서태후의 곁에는 동지이자 가까운 조언자이자 또 믿을 만한 행정가인 공친왕이 있었다. 그녀가 그의 도움을 받아 결정을 내리면 공친왕이 정책 사항들을 수행했다. 두 사람 사이에 노란 비단 장막은 거의 존재하지 않았다.

후궁 지역 이외의 곳에 이런 믿을 만한 사람이 없었더라면 서태후는 효율적으로 통치하지 못했을 것이다. 그녀는 공친왕에게 고두를 면제하는 전례 없는 영예를 베풀면서 그 공로를 치하했다. 신유정변을 성공시킨 직후 그녀는 아들 명의의 칙명을 내려서 공친왕, 순친왕 그리고 어린 황제의 세 숙부들에게 일상적 만남에서 무릎을 꿇거나 고두를 하지 않아도 좋다는 특혜를 주었다. 이 조치의 대표적 수혜자는 서태후를 매일 만나야 하는 공친왕이었다. 하지만 세월이 흐르면서 그녀는 이 특혜를 거둬들여야겠다는 생각이 들었다. 엄격한 예절을 지키지 않다 보니 공친왕은 그녀에게 느슨하게 대했고, 다른 여자들에게 하는 것처럼 한 수

아래로 보는 듯한 태도를 취했다. 그녀가 아직 20대이고 공친왕보다 나이가 어려서 더욱 그런 것 같았다. 공친왕의 무례한 태도는 그녀를 짜증나게 했고 때로는 분노하게 만들었다. 그리하여 1865년의 어느 날, 분노가 폭발한 서태후는 크게 화를 내면서 그를 해임했다. 그녀는 손수 칙명을 작성해 그가 '자기 자신을 너무 높이 생각한다', '거들먹거리면서 잘난 체한다', '자주 헛소리를 지껄인다' 같은 표현으로 그를 비난했다. 그것은 서태후가 직접 작성한 몇 안 되는 칙명들 중 하나였다. 그녀의 글씨는 아직도 서툴렀고 문장에는 문법적 오류가 많았다. 그녀가 자신의 약점—엘리트 계층이 아주 중시하는 학문의 부족—도 개의치 않고 이런 글을 썼다는 사실은 그녀의 분노가 얼마나 심각했는지를 보여주는 대목이다.

단단한 인간관계의 순간적인 동요가 늘 그러하듯이 그 폭풍우도 지나갔다. 대신들은 깊이 반성했고, 서태후는 평정심을 되찾았다. 공친왕은 그녀의 발밑에(노란 비단 장막 뒤에 감추어진) 엎드려 울며 사죄하면서 자신의 행동을 고치겠다고 약속했다. 자신의 주장을 관철시켰으므로 서태후는 칙명을 취소하고 공친왕을 원직에 복직시켰다. 그의 역할은 예전 그대로였지만 공친왕의 명예로운 칭호인 의정왕은 거두어들였다. 그녀는 또 궁중에서 공손한 태도를 보일 것과 거만한 행동을 하지 말 것을 그에게 일렀다. 이때부터 따끔한 교훈을 얻은 공친왕은 몸조심을 하면서 그녀에게 고두했다. 이 일화는 대관들에게 서태후를 얕보는 듯한 행동은 절대 금물이라는 경고를 주었다. 그녀는 주인이고, 그들은 모두 그녀 앞에서 무릎을 꿇어야 했다.

서태후와 공친왕의 업무 관계는 아주 밀접했다. 그들은 제국을 근대화하려는 노력에 반발하는 보수파에 함께 대적해야 하는 '동료'로서 점점 더 가까워졌다.

중국 최초의 근대식 교육기관은 동문관同文館(뒷날 북경 대학이 되는 학교)이었다. 이 대학은 서태후가 집권한 직후인 1862년에 설립했는데 통역사를 육성했다. 설립 당시에는 별 반발이 없었다. 중국으로서는 외국인들을 상대할 대 통역사가 필요했던 것이다. 이 학교는 그림 같은 건물을 자랑했다. 대추나무들, 우거진 라일락과 영춘화 사이로 학과 시간을 알리는 종소리가 울려 퍼졌다. 그러다가 1865년에 서태후가 공친왕의 건의를 받아들여 과학까지 가르치는 정규대학 과정으로 승격시키려 하자 주위에서 격심하게 반대했다. 지난 2천 년 동안 유교 경전만이 교육상 적절한 학과 과목으로 여겨져왔던 것이다. 서태후는 '중국의 사상을 선양하기 위해 서방의 방법을 빌려오는 것(中體西用)'이며 '옛 성현들의 신성한 가르침을 대체하려는 것은 아니다(東道西器)'라고 하면서 그 결정을 옹호했다. 하지만 이런 설명은 유교 경전을 외운 덕분에 현재의 지위에 오른 관리들을 납득시키지 못했고, 그들은 총리아문과 공친왕을 '서양 놈들의 앞잡이'라며 비난하고 나섰다. 도시의 성벽에는 공친왕을 비난하는 낙서가 자주 등장했다.

보수파의 분노를 일으킨 한 가지 사안은 이 대학의 교수로 '외국인'을 임용한다는 것이었다. 전통적으로 교사는 존경받는 인물이며 군사부일체君師父一體로 떠받들었다. 교사는 인생의 스승이고 지식뿐만 아니라 지혜를 나누어주는 사람이므로 부모처럼 존경해야 마땅했다(교사 살인은 부모 살해와 마찬가지로 분류되었으며 대역죄처럼 능지처참으로 다스렸다). 황제와 친왕들은 작고한 스승을 기리기 위해 그들의 집에 사당을 세웠다. 이 문제에 대하여 가장 열렬히 반대를 표명한 사람은 존경받는 몽골인 학자 왜인倭仁이었다. 그는 어린 황제인 동치제의 사부이기도 했다. 그는 서태후에게 글을 올려 서구인들에게 이런 높은 지위를 부여해서는 안 된다고 주장했다. "그들은 우리나라를 침략했고, 우리의 왕조를 위협했으며, 우리의 궁전을 불태우고, 우리의 백성들을 살해한" 적들이라는 것이었다. 또 이런 논리도 폈다. "오늘날 우리가 그들의 비법을 배우려는 것은 장래의 전쟁에서 그들을 상대로 싸우기 위해서이다. 그런데 그들이 우리에게 가짜 가르침을 통해 사악한 장난질을 칠지 어떻게 알겠는가?"

서태후는 비난하는 반대자들을 강하게 질책하면서도 왜인에게는 과학을 가르칠 수 있는 중국 학자들을 찾아봐달라고 주문했다. 이 부탁은 몽골인 사부를 난처하게 만들었고, 그는 할 수 없이 지명할 만한 사람이 없다는 것을 시인해야 했다. 서태후는 좀 더 찾아보라고 권하면서 국가 중대사에 해결안을 마련해줄 것을 요청했다. 유서 깊은 전통을 자랑하는 유교 사상을 황제에게 가르치도록 선발되었던 왜인 사부는 자신의 주장이 옳다고 확신했지만, 현실의 벽 앞에서는 무기력하고 난감했다. 어느 날 아홉 살이 된 황제에게 학과를 가르치던 왜인은 눈물을 흘리며 흐느껴 울었다. 전에 사부가 우는 것을 본 적이 없는 동치제는 놀라면서 당황했다. 며칠 뒤 고령의 사부는 말을 타려다가 기절했다. 그는 병석에 누웠고 사퇴해야 할 형편이었지만 서태후는 그의 사표를 반려하면서 영구 병가를 주었다. 왜인은 궁중에 많은 지지자를 남겨놓았는데 그의 동료였던 옹동화 역시 서구를 증오하는 사람이었다. 옹동화는 원명원이 전소되었을 때 눈물을 흘리면서 북경의 서구인들을 가리켜 '더러운 짐승' 또는 '늑대와 이리'라고 맹비난했다.

서태후는 수구파의 끈덕진 반대에도 불구하고 근대화 작업을 밀고 나갔고, 고위 관리인 서계여徐繼畬를 동문관의 학장으로 임명하면서 그를 가리켜 '높은 성망盛望'과 학생들의 '훌륭한 사표師表'가 될 인물이라고 치켜세웠다. 서태후는 서계여의 세계 지리 책인《영환지략瀛環志略》을 보고 그의 학식을 높이 평가했다. 그 책은 중국인이 쓴 최초의 세계 정세에 대한 소개서였다. 그는 해외에 나간 적이 없었으나 1840년대에 남부 해안 지역에서 일할 때 알게 된 미국인 선교사 데이비드 아빌David Abeel의 도움을 받아 이 대작을 집필했다. 그는 이 책에서 중국이 지구상의 많은 국가들 중 하나일 뿐이라고 하면서 중국이 온 세상의 중심이라는 사상을 거부했다. 그는 미국을 가장 우러러봤는데, 조지 워싱턴에 대해서는 이렇게 말했다. "아, 이 얼마나 위대한 영웅인가!" 워싱턴은 방대한 땅을 다투는 성공적인 전쟁을 수행하여 국민들은 그를 왕으로 옹립하고 싶어 했다. 그러나 그는 "왕위에 오르지 않았고, 그의 지위를 후손들에게 물려주지도 않았다. 그 대신 그는 선거를 통해 국가의 지도자를 뽑는 정치제도를 창설했다.", "워싱턴은 비범한 인물이다!"라고 그는 찬양했다. 서계여는 다음과 같은 사실에 특히 감명받았다. "미국은 왕족이나 귀족이 없다……. 이 신생국가에서 공무는 국민들에 의해 결정된다. 이 얼마나 놀라운 일인가!" 서계여가 볼 때 미국은 '하늘 아래 모든 것은 국민을 위한 것이다(天下爲公)'라는 유교의 이상에 가장 가까이 다가간 나라였다. 그리고 4천여 년 전에 요堯, 순舜, 우禹의 3황제가 다스렸던 고대의 3대 왕조와 가장 비슷한 나라였다. 이 옛 왕조들 아래에서 중국은 번영하는 평화로운 나라였고, 황제들은 자격을 얻어 그 자리를 맡았으며, 다른 평민들과 똑같은 삶을 살았다고 중국인들은 믿었다. 이 왕조들은 신화적인 것이었으나 중국 사람들은 이 왕조들이 실재했다고 여겼다. 그리고 서방과 접촉해본 여러 중국인들은 중국 고대의 이상사회가 바다 건너에서 실천되고 있다는 사실에 놀라움을 금치 못했다. 영국의 사법제도는 '고대의 3황 시대와 비슷하다'고 한 중국인은 말했다.

서계여의 《영환지략》이 도광제 시절인 1848년에 출간되었을 때 관리들은 경악했다. 그들은 서계여가 '외국 야만인들의 실상을 과장했다'고 비난하면서 온갖 욕설을 퍼부었는데, 그는 결국 관직에서 해임되었다. 그런데 1865년이 되어 그의 책이 서태후의 손에 들어갔다. 그녀는 황하 주변의 고향 집에서 치욕스러운 은퇴 생활을 하던 서계여를 일거에 발탁해 총리아문의 핵심 보직에 앉혔다. 북경의 서구인들은 그의 임명을 '새로운 시대의 시작'을 알려주는 또 다른 신호탄이라고 해석했다.

그 후 몇 년 동안 서계여는 다른 관리들에게 지속적인 모욕을 당했다. 그는 부실한 건강을 이유로 은퇴를 호소했고, 마침내 서태후는 그의 면직을 허가했다(그는 1873년에 죽었다). 서계여의 은퇴 후에 서태후는 로버트 하트의 추천을 받아 미국인 선교사 마틴W.A.P. Martin을 동문관 학장으로 임명했다. 마틴은 외국인이었으므로 동료들의 집단 따돌림은 받지 않았다. 서태후가 서구인을 중국 교육기관의 장으로 앉혔다는 것은 획기적이면서도 아주 과감한 조치였다. 마틴은 헨리 휘턴Henry Wheaton의 《국제법의 요소들*Elements of International Law*》을 중국어로 번역하여 서구의 법 개념을 널리 알린 공로로 발탁되었다. 이 번역서는 서태후의 승인 아래 총리아문이 은 500테일의 보조금을 지불한 덕분에 출간되었다. 그는 수십 년 동안 학장직에 있으면서 많은 외교관들과 기타 주요 인물들을 길러냈다. 이 서구식 대학은 제국의 새로운 교육제도의 모범이 되었다.

서태후는 백성들이 외부 세계에 눈을 뜰 수 있도록 해외 시찰단을 보내기 시작했다. 1866년 봄에 하트가 귀국 휴가를 떠날 때, 공친왕은 동문관의 학생 여러 명을 선발하여 하트를 따라가 유럽을 여행하게 했다. 이렇게 하여 60세의 만주인 빈춘斌椿이 소규모 청년 신사단의 단장으로 임명되었다. 선비다운 콧수염을 기른 그는 자신에 대하여 자랑스러운 어조로 말했다. "나는 중국에서 서구로 파견된 최초의 인물이다."

빈춘은 세관의 서기였다. 이런 획기적인 시찰단의 단장으로는 그의 계급이 너무 낮고 또 나이도 너무 많았다. 문제는 단장 후보자들(하트의 수하에 들어가야 하므로 계급이 하트보다 높아서는 안 되었다)이 임무 수락을 거부한다는 것이었고, 빈춘은 유일하게 지원한 사람이었다. 많은 호사가들이 외국에 나간다는 것은 '인간의 탈을 쓴 호랑이나 늑대'에게 잡아먹히는 일이나 다름없으며, 인질이 될 수도 있고 아니면 능지처참에 처해질 수도 있다고 빈춘에게 경고했다. 그러나 빈춘은 호기심이 강했으며 놀라울 정도로 편견이 없는 사람이었다. 그는 마틴을 위시해 서구인 친구들에게 들어서 외부 세계를 어느 정도 파악하고 있었으므로 그런 무서운 얘기들이 모두 헛소리라는 것을 알았다. 그가 쓴 시에는 외국인 친구들이 그의 지평을 넓혀주었다고 칭송한 것이 있는데, 그들 덕분에 우물 안 개구리가 되지 않은 것을 다행스럽게 여긴다고 썼다.

빈춘은 11개국을 여행하면서 도시와 왕궁, 박물관, 오페라 극장, 공장과 조선소, 병원과 동물원 등을 방문했으며 그 나라의 군주에서 평범한 시민에 이르기까지 많은 사람들을 만났다. 빅토리아 여왕은 1866년 6월 6일자 일기에서 그를 만난 소감을 적었다. "신임장 없이 여기에 온 중국 사절들을 접견했다. 단장은 1급의 중국 고관이었다. 그들은 우리가 흔히 보는 나무로 만들어 색칠을 한 인형처럼 보였다." 이 접견을 위해 관직을 크게 부풀렸던 빈춘은 그의 일기에서 빅토리아 여왕을 만난 소감을 적었다. 여왕이 그에게 영국에 대한 인상이 어떠냐고 묻자 그는 이렇게 대답했다. "건물과 시설들이 놀라울 정도로 잘 지어졌고, 중국보다 좋은 듯합니다. 국정이 운영되는 방식에 대해 말씀드리면 이 나라의 것에는 많은 장점이 있다고 생각합니다." 그러자 빅토리아 여왕은 그의 방문이 양국의 우호적인 관계를 증진시킬 수 있기를 바란다고 말했다.

영국 황태자가 개최한 파티에서 빈춘은 중국에는 없는 무도회를 보고 매혹되었으며, 아주 동경하는 어조로 그 장면을 자세히 적었다. 황태자가 런던에 대한 인상을 물어보자 그는 솔직한 어조로 중국 최초의 해외사절로서 바다 건너에 이런 화려함이 있다는 것을 최초로 알게 되어 영광으로 여긴다고 대답했다.

빈춘은 밤중의 불 켜진 도시들을 경이롭게 쳐다보았고, 총 42회나 승차한 기차에 대해서는 감탄해 마지않으며 이렇게 외쳤다. "마치 공중을 날아가는 것 같다!" 그는 움직이는 기차 모형을 귀국 때 가지고 왔다. 그는 기계가 사람들의 삶을 향상시킨다고 적었다. 네덜란드에서 양수기로 들판에 물을 뿌려 비옥하게 만든 것을 보고서 그는 깊은 생각에 잠겼다. "만약 이런 기계들을 중국의 농지에 사용한다면 가뭄이나 침수를 더 이상 걱정하지 않아도 될 것이다." 빈춘은 유럽의 정치제도에 호감을 가졌고, 런던의 국회의사당을 방문하고 나서는 감탄하며 기록했다. "국회의사당의 대회의장에 갔는데 천장이 아주 높았고, 장엄한 실내 분위기는 외경심을 불러일으켰다. 거기서 전국 각지에서 뽑힌 600명의 의원이 모여 국사를 의논했다(다른 의견들이 자유롭게 토론되었으며 합의가 이루어져야만 결정을 내리고 실천에 옮겼다. 군주와 총리도 이러한 결정에 일방적으로 의사를 강요하지 못했다)."

이 호기심 많은 사람은 자신이 본 모든 것에 경탄했다. 심지어 중국에서 발명된 불꽃놀이에도 놀라움을 표시했다. 중국에서는 폭죽을 지상에 설치하지만 여기에서는 공중에 쏘아올려 장관을 연출했다. 비판적인 얘기를 할 때에도 칭찬의 말을 먼저 했다. "서구인들은 청결을 좋아해서 화장실이 아주 깨끗하게 청소되어 있다. 그러나 그들은 신문이나 잡지를 다 읽은 후에는 변기통에다 내던져 버리고 심지어 지저분한 것을 닦아내기도 했다. 그들은 글자가 적힌 문서를 그다지 존중하거나 귀하게 여기지 않는 것 같다." 글자가 적힌 문서를 중시하라는 것은 유교의 가르침이다.

빈춘은 유럽의 여자들을 보고서도 적잖이 놀랐다. 그들이 남자들과 자유롭게 어울리며, 또 화려한 의상을 차려입고 남자들과 손을 맞잡고 춤추는 것을 보고서 경악했다. 이러한 남녀 관계가 그의 마음에 들었던 것 같다. 서구 남성들이 여성을 대하는 태도는 특히 그에게 강한 인상을 안겨주었다. 증기선에 올라탄 그는 '여자들이 갑판에서 남자와 팔짱을 끼고 걷거나 등나무 의자에 앉아 있는 것을 보았다. 또 그들의 남편이 마치 하인처럼 아내의 시중을 드는 것'도 보았다. 그것은 중국과는 정반대였고, 가정 내의 화목함을 보여주는 것으로서 빈춘에게는 매력적으로 느껴졌다. 그는 유럽에서는 여자도 남자와 똑같이 군주가 될 수 있다는 사실을 강조하면서 그 좋은 예가 빅토리아 여왕이라고 말했다. 여왕에 대하여 그는 매우 존경하는 어조로 썼다. "그녀는 왕위에 올랐을 때 18세였는데, 나라의 모든 사람들이 여왕의 지혜를 칭송한다."

서구에 대해 최상급 찬사를 아끼지 않는 빈춘의 일기는 귀국 시에 공친왕에게 제출되었는데, 공친왕은 일기를 여러 부 복사하여 서태후에게 한 부 올리게 했다. 그것은 중국의 관리가 작성한 외부 세계에 대한 최초의 목격담이었고, 서태후는 그것을 읽고서 깊은 감명을 받았다. 특히 서구에서 여성을 대하는 태도가 그녀의 주목을 끌었다. 서구 여성들은 독립적인 군주가 될 수 있지만 서태후는 아들의 옥좌 뒤에 앉아서 격화소양隔靴搔癢 격으로 통치해야 했다. 그녀는 장막 없이는 관리를 접견할 수 없었고, 설사 그런 장막이 있다고 하더라도 신임장 제출을 위한 알현을 요청하는 외국의 사절들을 접견할 수는 없었다. 그녀가 이 문제에 대해 고관들의 의견을 물으면 그 대답은 한결같았다. 황제가 아직 어려서 알현을 허락할 수 없다는 것이었다. 그들은 황제가 공식적으로 친정을 할 때까지 기다려야 했다. 그녀가 사절들을 만난다는 것은 불가능한 얘기였다. 그건 너무나 황당무계한 것이어서 관리들은 아예 생각조차 하지 않으려 했다. 남녀 차별이 없는 서구의 방식에 서태후가 호의적으로 주목하는 것은 어쩌면 당연한 일이었다.

그녀는 빈춘의 일기를 읽고 나서 그를 총리아문의 관리로 승진시켰고 또 서계여가 학장을 맡았던 1867년 초에 동문관의 '서구 연구' 소장으로 임명했다. 두 사람은 비슷한 정신의 소유자였다. 서계여는 빈춘에게 서구 여행 시에 참고하라며 그의 책인《영환지략》을 한 부 주었는데, 빈춘은 중국이 세계의 중심이 아니라는 그의 사상이 맞는다는 사실을 확인했다! 서계여는 서태후의 승인 아래 빈춘의 일기가 발간되었을 때 그 책의 서문을 썼다.

서계여와 마찬가지로 빈춘도 보수적인 고관들에게 공격을 받았다. 옹동화는 일기에서 혐오와 경멸에 찬 어조로 빈춘을 '서양 놈들의 노예가 되기로 자원한 자'라고 묘사했다. 또 '야만인의 부족장을 군주라고 부른 사실'에 경악했다. 서방에 대한 빈춘의 열린 자세가 보수층의 공격을 받으면서 그가 얼마나 심한 고통을 느꼈는지는 알 수 없다. 하지만 빈춘은 해외여행을 다녀온 뒤에 건강이 악화되어 1871년에 사망했다.

서방국가들에 대사를 파견하는 것은 서태후의 일관된 계획이었다. 그러나 그 자리를 메울 만한 적임자가 없었다. 외국어를 말할 수 있거나 외국 사정에 밝은 관리가 거의 없었던 것이다. 1867년, 북경 주재 미국 공사인 앤슨 벌링게임Anson Burlingame이 임기를 마치고 귀국하게 되자 공친왕은 벌링게임을 유럽과 미국의 특별 대사로 임명하는 안건을 상신했다. 그는 서태후에게 공사가 '공정하고 유화적이며, 중국의 이익을 늘 명심하면서 중국이 문제들을 해결하는 데 도움을 주려 했던 인물'이라고 보고했다. 그리고 '우리가 소통에 아무런 간격을 느끼지 못하는' 영국인 로버트 하트와 마찬가지로 이 사람도 신임할 수 있다며 추천했다. 또 미국은 중국과 관련된 외국 열강 중에서 '가장 평화롭고 비공격적인 나라'라는 보고도 올렸다. 서태후는 파격적으로 그 제안을 즉각 수락함으로써 벌링게임은 서방을 상대하는 중국 최초의 대사가 되었다. 청 제국은 그에게 공식 임명장과 인장을 주었다. 벌링게임의 임무는 새로운 중국을 세상에 알리고 새로운 외교정책을 홍보하는 것이었다. 또한 '중국에 손해가 되는 것에 대해서는 반대하거나 제지하면서 중국에 혜택이 되는 것은 적극 동의하는 것'이었다. 그의 수하에는 두 명의 중국인 지강志剛과 손가곡孫家谷이 따라붙었는데 모든 문제에 대하여 이들과 협의하기로 되었다. 중요한 결정은 반드시 중국 측에 문의해야 했다. 영국과 프랑스에 무시당했다는 느낌을 주지 않기 위해 각국의 외교관 한 명씩을 이 사절단의 서기로 초청했다.

보수파들은 짜증을 느꼈다. 옹동화는 일기에서 벌링게임을 '외국인 야만 족장'이라고 불렀다. 하지만 외국인 사회는 감명을 받았다. 《노스 차이나 헤럴드》는 '독특하면서도 예기치 못한 인사人事'라고 논평했다. 이 신문은 '중국인의 심성'으로는 이런 멋진 주도안을 낼 수가 없을 테니, 아마도 '하트 씨의 머리'에서 나온 제안일 것이라고 보았다. 그러나 하트에게는 사절단이 구상되고 난 다음에 말해주었다. 하트는 이 계획을 지지한다고 말했으나 그가 뒤에 한 말들은 노골적으로 비판적이지는 않았어도 상당히 소극적이고 회의적인 것이었다. 어쩌면 '미스터 차이나'라는 소리를 듣던 사람으로서 약간 질투를 느꼈을지도 모른다.

벌링게임 사절단은 미국과 유럽을 여행했는데, 가는 곳마다 많은 주목을 받았다. 방문국마다 그 나라의 원수들, 가령 미국의 앤드류 존슨Andrew Johnson 대통령, 영국의 빅토리아 여왕, 프랑스의 나폴레옹 3세Napoleon III 황제, 프로이센의 비스마르크Bismarck, 러시아의 알렉산드르 2세Alexander II 등이 그들을 접견했다. 빅토리아 여왕은 1868년 11월 20일자 일기에다 이렇게 썼다. "여기에 온 최초의 중국 대사를 접견. 그러나 그는 유럽식 복장을 한 미국인으로서 벌링엄Burlingham[원문] 씨라고 한다. 그의 동료는 두 명의 진짜 중국인이고, 두 명의 서기는 각각 영국인과 프랑스인이다."

서태후가 고른 앤슨 벌링게임은 최고의 중국 대변인이었다. 1820년 뉴욕 주에서 태어난 벌링게임은 에이브러햄 링컨 대통령이 1861년에 초대 중국 주재 미국 공사로 임명했다. 공정하고 신사다운 태도를 갖춘 벌링게임은 국가 간의 평등을 믿었기에 중국인들을 깔보지 않았다. 그는 서방 사람들에게 아주 웅변적으로 중국을 선전해줄 만한 인물이었다.

벌링게임은 이미 뛰어난 웅변 실력으로 유명했다. 그는 하버드 로스쿨을 졸업한 후에 매사추세츠 주의 주 상원의원으로 진출했고 이어 워싱턴 D. C.의 연방의회에 진출했다. 거기서 1856년에 그는 열렬한 노예제 지지자인 프레스턴 브룩스Preston Brooks를 웅변으로 난타했다. 브룩스는 그 직전에 노예제 폐지론자인 찰스 섬너Charles Sumner 상원의원을 나무 지팡이로 마구 두들겨 팼었다. 벌링게임은 브룩스에게 결투 신청을 받고서 그것을 수락했다. 그는 소총을 무기로 신청하며 나이아가라 폭포 위쪽에 있는 네이비Navy 섬을 결투 장소로 제안했다. 그러나 브룩스가 이 조건을 받아들이지 않았기 때문에 결투는 성사되지 않았다.

북경에 부임한 벌링게임은 서방국가들이 '협조 정책'을 취하고 무력행사 대신에 공정한 외교술을 더 중시하도록 널리 홍보했다. 특명 대사로 각국을 순방하던 중 1868년 6월 23일에 그가 '뉴욕의 시민들'에게 행한 연설에서는 중국에 대한 열정이 잘 드러난다. 그는 다음과 같이 그의 임무를 소개했다. "중국은 이제 서구를 향해 적극적으로 손을 내뻗고 있다……. 그래서 오늘 밤 이렇게 중국의 대표자들이 여러분을 만나게 된 것이다……. 중국은 여러분을 만나기 위해 성큼 앞으로 나섰다……." 우레 같은 박수 속에서 그는 청중들에게 서태후 정부가 이룩한 것을 말해주며 그것이 얼마나 놀라운 업적인지 강조했다.

> 지난 몇 년 동안 중국 제국보다 더 많은 발전을 이룬 나라는 지구상에 없다고 나는 주장합니다. [박수 소리] 중국은 무역을 확대하고 세수 제도를 개혁했으며, 육군과 해군의 조직을 바꾸고 있습니다. 또한 근대적 과학과 외국어를 가르치는 훌륭한 학교를 지어 운영 중입니다. [박수 소리] 중국은 아주 어려운 상황에서 이렇게 했습니다. 이 모든 것을 이루기까지 중국 제국은 많은 곤경을 극복했습니다. 그전에 무려 13년이나 전쟁을 지속했지만, 그 전쟁에서 승리를 거둔 덕분에 부채를 지지는 않았습니다. [박수와 웃음이 오래 계속되었다] 여러분은 중국의 인구가 얼마나 조밀한지 기억해주시기 바랍니다. 그런 나라에서 과격한 변화를 도입한다는 것이 얼마나 어려운 일인지 감안해주시기 바랍니다. 증기선을 도입하면 수십만 명의 정크선 일꾼들이 일자리를 잃습니다. 수백 명의 외국인을 공무원 사회에 도입하면

예전부터 관리로 일해온 사람들을 화나게 만듭니다. 외국식 학교의 설립은 제국의 실권자 중 한 사람이 이끄는 당파에 의해 완강한 저항을 받았습니다. 이런 모든 사항에 도전하면서, 이런 모든 사항에도 불구하고 현재의 개명開明된 중국 정부는 발전의 길을 따라 꾸준히 전진해왔습니다. [박수 소리]

벌링게임은 무역 규모가 그가 근무할 당시에 8200만 달러에서 3억 달러(오늘날의 가치로 45억 달러 이상)로 늘어났다고 청중들에게 말했다. '세계 인구의 3분의 1'을 가진 나라에서 벌어진 이러한 변화는 정말 놀랍다고 벌링게임은 정치가들과 일반 대중에게 말했다. '중국을 강제하여' 신속한 산업화를 이뤄야 한다고 주장하는 사람들에게 도전하면서, 그는 그런 생각은 '그들 자신의 이익과 그들 자신의 변덕'에서 비롯된 것이라고 지적했다. 그는 "현재의 왕조는 멸망해야 하고, 중국 문명의 전반적 구조를 뒤엎어야 한다……"고 말하는 사람들을 비난했다.

벌링게임은 중국의 현황을 소개하는 것 이상의 일을 했다. 그는 1868년 중국을 대신하여 미국과 '평등한 조약'에 서명했다. 이것은 중국이 아편전쟁 후에 다른 서방국가들과 맺었던 '불평등한' 조약들과는 아주 다른 것이었다. 이 조약은 미국에 이민 온 중국인들에게 '최혜국의 국민 혹은 시민들이 누리는' 지위를 부여함으로써 그들을 보호했다. 또 당시에 진행 중이던 중국에서 남아메리카로 가는 노예노동력 무역을 적극적으로 중지시키려고 노력했다.*

* 제 5조: 미합중국과 청 제국은 거주와 동맹이라는 양도할 수 없는 타고난 인간의 권리를 정히 인정한다. 또 두 나라의 시민과 신민들이 관광, 무역, 기타 영구 거주의 목적으로 상대방 나라에 자유롭게 이민 가고 또 이민을 올 수 있는 상호 혜택을 인정한다. 따라서 이 조약을 체결하는 고위 당사자들은 상기한 목적을 위해 자유롭게 이민하는 행동 이외의 모든 행동을 불법적인 것으로 비난한다. 또 조약 당사자들은 미합중국의 시민이나 청 제국의 신민들이 상대방

벌링게임의 친구로서 그를 존경하는 마크 트웨인Mark Twain은 6천 자로 된 기사에서 그 조약이 미국에 살고 있는 중국인들에게 미칠 영향을 생생하게 묘사했다. "이 조약에 주의를 환기시키는 것은 내게 무한한 만족감을 줍니다. 또 이 조약을 읽을 때 요리사, 철도 노동자, 캘리포니아의 포장도로 노동자 들의 기쁨도 들뜬 환호를 떠올리면 더욱 짜릿한 느낌이 듭니다. 이제 그들은 중국인들을 때리고, 학대하고, 개들을 풀어서 괴롭히는 일을 다시는 하지 못할 것입니다." 그 조약이 체결되기 전에는 중국인들은 법적 보호를 받지 못했다. 마크 트웨인은 이렇게 말했다. "나는 그동안 중국인들이 온갖 야비하고 비겁한 방식으로 구타를 당하고 학대받는 것을 보았습니다. 그런 방식은 결국 타락한 인성을 만들어내고 말 것입니다. 그렇지만 경찰이 그런 사건에 개입하는 것을 보지 못했고, 중국인에게 가해진 잘못이 법정에서 정의의 심판으로 교정되는 것을 보지 못했습니다." 이제 중국인들은 유권자가 되었고 정치가들은 더 이상 그들을 무시하지 못했다. 트웨인은 즐겁다는 어조로 썼다. "일거에 캘리포니아 주가 중국인들을 상대로 부과했던 모든 지독하고, 불관용적이고, 비헌법적인 법률이 철폐되었고, 2만 명의 홍콩과 소주 출신의 장래 유권자와 관직의 피선거권자를 '발견'(극적인 용어로)하게 되었다!" 벌링게임조약은 그다음 해 북경에서 비준하였다.

벌링게임의 하급자인 지강은 '개방적이고, 이해심 넓고, 공정한' 상급자를 존경했고 또 그가 대표하는 중국을 위해 '아주 헌신적으로 일한다'고 칭송했다. 일이 생각한 대로 굴러가지 않으면 벌링게임은 '깊은 낙담

나라의 사람들을 자기 나라나 외국으로 당사자 본인의 사전 승인 없이 데려가는 것을 두 나라의 형법에 저촉되는 것으로 판단하여 처벌하는 법률을 제정하기로 동의한다.

과 위로할 수 없는 좌절'에 빠져들었다. 중국과 수천 킬로미터에 걸쳐 국경을 접하고 있어서 언제나 분쟁의 소지가 있는 러시아를 방문했을 때, 엄청난 책임감이 그를 무겁게 짓눌러왔다. 그는 2년 동안 계속 순회 여행을 했기 때문에 심신의 피로가 쌓여 마침내 병으로 터져나왔다. 그는 차르를 알현한 그다음 날에 앓아누웠다. 당시는 러시아의 겨울이 한창 기승을 부리던 때였다. 그는 1870년 초에 상트페테르부르크에서 사망했다. 서태후는 그의 해외 방문에 대하여 계속 보고를 받고 있었기 때문에 그의 사망을 진심으로 애도하며 높은 명예와 보상을 내렸다. 그녀는 지강에게 특명 대사직을 넘겨주면서 그 사절단이 각국 방문을 계속하는 것이 '아주 중요하다'고 강조했다.

1868년 초에 북경을 떠나기 직전, 지강은 서태후를 알현했다. 그녀는 노란색 비단 장막 뒤에 앉아 있었고 당시 열한 살이던 동치제는 장막 앞의 옥좌에 앉아 있었다. 지강은 문지방을 넘어서자마자 무릎을 꿇고, 고관 모자를 벗어서 예법에 따라 모자 깃털이 옥좌를 향하게 왼쪽에 내려놓았다. 그리고는 만주어로(지강은 만주족이었다) 황제에게 올리는 정해진 인사를 암송했다. 이어 고두를 하고 나서 벌떡 일어나 고관 모자를 다시 쓰고 옥좌 오른쪽에 있는 방석으로 가서 다시 무릎을 꿇은 채 서태후의 질문을 기다렸다. 서태후는 여행 경로를 물었고, 지강은 그가 여행한 나라들에 대하여 대답했다. 그녀는 분명 세계의 지리와 각국의 관습에 대해 잘 알고 있는 것 같았다. 서태후는 수행원들이 좋은 품행을 보이도록 늘 감독하라고 지시하며 "그들이 바보처럼 굴어서 외국인들에게 조롱을 당하는 일이 없도록 하라."고 일렀다. 해외에서 근무한 중국 외교관들이 본국에서는 따돌림을 당한다는 사실을 잘 아는 그녀는 지강을 응

원하듯 말했다. "외교 업무를 보다 보면 사람들이 지껄이는 모욕적인 언사도 참아내야 해요." 그러자 젊은 외교관이 대답했다. "심지어 공친왕도 그런 일을 당하지만 그는 물러서지 않습니다. 우리 하급자들은 맡은 일에 최선을 다할 뿐입니다."

지강은 근면한 관리였다. 그의 여행 일기는 선배 여행자인 빈춘의 일기와는 내용이 많이 다르다. 서구에 대하여 일방적으로 칭찬하기보다는 좀 더 초연한 관점을 취한다. 그는 서구 문물 중 어떤 것들은 중국에선 통하지 않을 것이라고 생각했다. 가령 부검剖檢이 중요한 목적에 봉사한다는 사실을 잘 알지만 그건 생각만 해도 끔찍한 일이었다. 그는 망자의 후손들이 그처럼 사체를 해부하는 것에 동의하지 않으리라고 보았다. 그가 얼굴을 찌푸린 다른 일은 남녀가 함께 참여하는 쾌락 추구적인 행위인 무도회에서 춤추기, 해변에서 놀이하기, 바다에서 수영하기, 얼음 위에서 스케이트 타기, 연극 구경 가기 등이었다. 중국인은 지성을 중시하는 반면에 유럽인들은 감성을 높이 평가한다고 그는 주장했다. 지강은 기독교를 싫어했다. 비록 좋은 교리를 갖고 있지만 위선적이라고 보았다. "서구인들은 '하느님에 대한 사랑'과 '인간에 대한 사랑'을 설교하고 또 진실로 그것을 믿는 듯하다. 하지만 그들은 다른 사람들을 무력으로 제압하기 위해 포함과 대포를 사용하면서 전쟁을 한다. 또 전염병보다 더 무서운 독약인 아편을 중국인들에게 강매한다. 하느님에 대한 사랑이 이익에 대한 사랑만큼이나 절실한 것 같지 않다."

그러나 지강은 런던에서 마담 튀소Madame Tussaud's의 밀랍 인형관을 들린 얘기도 기록했다. 여기서 그는 실물 크기의 임칙서 밀랍 인형을 보고서 깜짝 놀랐다. 임칙서는 반反아편 정책을 적극적으로 실시한 흠차대신으로서 그의 아편 몰수 및 파괴 조치로 인해 아편전쟁이 시작되었다. 그런 그가 런던의 명예의 전당이라고 할 수 있는 곳에서 사랑하는 아내와 함께 멋진 관복을 입고 서 있었다. 마담 튀소는 이 인형을 광동의 화가에게 주문 제작하여 수입하는 데 많은 돈을 들였다. 영국의 기독교인들이 모두 '이익에 대한 사랑'에만 골몰하는 게 아님을 보여주는 좋은 사례였다. 그는 중국 사절단을 받아들이는 왕과 왕비들의 환대와 깍듯한 예의를 비롯하여 공원을 함께 산책하는 사람들의 친절하고 다정한 모습에 이르기까지 여러 가지 호의적인 인상들도 기록했다. 조지 워싱턴의 무덤을 방문한 지강은 간소한 규모에 놀랐고 동시에 이 '아주 위대한 인물'에게 깊은 경의를 표했다. 프랑스의 투표 조작 사건을 목격한 후에 지강은 선거가 부도덕한 모리배들에게 악용의 기회가 될 수도 있다고 생각했다. 그러나 전반적으로 말해서 그는 서구의 정치제도를 존경했다. 그는 미국 연방의회가 운영되는 방식을 묘사한 후 이렇게 논평했다. "이런 제도를 시행한다면 사람들의 소원이 아주 높은 수준에서 표현될 수 있고, 사회는 공정하게 운영될 수 있을 것이다." 그는 방문한 여러 나라들 가운데 미국을 중국에게 가장 우호적인 나라로 보았다. 무엇보다 미국은 영토가 크고 자원이 풍부하기 때문에 중국의 문물을 탐낼 이유가 없었다. 그는 프랑스를 못마땅하게 여겼는데 해외에 주둔한 대군의 비용을 조달하기 위해 백성들에게 많은 세금을 거둬들이기 때문이었다. 젊은 관리인 지강은 산업화에 찬성했다. 과학적 발명품과 근대의 사업들에 대하여 비교적 자세하게 묘사했는데, 특히 전신 사업을 적극 지지했다. 그 사업은 다른 근대화 사업들과는 다르게 자연을 해치지도 않고(전신 사업용 기계들은 눈에 잘 보이지 않았다) 잘 운영하면 자연의 일부가 될 수도 있었다. 지강은 이런 결론을 내렸다. "만약 우리 중국이 그들이 하고 있는 것들을 따라할 수 있다면 우리도 부강해질 수 있다는 것은 의심의 여지가 없다!"

지강과 중국인 동료들은 근 3년 동안 11개국을 방문하고서 1870년 말에 중국에 돌아왔다. 그들의 일기와 보고서는 서태후에게 제출되었다. 그러나 그렇게 해서 수집된 방대한 지식과 그에 따르는 호의에 대해서는 아무런 구체적인 후속 조치가 이루어지지 않았다. 유일한 조치는 10대 중국인 소년들을 미국에 유학시킨 것뿐이었다. 서방과 서방의 관행을 잘 아는 장래의 국가 중추를 육성하기 위한 이 사업은 상당 기간 진행되어왔던 것이었다. 이런 계획을 적극적으로 추진하던 이홍장은 좀 더 포괄적인 시행안이 확립되기를 간절히 바랐다. 당시 그는 직례直隸 총독이었고 집무실은 북경에서 가까운 천진에 있었다. 1872년 그는 북경으로 와서 서태후를 만나고 싶다는 건의서를 올렸다. 그러나 그녀는 오지 말라고 하명했다. 그녀는 1869년 말 이래 아주 취약한 입장에 있었다. 여러 충격적인 사건들이 벌어져 그녀의 지위를 위태롭게 하고 있었기 때문에 그런 중요한 주도안들을 착수할 수 없었다. 더욱이 아들 동치제가 친정을 할 채비를 갖추어서 그녀의 은퇴가 임박해 있었다. 지강은 탄식했다. "예기치도 않게 상황이 바뀌었다. 아, 내가 할 수 있는 일이란 손을 비틀면서 고민하는 것밖에 없구나."

7

비운으로 끝난 사랑

(1869)

청 제국의 통치자로서 보낸 초창기에, 서태후는 20대 후반에서 30대 초반의 나이였다. 환관들로 둘러싸인 깊은 구중궁궐에서 그녀는 소안자小安子 혹은 안덕해安德海라고 하는 환관에게 애정을 느끼고, 더 나아가 그를 사랑하게 되었다. 태후보다 8년 아래인 소안자는 북경 근처의 완평현宛平縣 출신인데, 이곳은 전통적으로 궁중에 환관을 공급하는 고장이었다. 그의 이력은 대부분의 환관들과 별반 다르지 않았다. 환관의 부모는 너무 가난하기 때문에 어린 아들을 거세하여 궁중에 들여보냈다. 그렇게 하면 지금보다 나은 삶을 살게 되리라고 희망했던 것이다. 통상적으로 아버지는 아들을 궁중에서 인허한 거세 전문가에게 데려간다. 아이가 죽거나 수술이 실패해도(두 경우 모두 발생 가능성이 높았다) 결코 전문가에게 책임을 묻지 않는다는 계약서에 서명한 후에, 아주 고통스러운 수술이 실시되었다. 거세 전문가의 수술비는 엄청 비싸서 나중에 환관이 되어 벌어들인 돈으로 갚아야 했다. 만약 환관으로 들어간 아이의 지위가 계속 낮으면 그 빚을 갚는 데 몇 년씩 걸렸다. 돈을 절약하려고 아버지가 아들을 직접 거세하는 경우도 있었다.

대부분의 남자들은 환관을 경멸했다. 61년간 통치했던 강희제는 환관을 가리켜 "제일 저급하고 비열한 자들로서, 사람이라기보다 벌레 혹은 개미에 가깝다."고 말했다. 건륭제는 "이 우둔한 농민들만큼 쩨쩨하고 저급한 자들은 없을 테지만 그래도 궁중은 관대하게 그들이 근무하는 것을 허용했다."고 논평했다. 그들은 궁중에서 죄수처럼 살았으며, 궁궐 바깥으로 외출하는 경우는 거의 없었다. 그들에게 내려지는 형벌은 청조 형부의 법 절차를 따르지 않았다. 황제는 자신의 기분에 따라 환관을 때려죽이도록 시킬 수 있었다. 평민들은 그들이 겪는 가장 흔한 신체적 문제 때문에 그들을 조롱했다. 거세한 후유증으로 그들은 요실금 증상이 있는데 나이가 들수록 심해져서 늘 기저귀를 차고 있어야 했다. 환관들은 남성성을 잃었다는 이유로 노골적으로 멸시되었다. 그들을 동정어린 시선으로 보아준다거나 집안이 가난하여 그런 자리로 내몰렸다고 이해해주는 사람은 거의 없었다. 연민과 애정은 그들과 함께 궁중에 사는 궁녀들만이 보여줄 뿐이었다.

잘생기고 총명한 소안자는 수년 동안 서태후를 옆에서 모셔서 그녀에게는 없어서는 안 될 사람이었다. 그녀가 소안자를 총애한다는 것은 잘 알려져 있었다. 그러나 서태후의 감정은 충실한 하인에 대하여 느끼는 호의 이상의 것이었다. 소안자는 사랑에 빠진 그녀의 머리를 돌게 했다. 1869년 여름에 이르러 궁정의 신하들은 그녀가 전처럼 열심히 일하지도 않고 또 몸 전체에서 나른한 분위기를 풍긴다는 것을 발견했다. 그런 분위기는 '쾌락을 추구하려는 방종'을 가리키는 것이었다. 그녀는 사랑에 빠져서 아주 대담하면서도 위험한 조치를 취하게 되는데, 불행하게도 그것은 아주 오래된 왕조의 전례를 위반하는 것이었다.

그해에 동치제는 13세가 되었다. 서태후는 전통에 따라 아들의 성년을 알리는 대혼식大婚式을 손수 준비했다. 그해 봄에 전국적으로 왕비 간택 작업이 진행되었다. 혼례 때 입을 용포는 소주의 왕실 전용 의상실에서 제작할 예정이었다. 소주는 상해 근처에 있는 비단의 중심지이며 아름다운 운하와 정원으로도 유명한 도시인데 서태후는 그곳에 소안자를 파견해 '용포 준비를 감독'하게 했다. 사실 이런 일을 수행하는 정규 계통이 있기 때문에 소안자를 파견할 필요는 없었다. 그런 하명은 전례 없는 일로서, 예전의 청 황제들은 그런 심부름을 시키기 위해 환관을 도성 밖으로 내보낸 적이 없었다. 하지만 서태후는 그런 심부름을 내보내면 소안자가 얼마나 좋아할까, 그것만 생각했다. 그는 자금성과 북경을 벗어나 중국의 남북을 잇는 대운하를 타고 소주로 내려갈 터였다. 소안자는 선상船上에서 곧 다가오는 자신의 생일을 축하할 수도 있으리라. 서태후는 마음 같아서는 자신도 그 배를 타고 함께 가고 싶었다. 그녀는 자금성을 싫어했다. 온 사방이 담벼락으로 둘러싸이고 또 내부는 복잡한 통로가 조밀한 궁궐을 아주 '울적한' 곳이라고 생각했다. 바다 건너에서 불어와 자금성의 문을 때리는 강한 바람 또한 농조연운籠鳥戀雲의 열망을 부추겼다.

8월에 소안자는 가족과 다른 환관들로 구성된 일행을 데리고 출발했다. 옹동화는 이 소식을 듣고 일기에다 이렇게 썼다. "정말 괴이한 일이 벌어졌다." 소안자가 상당한 규모의 수행원을 데리고 유유히 배를 타고 가면서 사람들의 주목을 받고 있다는 소식은 고위 대신들을 충격에 빠뜨렸다. 평민들은 전에 환관을 본 적이 없었으므로 좋은 구경거리에 흥분해서 그가 탄 배가 대운하에 나타났을 때 그를 보려고 엄청난 사람들이 둑에 몰려들었다. 궁중을 출입하는 고관들은 충격을 넘어서서 분노했다. 그가 산동山東에 들어서자, 정해진 절차와 관습을 철저히 지키는 순무 정보정丁寶楨은 소안자와 그 일행을 체포했다. 정보정의 보고서가 조정에 도착하자 옹동화는 쾌재를 외쳤다. "정말로 잘했다! 정말로 잘했어!"

궁중의 대신들은 소안자가 지엄한 법규를 위반했으니 처형해야 한다고 입을 모았다. 그러나 이 젊은 환관은 아무런 법규도 위반한 게 없었다. 청조는 '환관들은 사전 허가 없이 자금성 밖으로 나가는 것을 금지한다'고 규정했다. 소안자는 서태후에게 사전 허가를 받았으니, 환관은 궁내에만 머물러야 한다는 전통을 사실상 태후와 소안자 두 사람이 같이 위반한 것이었다. 군기처의 대신들은 그런 위반을 용납할 수 없었다. 처형을 가장 강력하게 주장한 사람은 순친왕이었는데 옹동화도 같은 생각이었다. 두 사람은 서태후가 하는 많은 일들이 못마땅했으나 이것은 정말로 용납할 수가 없었다. 심지어 공친왕과 그의 관대한 동료들까지도 처형을 요구하고 나섰다. 사건의 당사자인 서태후는 그 결정에 참여할 수 없었다. 그녀의 우군인 동태후가 대신 나서서 군기처의 대신들에게 호소했다. "서태후를 오랫동안 충실하게 보필해온 공로를 봐서 목숨만은 살려줄 수 없을까요?" 대신들은 돌 같은 침묵으로 맞서면서 절대 안 된다는 의사표시를 했다. 그렇게 하여 결론이 났다. 현지에서 소안자를 처형하라는 포고가 그 자리에서 작성되었다.

서태후에게는 온 세상이 무너지는 듯한 결정이었다. 그녀는 그 포고를 이틀간 잡고 있으면서 동태후에게 한 번만 더 소안자의 목숨을 호소해달라고 요청했다. 하지만 모든 노력이 허사였다. 순친왕은 두 태후를 방문하여 빨리 포고를 내려보내라고 독촉했는데, 이제 서태후는 분명하게 소안자와 거리를 두어야 한다는 경고이기도 했다. 동태후는 할 수 없이 포고를 내려보내는 데 동의했다.

정보정에게는 즉시 사형을 실시하고 더 이상 조정의 확인을 받을 필요가 없다는 지시가 내려갔다. 순친왕과 대신들은 시간을 주면 서태후가 그 틈을 이용해 소안자의 목숨을 살려줄 구실을 만들어낼 것을 우려했다. 소안자는 '교활한 변명으로 자기 자신을 변호하려는 기회가 주어져서는 안 되고' 또 '심문을 할 필요도 없다'고 포고는 지시했다. 대관들은 소안자가 그동안 서태후와 애정을 나누는 관계였다는 것을 의심하면서 그 사실이 추문으로 번지는 것을 사전에 막으려 했다.

그렇게 해서 소안자는 참형에 처해졌다. 다른 여섯 명의 환관과 일곱 명의 고용된 경호원도 참수의 칼날을 피해가지 못했다. 보고서에 의하면 정보정이 그의 시체를 며칠 동안 처형장에서 공개하여 사람들은 소안자에게 성기가 없다는 사실을 직접 볼 수 있었다. 그가 서태후의 애인이었다는 사실은 널리 퍼졌다. 서태후는 소안자의 사물들을 모두 수습해 가져오라고 하여 친정 남동생들 중 한 사람에게 보관시켰다.

소안자의 친한 친구—자금성 내의 또 다른 환관—는 소안자를 북경 밖으로 파견하고 그다음에 모르쇠로 일관해 '소안자를 죽게 만든 것'은 서태후였다고 불평했다. 이 말은 서태후의 불편한 심기를 건드렸다. 그녀는 격분하여 그 환관을 목졸라 죽이라고 명령했다. 군기처의 수석 장경인 주학근朱學勤은 친구에게 보내는 편지에서 서태후가 '주위의 하인들에게 분풀이를 하고 있다'면서, 그녀는 '씁쓸한 분노와 함께 억누를 길 없는 후회를 하고 있다'고 적었다. 그리고 순친왕에 대한 그녀의 분노를 암시하면서 주학근은 그녀가 '일부 가까운 친왕들과 대신들에게 깊은 적개심을 갖고 있고' 또 '위로받기를 거부하고 있다'고 적었다.

순친왕과 다른 대신들이 서태후의 애인을 죽였을 뿐만 아니라 그녀가 도입하려는 놀랄 만한 변화들에 대하여 경고를 보낸 것이었다. 환관들에게 사회적 지위를 부여하려고 한 것 말고도 그녀는 전통적으로 집에 있어야 하는 여자들이 공개적인 자리에 참석하는 것도 허용하려 했다 (영국 외교관들은 여자들을 함께 데리고 오면 돌팔매질을 당했다. 여자들이 없을 때에 환대를 받은 것과는 정반대였다). 소안자는 여동생, 조카, 몇몇 여자 음악가를 여행에 데리고 갔는데, 이 여자들은 모두 북쪽 황무지의 변방 경비대원들의 노예로 유배되었다. 대신들은 서태후를 괴롭히려는 것이 아니었고 또 제거하려는 것은 더더욱 아니었다. 그녀의 업적은 놀라운 것이었고 높이 평가받고 있었다. 정보정은 그녀의 통치가 중국에 번영을 가져왔으며 "이것은 당송唐宋의 번영을 훨씬 능가한다."고 부하에게 말했다. 그러나 군기처의 대신들은 그녀에게 너무 멀리 나가지 말라고 경고한 것이다. 아무튼 그녀의 은퇴가 임박했고, 아들 동치제가 대혼 후에 친정을 하게 될 터였다.

소안자가 처형된 이후에 순친왕과 대신들은 '환호'했고, 서태후는 심신이 붕괴되어 한 달 이상 침대에 누워 있었다. 심한 귀울림이 생기고 얼굴이 크게 부어올라 밤에 잠을 잘 수가 없었으며, 자주 토하고 때로는 담즙이 올라오기도 했다. 어의들은 일종의 신경쇠약이라고 진단했다. 그들은 간장의 기氣가 보통은 아래로 내려가는데 서태후는 거꾸로 위로 치밀어 올라온다면서 그녀의 문 옆에서 밤샘을 했다. 처방된 약 중에는 부기를 가라앉히는 데 특효인 몽골 영양의 피도 있었다. 그해가 끝나갈 무렵 그녀는 다시 집무를 시작했지만 구토증은 계속되었다. 이런 신체적 반응은 그녀로서는 이례적인 것이었다. 그녀는 결코 겁먹고 뒤로 물러서는 여자가 아니었다. 실패할 경우 능지처참을 당할지 모르는 상황에서도 아무런 신체적, 정신적 스트레스의 징후 없이 신유정변을 성공시켰던 그녀였다. 그런데 이제 그녀는 마음이 아파서 번민하는 것이었다. 오로지 사랑만이 그런 고통을 안겨줄 수 있는 것이다.

아들은 그녀를 위해 기도하고 매일 병문안을 왔다. 그러나 아들은 어머니를 위로할 수 없었다. 그녀는 전혀 위로를 받으려 하지 않았다. 오로지 음악만이 그녀의 마음을 어루만져주었다. 그녀는 음악을 아주 좋아하지만 10년 동안 음악을 가까이 할 수 없었다. 함풍제의 사망 후에는 궁정 법규에 따라 만 2년 동안 각종 연예와 오락이 금지되었다. 그 기간이 끝나자 당시 사회 분위기 때문에 서태후는 남편의 능묘 조성이 끝날 때까지 추가로 2년을 더 기다려야 했다. 이 기간 동안 연극은 자금성에서 축하 행사가 있을 때에만 아주 드물게 상연되었다. 소안자 사건이 벌어진 이후부터 마치 도전이라도 하듯이 그녀는 매일 자신의 궁전에서 연극을 상연했고 또 거처에는 거의 쉴 새 없이 음악을 연주하게 했다. 음악으로 아픈 마음을 달래며 자리보전을 하던 그녀에게 한 가지 생각이 자꾸만 몰려왔다. 그것은 소안자의 처형을 가장 맹렬하게 건의한 강경파의 우두머리인 순친왕을 결코 가만두지 않겠다는 각오였다.

소안자와 그 일행의 처형은 서태후에게 따끔한 경고가 되어 그 후 다시는 애인을 만들지 않는 계기가 되었다. 그 대가는 너무나 컸다. 이제 그녀의 마음은 단단하게 닫혔다. 중국의 근대화 사업 역시 피해를 입어 그 후 몇 년 동안 대체로 보류되었다. 그동안 그녀는 지뢰밭을 걸으며 권력의 기반을 다져야 했다.

8

서구에 대한 복수

(1869~1871)

순친왕은 10년 전에 신유정변을 일으킬 때 서태후의 든든한 우군이었다. 그의 목표는 제국의 패배와 형 함풍제의 죽음을 가져온 무능한 8명의 고명대신들을 쫓아내는 것이었다. 서태후와는 다르게 그는 국가정책을 바꾸려는 의사가 없었고, 단지 국가가 더 부강해져서 장래 어느 날 서방 제국에 복수하고 싶었다. 그가 정변 때 서태후를 지지하고 또 그 후 여러 해 그녀에게 협조한 것은 태후 또한 이런 복수의 염원을 공유한다고 생각했기 때문이었다.

그러나 1860년대가 흘러가면서 순친왕은 복수가 태후의 목표가 아니고, 정반대로 그녀가 서구의 방식에 매혹되어가는 것을 발견했다. 내부 반란들이 진압된 후 많은 사람들이 서구인의 축출을 주장했으나 그녀는 무시했다. 1869년 초 순친왕은 뭔가 행동에 나서야 한다고 생각해 태후에게 건의서를 올렸다. 원명원의 전소와 함풍제가 승덕의 피서산장에서 사망한 일을 상기시키면서 선제는 '마음속에 깊은 고통을 안고 돌아가셨다'고 썼다. 순친왕은 그 고통을 아직도 생생하게 느낀다면서 '불구대천'의 원수와는 함께 살 수 없다고 적었다. 서구와의 교역이 국가를 부강하게 한다는 사실을 싹 무시하면서 순친왕은 태후가 모든 서구인들을 추방하고 중국의 문호를 폐쇄해야 한다고 주장했다. 그는 6개 조항을 건의했는데 그중 하나가 외국의 물품을 거부하여 서구인들이 중국에 발을 들일 구실을 아예 없애자는 것이었다. 그는 황실이 궁중에서 모든 서구 제품을 공개적으로 불태워버림으로써 선도적 모범을 보이라고 요구했다. 총리아문은 북경에 거류하는 모든 외국인들의 명단을 작성하고서, 외국과의 관계를 단절할 때 그들을 필요에 따라 "싹 쓸어버려야 한다."고 말했다. 순친왕은 그 작업은 직접 맡겠다고 자청하면서 서태후가 '각 성의 순무와 총독에게 의지懿旨를 내려 해당 지역의 외국 교회를 불태우고, 외국 상품을 약탈하고, 외국인 상인을 죽이고, 외국 배들을 침몰시키도록 해야 한다. 또한 이러한 행동은 각 성에서 동시다발적으로 이루어져야 한다'고 주장했다. 장문의 상주를 끝내면서 순친왕은 노골적으로 말했다. "선제의 유소遺詔를 반드시 실천해야 하며, 태후는 날마다 복수의 염원을 한 시라도 잊어서는 안 된다."

서태후는 제국을 보복의 수레바퀴에 올려놓고 싶은 마음이 없었다. '설사 우리가 단 하루라도 보복에 대해 잊지 않는다 하더라도…… 슬픔은 사람을 죽이거나 가옥을 불태워서는 치유가 되지 않는다'고 그녀는 판단했다. 그녀는 순친왕의 상주문을 군기대신들에게 보내 토론케 했다. 그들은 상주문의 격렬한 어조에 경악하면서 그녀에게 이 건의를 '일급 비밀'에 붙이라고 조언했다. 그러면서 그들은 순친왕을 위무하며 그의 애국심을 칭송했고 또 자금성 내에서 외국 제품(시계나 총포 같은 유익한 물품은 제외하고)을 사용하지 않을 것을 제안했다. 그러나 그들은 순친왕의 공격적인 요구 사항에 대해서는 거부의 뜻을 분명히 했다. 그럴 경우 서구와의 전쟁이 불가피하고 중국은 승전할 가능성이 없다고 보았기 때문이다. 순친왕은 시무룩한 표정으로 대신들의 판결을 받아들였으나 승복한 것은 아니었다.

이런 의견 교환이 벌어지고 난 직후에 순친왕은 소안자의 처형을 강력하게 주장하고 나왔다. 서태후는 그가 개인적, 정치적으로 그녀 자신을 공격하고 있음을 알았다. 그녀가 반격할 기회를 엿보는 동안 순친왕은 그다음 수순을 꾸미고 있었다.

그 당시 서구 문화와 중국 문화의 만남은 여러 가지 갈등을 일으키고 있었다. 서구인들은 중국을 가리켜 '반半 문명'이라 했고 중국은 서구인들을 가리켜 '양귀洋鬼(서양 귀신)'라고 했다. 그러나 적개심의 핵심은 기독교 선교사업이었다. 서구인들은 지난 10년 동안 중국 각지에 교회를 설립하여 종종 그들에 대한 폭동이 벌어졌는데, 이것을 총칭해 교안敎案(기독교 선교사업과 관련된 문제)이라고 했다.

교안은 종교적 편견에서 생겨난 문제가 아니었다. 프리먼미트퍼드는 중국인들이 강력한 종교적 반감 같은 것은 품고 있지 않다고 말했다.

> 만약 이것이 사실이 아니라면 어떻게 유대인 집단이 지난 2천 년 동안 그들 사이에서 살아올 수 있었겠는가? 그들은 지금도…… 호남성湖南省 개봉開封에서 살고 있다. 특정 지역에서 회교도가 아주 잘 살고 있는 것은 어떻게 설명하겠는가? 북경의 자금성 담장 안의 정자에는 코란에서 가져온 아랍어 문장이 새겨 있다. 건륭제가 자신의 총비였고 아랍인이었던 향비香妃를 위해서 이렇게 했다고 한다. 이런 것을 보면 중국은 다른 종교를 탄압하지 않았다. 게다가 …… 불교는 이 나라의 인기 높은 종교이다…….

기독교는 '사람들에게 착한 일을 하라고 가르치는(勸人爲善)' 종교로 인식되었다. 기독교를 반대하는 폭도들도 이 교리에 반대하는 것은 아니었다. 그들의 분노는 선교 교회를 향한 것이었다. 외국의 것은 언제나 의심의 대상이 되었는데, 교회의 중대한 문제점은 민중의 문제와 관련해 중국 관리들의 권위에 도전한다는 것이었다. 지방에서 중국 관리들은 모든 분쟁에 대하여 그들의 판단에 따라 정의—혹은 불공정—를 시행했다. 영국 여행자 이사벨라 버드 비숍Isabella Bird Bishop은 현청 아문衙門 밖에 앉아서 그 동향을 관찰하고 이렇게 기록했다.

> 내가 영산현營山縣의 아문 입구에서 보낸 한 시간 동안 407명이 출입했다. 다양한 종류의 남자들이었는데 가마를 타고 오는 사람도 있었으나 대부분 걸어왔으며 다들 옷을 잘 입고 있었다. 모두들 두툼한 문서를 들고 왔다. 그 안에서 간사와 서기들이 열심히 안뜰을 왔다 갔다 했고 서류를 든 전령들이 끊임없이 오고 갔다. 다양한 각종 사무들이 처리되고 있는 것 같았다.

포함의 지원을 등에 업고 중국에 도착한 선교사들은 중국 사회에 새로운 형태의 권위를 가져왔다. 수원지水源地와 부동산의 소유권에서 해묵은 집안 간 싸움에 이르기까지 다양한 분쟁 상황에서, 현지 관리들에게 정의로운 조치를 받지 못했다고 생각하는 사람들은 기독교로 개종하여 교회의 보호를 받으려 했다. 실제로 그런 상황이 벌어지면 중국 기독교인은 신부를 찾아갔다. 프리먼미트퍼드는 이렇게 썼다.

> 그는 자신에 대한 고소는 단지 구실에 불과하다고 주장한다. 조약에 의해 보호받고 있는 기독교 신자라는 사실이 그 고소의 진짜 이유라고 말한다. 그러면 사제는

의문을 느끼면서 중국인 기독교인의 말을 신임한다. 그가 기독교인이므로 이교도 중국인의 말보다 더 중시해야 하는 것이다. 그리하여 사제는 지방행정관의 사무실로 달려가 소속 신자의 억울함을 호소한다. 행정관은 그 신자가 유죄라고 판단하여 처벌하지만 신부는 강력하게 그 신자를 옹호한다. 이렇게 하여 양쪽은 서로에 대해 격한 분노의 말을 퍼붓는다. 간섭하는 사제와 간섭을 당하는 관원이 어떻게 서로 사이가 좋아질 수 있겠는가?

그 결과 일부 하급 행정관들은 일부러 비신자들의 기독교 신자에 대한 적개심을 부추겼다. 그 적개심은 또한 오해에 의해서 촉발되기도 했다. 대표적인 오해는 교회가 운영하는 고아원에 관한 것이었다. 중국의 전통에서, 오로지 버려진 신생아만이 자선 기관의 구호 대상이고 현지 당국에 등록되었다. 고아나 업둥이는 그 친척들의 소관 사항이고 그 아이를 어떻게 키울 것인지도 그들이 알아서 할 일이었다. 중국 사람이 볼 때 낯선 사람이 아이들의 가족이나 친척의 동의 없이 애들을 거두어 키운다는 것은 괴이한 일이었다. 또 가족이나 친척이 고아원의 아이들을 데려가지 못하는 것은 물론이고 방문하지 못하게 하는 것은 납득할 수 없는 일이었다. 이러한 고아원 운영 방식은 아주 짙은 불신을 불러일으켰다. 선교사들이 아이들을 납치해 그들의 눈알과 심장을 파내어 의료용 약재로 사용하거나, 사진술—당시로서는 신비한 기술이었는데 아이들의 파낸 눈알이 그처럼 사물을 잘 보아 찍어낸다고 믿었다—에 활용한다는 황당한 소문이 퍼져나갔다. 이사벨라 버드는 이렇게 썼다.

아이들을 잡아먹는다는 얘기가 널리 퍼져 있었다. 사람들은 선교사들이 그런 짓을 한다고 믿었다……. 우리 외국인이 가난한 거리에 들어서면 많은 사람들이 아이를 들쳐 업고 재빨리 그들의 집으로 들어가버리는 것을 직접 목격했다. 옷 등에 붉은 십자가가 그려진 초록색 헝겊을 꿰맨 아이들도 있었다. 외국인들이 십자가를 소중하게 여겨서 그것을 달고 있는 아이들은 잡아가지 않는다는 믿음에서 이런 사전 조치를 한 것이었다.

1870년 6월 '천진 교안天津教案'이라 일컫는 기독교에 대항하는 폭동이 천진에서 발생했다. 천진 교안은 프랑스의 로마가톨릭교회에 소속된 자비 수녀회가 운영하는 고아원에서 아이들을 납치하여 그들의 눈알과 심장을 파내 약재와 사진술 자료로 사용한다는 소문에 의해 촉발된 사건이었다. 납치 행위에 가담한 것으로 고발된 몇몇 현지 기독교 신자들은 군중들에게 구타당한 후 지방행정관청으로 넘겨졌다. 그들은 모두 무고한 것으로 밝혀졌지만(그 가운데 한 사람은 교회 학교에서 아이를 집으로 데려가던 중이었다), 수천 명의 사람들이 길거리에 나와서 현지 기독교 신자들에게 벽돌을 던졌다. 천진 주재 프랑스 영사인 앙리 퐁타니에Henri Fontanier는 경비원들과 현장에 달려와서 총을 쏘았는데 그로 인해 행정관의 하인들 중 한 명이 부상을 입었다. 흥분한 군중은 프랑스 영사를 때려죽였고, 이어 중국인 가톨릭 신자 30~40명과 21명의 외국인을 학살했다. 세 시간에 걸친 구타, 약탈, 방화로 고아원, 교회, 교회 학교들이 모두 불타버렸다. 게다가 학살된 사람들의 시신을 훼손하거나 배를 갈랐으며, 외국인 수녀들은 완전히 발가벗긴 다음 살해했다.

교안에 관한 서태후의 방침은 언제나 그들을 공정하게 대하라는 것이었다. 그녀는 '아이를 잡아먹는다'는 소문을 믿지 않았다. 그런 소문이 다른 지역에서도 종종 퍼졌지만 결국에는 모두 낭설로 밝혀졌다. 그녀는 아주 분명한 어조로 그 학살을 비난하며, 당시 직례 총독(천진에 총독부가 있음)으로서 병가로 다른 곳에 있던 증국번에게 당장 현장으로 달려가서 '폭동의 주모자들을 검거, 처벌하여 정의를 바로 세우라'고 지시했다. 기독교인 희생자들을 애도하고 헛된 소문을 논박하며, 각 성의 총독에게 교회를 보호하라고 지시하는 황제의 말씀이 하달되었다. 공친왕은 추가로 초병을 파견하여 외국인들의 집을 보호하게 했다.

증국번 총독은 천진의 소문이 근거 없는 것임을 즉각 밝혀냈다. 또 이 폭동은 현지 관리들이 반기독교 대중들의 편을 들었다는 일상적인 이야기와도 약간 다르다는 것을 발견했다. 그보다 좀 더 음험한 것이 폭동의 배후에 도사리고 있었다. 수사 과정에서 그 소문이 진국서陳國瑞라는 대사大師로부터 시작되었다는 사실이 밝혀졌다. 체포된 폭도들은 진 대사에게 '눈알과 심장' 얘기를 들었고 또 진 대사가 실물을 가지고 있는 것으로 믿었다. 진 대사는 폭동이 벌어지기 며칠 전에 배로 천진에 도착했는데 바로 그 시점부터 소문이 널리 퍼져나갔다. 대장장이들은 청조의 형법에서 금지한 무기를 팔기 시작했고, 깡패와 무뢰배들이 여관에 있는 진 대사의 숙소를 들락거렸다. 폭동 당일에는 징을 두드리는 남자들의 선동으로 군중이 거리로 몰려들었다. 그 지역의 통상 대신인 숭후崇厚는 폭도들이 외국인 거주지에 침입하는 것을 우려해 그 지역으로 들어가는 부교浮橋를 파괴하도록 지시했다. 그러나 진 대사는 그 부교를 재건했다. 폭도들이 다리를 건너는 동안 그는 배 위에서 그들을 향해 소리쳤다. "훌륭한 친구들이야! 외국인들을 싹 쓸어내고 그놈들의 집을 모조리 불태워버려!" 학살이 벌어지는 동안 성격이 거칠고 부하들을 매질하는 버릇이 있는 진국서는, 그 자신의 말에 의하면, 배에서 "어린 소녀들과 쾌락을 추구했다".

진국서는 순친왕의 보호를 받는 자로 드러났다. 그의 신분이 폭로된

후에 순친왕은 태후에게 거듭 이런 글을 써보냈다. "나는 이 사람을 아주 좋아합니다. 앞으로 외국 야만인들을 제압하려는 우리의 대의를 위해 그를 적극 활용할 생각입니다." 그러니 진 대사를 잘 대우해야 한다는 얘기였다. 제국의 뜻 있는 사람들은 진국서에게 어떤 일이 벌어지는지 예의 주시할 것이고 또 황제가 '국가의 복수'를 할 진지한 뜻이 있는지 가늠하는 계기가 될 거라는 뜻이었다. 진국서가 그 폭동을 사주하고, 그의 뒤에는 순친왕이 버티고 있다는 것이 너무나 분명했다.

순친왕이 천진 교안 같은 사건이 전국적으로 전개되기를 바란다는 것도 서태후는 꿰뚫어보았다. 학살의 여파로 인해 제국 전체가 불안정해지고 전국 방방곡곡에 선교사들에 대하여 눈알과 심장을 파간다는 나쁜 소문이 번져나갔다. 어떤 곳에서는 특정한 날에 모든 사람이 거리로 나와 외국인들을 학살하고 교회를 파괴하자는 방이 나붙었다. 천진보다 규모는 작지만 여러 도시에서 폭동이 일어났다. 이 모든 것이 순친왕이 1년 전에 올렸던 상주문의 내용과 일치하는 것이었다. 따라서 순친왕이 자제하지 못하고 그 계획을 스스로 실천에 옮겼다는 결론이 내려졌다.

순친왕이 배후 실세이고, 그가 권력자인 데다 외국인에 대한 배척 사상이 민중들 사이에서 인기가 높다는 것을 알기 때문에 서태후는 조심스럽게 대응했다. 그녀는 진국서를 재판에 회부하라는 프랑스 공사의 요구를 거부했다. 공사는 현지 기독교인들로부터 진 대사의 소행을 낱낱이 파악하고 있었다. 프랑스 측의 요구에 응했다가는 중앙정부와 서태후에 대하여 걷잡을 수 없는 민중의 분노를 촉발시킬 터였다. 천진 교안의 파도에 올라타서 기독교 선교사업을 철회하고, 교회를 파괴하고 모든 서구인들을 추방하자는 호소문이 전국 각지에서 조정에 답지했다.

군기대신들은 폭동 주동자들을 영웅시하면서 그들에 대한 처벌에 공공연히 반대했는데 대표적인 인사가 옹동화였다. 사대부들(지식인들)은 살해와 방화 현장을 우아한 부채에 그려넣고서 그것을 예술 작품처럼 감상했다. 증국번 총독은 '서양 놈들 편을 든다'라며 엄청난 분노와 욕설의 대상이 되었고 사대부들 사이에서 따돌림을 받았다. 옥좌 앞에서 벌어진 토론에서 순친왕이 좌중을 압도했기 때문에 아무도 진국서를 처벌해야 한다는 의견을 개진하지 못했다. 순친왕은 오만한 자세를 취하면서 지난 10년 동안 중앙정부가 보복의 목표를 위해 한 일이 무엇이냐고 항의했다.

서태후의 위치는 소안자 사건으로 크게 약화되어 있었다. 그녀는 당분간은 순친왕과 뜻을 같이하는 척하면서 그의 비위를 맞추는 수밖에 없었다. 그녀는 순친왕과 군기대신들에게 그녀 자신도 외국 야만인들을 불구대천의 원수로 생각한다면서 아들 동치제가 아직 성년이 되지 않은 관계로, 그가 친정할 때까지 임시로 국정을 맡고 있는 현실을 이해해달라고 호소했다. 동정심을 유발하기 위해 모든 수단을 강구해야 되겠다고 생각한 그녀는 사상 처음으로 노란 비단 장막을 젖히고 맨얼굴로 대신들을 쳐다보았다. 어떻게 해야 좋을지 모르겠다는 표정을 지으며 그녀는 고관들에게 두 황태후가 어떻게 해야 좋겠는지 말해달라고 호소했다. "우리는 전혀 실마리를 찾을 수 없어요."

이 무렵인 1870년 7월 25일에 서태후의 어머니가 별세했다. 친정어머니의 투병 중에 그녀는 중국 의사들의 의견도 물었고 또 미국 의사 헤들랜드 여사에게도 자문했다. 그녀는 당시 많은 중국 귀족 가문들의 신임을 받는 의사가 되어 있었다. 서태후는 친정에 사람을 대신 보내 문상하는 한편 궁전 옆에 설치한 사당에 가서 죽은 어머니를 위해 기도를 올렀다. 그녀는 어머니의 관을 도교 사원에다 100일 동안 놔두면서 도교 사제가 매일 기도를 올리도록 조치했다. 하지만 그녀 자신은 자금성을 떠나지 않았다. 북경 거리의 치안이 아주 불안했기 때문이었다. 어쩌면 본능적인 위기감이 작동해 그녀를 자제시켰을 것이다. 이 무렵 궁중 점성가는 예수교 수도사들이 유럽식 장비를 갖춰 설립한 천문관에서 밤하늘의 별을 관측했는데, 주요 고관이 살해될 것 같다는 불길한 예측을 했다. 청조에서는 암살이란 거의 발생하지 않는 사건이기 때문에 아주 괴이한 예측이었다. 한 달 뒤 마신이馬新貽 총독이 남경에서 암살되었다. 그는 선교사들에 대하여 엉뚱한 비난을 퍼뜨리던 자들을 색출해 처벌한 바 있었다. 그 결과 마 총독은 남경에서 천진 교안 식의 학살이 벌어지는 것을 사전에 예방했다.

천진 사태의 주요 피해자는 앙리 퐁타니에 영사를 비롯하여 프랑스 사람들이었으므로 프랑스 포함들이 도착해 대고 포대 외곽에서 경고 포격을 해댔다. 전쟁은 불가피해 보였다. 서태후는 병력을 이동시켜 대응해야 했다. 당시 증국번 총독은 신경성 경련으로 후 쓰러져서 자리보전을 하고 있었는데, 그는 서둘러 서태후에게 상주문을 올렸다. "중국은 전쟁을 할 형편이 결코 아닙니다." 궁중에서는 복수를 외치던 자들을 포함하여 그 누구도 프랑스의 무력시위에 대해 명확한 대응책을 가지고 있지 않았다.

이런 위기의 순간에 서태후에게 유익한 지원을 해준 사람은 다른 지역의 총독이던 이홍장이었다(중국은 총 9개의 총독부로 나뉜다). 그는 해안을 방비하기 위해 휘하의 군대를 이끌고 현장으로 출발하면서 외교적으로 위기를 해결할 수 있는 실제적인 조언을 내놓았다. 즉 유죄 처분을 받은 살해자들은 극형에 처하되 그 숫자를 최소한으로 하여 민중의 분노를 자극하지 않도록 한다는 것이었다. 또 총리아문은 폭동 주모자들을 처형하라고 요구하는 각국 공사관에 이렇게 설명하도록 했다. "과도한 범위의 처형은 더욱 단단히 결속된 적을 만들어낼 뿐이며, 이것은 서구인들의 장기적인 이익에도 도움이 되지 않는다." 이홍장은 북경의 중앙정부에는 이런 말을 해달라고 주장했다. "중앙정부는 일반 중국인들을 관대하게 대하고 또 함부로 처형하지 않으려는 원칙을 중시하는 서구인의 의도를 높이 평가한다. 정부는 선교사들이 관대함을 설교했다고 알고 있다. 대규모 처형은 이런 여러 가지 좋은 감정과는 어울리지 않는다." 이홍장의 서구 열강에 대한 지식과 이해가 깊다고 평가한 서태후는 그를 직례 총독으로 임명했다. 직례는 북경을 둘러싼 지역이 관할이므로 9개 총독부 중에서도 가장 중요한 관구였다. 직례 총독부의 소재지는 천진(서구인들이 살고 있는 조약 항구)이므로, 신임 직례 총독은 서구인들과 직접 협상을 할 수 있었다. 그는 또 북경의 중앙정부와도 가까운 사이였다. 이홍장은 스승 증국번이 1872년 오랜 지병으로 사망하자 그 자리를 이어받은 인물로 개혁파의 대표였다.

이홍장의 조언을 받아가며 공친왕은 프랑스인을 만족시키면서도 외국인을 혐오하는 중국 민중들을 화나게 하지 않는 회유적인 해결안을 마련했다. 그 결과 20명의 '죄인들'은 사형에 처해졌고 25명은 변경으로 추방되었다. 이들 중 많은 사람들이 이름도 없었는데, 이는 그들이 아주 힘겨운 삶을 살아온 자들임을 보여주는 것이었다. 그들은 '둘째 아들 류(劉二)', '나이 든 등(鄧老)' 따위로 불렸다. 처형자 명단의 맨 앞에 오른 자는 '다리를 저는 풍(馮瘸子)'으로 적혀 있었다. 처형되는 날 이들은 관리들과 구경꾼들에게 영웅 대접을 받으면서 마지막 영광의 순간을 누렸다. 폭동에 관련된 두 명의 현지 관리도 처벌되었는데 죄명은 직무유기(폭도 진압을 적극적으로 하지 않았다)였고, 북쪽 변방으로 가는 유배형에 처해졌다. 하지만 이 두 관리는 거기서 오래지 않아 곧 해배解配되었다. 증국번이 경고한 대로 '온 제국이 그들의 운명을 주시하고 있기' 때문이었다. 진국서는 '완전 무죄'로 판명되었다. 그에 관해 언급하는 궁중의 통신문은 그의 분노를 일으키지 않기 위해 아주 온건한 언어를 사용했다.

희생자들에게는 보상금이 주어졌고, 파괴된 교회에는 복구비가 지불되었다. 외국인 거주지로 들어가는 부교를 파괴하여 외국인들을 보호하려 했던 숭후는 폭동 엄단을 약속하고 '화해와 우정'을 표시하는 정부 대표로 프랑스에 파견되었다. 그런데 이 파견 건은 서태후가 숭후를 프랑스에 보내 무릎을 꿇게 했다고 오해되었다(지금도 이렇게 오해되고 있다). 순친왕은 왜 그런 사절을 보내느냐고 분노했다.

프랑스는 이 해결안을 받아들였다. 당시 프랑스는 유럽에서 프로이센과 전쟁을 하고 있어서 동양에서 또 다른 전쟁을 벌일 처지가 되지 못했다. 중국은 가까스로 전쟁을 피한 것이었다.

순친왕은 자신이 촉발시킨 위기에 대해 전혀 후회하지 않았을 뿐만 아니라 이런 해결안을 못마땅하게 여기면서 '마음의 병으로 아프다'는 핑계를 대고서 침대에 드러누웠다. 그는 서태후에게 장문의 편지 세 통을 보내 천진 폭동을 격려하지 않고 또 전 중국의 백성들이 그에 호응하도록 유도하지 않은 것을 통렬하게 비판하며, 그녀가 선제先帝를 크게 실망시킨 것이라고 암시했다. 서태후는 상투적인 답변만 하면서 그가 거론한 문제를 정면으로 반박하는 것을 피했다. 그는 좀처럼 그녀를 놔주려 하지 않았다. 그는 네 번째 편지를 보내 이전의 비난을 되풀이하면서 그녀 덕분에 '이제 외국인들이 더욱 마음대로 날뛰고 있다'고 주장했다. 그는 그녀의 모호한 답변을 지적했다. “왜 제가 거론한 문제에 대해 한 마디도 없습니까? 태후는 외국 야만인들의 문제에 대해서는 침묵하고 있습니다. 이것은 아주 우려스럽고 걱정되는 일입니다.” 서태후는 할 수 없이 그 문제에 대해서 언급하며 서구인의 추방은 ‘계획이 없으며’ 중국은 ‘외국과의 평화 공존’을 목표로 해야 한다고 답변했다. 공친왕과 이홍장 같은 핵심 대신들의 도움으로 그녀는 순친왕의 주장을 물리칠 수 있었다.

순친왕의 분노는 그 후에도 계속되었다. 그는 다음 해인 1871년 초에도 서태후가 서구에 대하여 복수하려 들지 않는다는 종전의 주장을 되풀이했다. 서태후를 직접 거명하지는 않았지만, 공친왕과 그 동료들을 희생양으로 삼아 이들이 ‘외국 야만인들에게 알랑거린다’며 통렬하게 비판했다. 두 형제는 서로 말을 하지 않는 사이가 되었고, 서태후는 순친왕을 달래느라 바빴다.

순친왕은 또 다른 천진 사태를 사주할 수 있는 인물이었고, 만약 그런 사태가 다시 벌어진다면 제국은 대재앙이나 다름없는 전쟁을 해야 할 처지였다. 그렇지만 서태후는 그를 적극 견제할 힘이 없었다. 그의 반 외세 입장은 관리들과 백성들에게 아주 인기가 높았기 때문에 이 문제를 두고 그와 일전을 벌이게 된다면 서태후는 치명적인 입장에 놓이게 될 터였다. 이렇게 볼 때 순친왕은 제국 내의 움직이는 시한폭탄이었다. 반외세파의 영수인 그는 서태후의 개방정책을 방해하는 주요 걸림돌이었다. 게다가 그는 금군(궁중 근위대)의 사령관이기 때문에 그녀를 무력으로 위협할 수도 있었다. 하지만 그런 극단적인 상황까지는 나아가지 않았다. 서태후가 황제의 어머니인 데다 자신의 처형이기도 하고, 무엇보다 동치제의 친정이 임박해 그녀가 곧 후궁 지역으로 물러날 것이기 때문이었다. 그는 그 기간 동안은 그녀를 용납할 수 있었다. 그러나 서태후가 볼 때, 제국과 그녀 자신의 장기적인 보안을 확보하려면 순친왕에 대하여 뭔가 강력한 조치를 해두는 것이 반드시 필요했다.

9

동치제의 생애와 죽음

(1861~1875)

서태후의 아들인 동치제는 다섯 살 때부터 청의 황제와 친왕들이 받아온 엄격한 체제의 교육을 받았다. 그리고 어머니의 처소에서 옮겨와 다른 별도의 궁에서 살기 시작했다. 날마다 새벽 5시면 글방에 나가야 했는데, 그가 가마를 타고 글방에 가는 시간에 자금성은 여전히 잠들어 있었다. 시종들도 움직이는 사람이 별로 없었고, 개중에는 기둥에 기대어 졸고 있기도 했다. 수행원들이 들고 있는 손등이 궁중의 골목길을 덮은 어둠 속의 유일한 불빛이었다.

동치제의 사부들은 국내에서 학식이나 도덕이 최고의 수준에 오른 것으로 널리 평가받는 사람들이었고, 두 태후의 승인을 받아 임명되었다. 교과 과목은 유교 경전에 집중되어 있었는데 동치제는 전혀 이해하지 못한 상태에서 문장을 외워야 했다. 그는 나이가 들어가면서 좀 더 잘 이해하게 되었고 논문이나 시도 쓰게 되었다. 교과 과목에는 서예, 만주어와 몽골어, 궁술과 승마도 들어 있었다. 동치제는 유교 경전들을 그리 좋아하지 않았다. 그의 스승인 옹동화는 매일 일기에다 엄청난 분노를 터뜨리며 신음했다. 황제는 정신 집중을 잘하지 못하고, 문장을 소리 내어 낭랑하게 읽지 못하며, 글자를 정확하게 쓸 줄 모른다는 것이었다. 황제는 글방에 오면 언제나 따분해했다. 시를 쓸 때면 '바위 위를 흘러가는 청명한 봄날의 시냇물' 같은 추상적 주제에 대해서는 영 취미가 없었다. 하지만 '좋은 사람을 써서 나라를 잘 다스리는 것' 같은 황제의 의무에 관한 주제들은 약간 편안하게 여겼다. 두 태후는 종종 사부들에게 학업의 성취도를 물었다. 아이가 책만 보면 공황에 빠지는 듯하여 두 태후는 경악했다. 즉위하기 직전에도 여전히 학업이 지지부진한 것을 보고서 두 태후는 울음을 터뜨렸다. 그녀들은 사부들에게 황제의 일상적 업무를 위한 기본 능력만 갖추게 해달라고 당부했다. 옹동화는 그건 그리 어렵지 않을 것이라고 대답했다. 황제에게 올라오는 보고서들은 유교 경전처럼 어렵지도 않고 또 그가 내리는 지시는 신하들이 대필할 것이기 때문이었다. 서태후는 아들이 신하들을 접견한 상태에서 어떻게 행동하는지 시험해보았다. 그는 또렷하면서도 일관되게 말을 하지 못했다. 그래서 그녀는 사부들에게 간단한 질문을 하고 짧은 지시를 내릴 수 있도록 특별 수업을 해달라고 부탁했다.

동치제가 흥미를 느끼는 한 가지는 연극이었는데, 사부들은 그것을 가치 없는 오락이라고 여겼다. '오로지 감각에만 호소하는 즐거움'이라는 것이었다. 그는 사부들의 간언을 무시하면서 연기에도 참가했다. 때때로 화장을 하고 어머니 앞에서 연기를 했는데, 어머니는 그를 만류하지 않았다. 동치제는 노래를 잘 부르지 못했기 때문에 무술이 들어가는 부분의 연기를 담당했다. 한번은 장군 역할을 맡은 그가 왕 역할을 하는 환관에게 고개를 숙여 인사했다. 환관이 황급히 무릎을 꿇자 동치제가 버럭 소리를 질렀다. "도대체 뭐하는 거냐? 네가 왕 역할을 할 때에는 그렇게 하면 안 되는 거야!" 서태후는 그걸 보고 웃음을 터뜨렸다. 동치제는 만주족의 춤을 아주 좋아해서 어머니 앞에서 유쾌하게 그 춤을 추어 보이기도 했다.

그는 다른 오락도 추구했다. 옹동화는 10대의 동치제가 공부하는 친구들과 함께 '시시덕거리며 장난치는 모습'을 목격했다. 한번은 그가 아주 무미건조한 경문을 읽다가 웃음을 참지 못해 낄낄거렸는데 그 일은 옹동화를 크게 난처하게 만들었다. "참으로 기괴하다!" 옹동화는 일기에서 탄식했다. 하지만 동치제가 생기 있어 보일 때는 그렇게 낄낄거릴 때뿐이었다. 다른 때는 아주 피곤해하는 표정이었고 무료함에서 깨어나지 못하는 듯했다. 한번은 황제가 며칠 동안 밤잠을 자지 못했다고 털어놓았다. 하지만 그는 사부들에게 그 이유를 묻지 말아달라고 하면서 두 태후에게 말하면 절대 안 된다고 경고했다. 너무나 당황하여 옹동화는 제자에게 소리를 지르기도 했으나, 그의 분노를 일기에다 털어놓는 때가 더 많았다. "정말 이를 어쩌면 좋단 말인가!"

10대의 황제는 방사의 즐거움을 맛보았다. 이 새로운 오락으로 그를 인도한 사람은 궁중의 잘생긴 젊은 학자인 왕경기王慶祺였다. 황제는 그를 글방의 동무로 임명했다. 두 사람은 밤중에 기회 있을 때마다 자금성 밖으로 빠져나가 창녀와 남창을 찾아다녔다.

황제가 방탕한 시간을 보내는 동안 궁정에서는 그의 후비后妃 간택으로 바빠졌다. 그의 비빈을 고르는 일은 3년이나 걸렸는데, 중간에 소안자 사건과 서태후의 신경쇠약이 끼어들었기 때문이다. 1872년 초 그가 16세가 되기 직전에 비빈이 두 황태후와 황제 자신에 의해 결정되었다.

혼례는 그해 말로 예정되었다. 수백 명의 젊은 처녀들 중에서 몽골 출신의 아로특씨阿魯特氏(가순嘉順)가 황후로 간택되었다.

이 10대 소녀는 모든 귀족 가문에서 모범적이고 흠잡을 데 없는 규수라는 평가를 받았다. 그녀의 아버지 숭기崇綺는 회시會試(각 성의 성급 과거 합격자들인 거인을 모아서 3년에 한 번씩 수도인 북경에서 행하는 최종 과거 시험—옮긴이)에서 장원狀元을 한 유일무이의 몽골인이었다. 그는 유교적 가치를 철저히 신봉했는데, 그런 만큼 어린 딸인 가순에게도 유교 사상을 철저하게 교육했다. 그녀는 아버지의 말이라면 무조건 복종했고 장차 남편에게도 그런 태도를 보일 것으로 예상되었다. 훌륭한 몸가짐에 용모가 아름다운 그녀는 유교 경전에도 박식했다. 친정아버지가 몸소 그녀를 가르친 덕분이었다. 동태후와 황제는 가순을 마음에 들어 했다. 그러나 황제는 그녀와 동침할 생각이 없었고, 또 그녀가 아무런 불평도 하지 않고 그런 사태를 용납해줄 것으로 예상했다.

서태후는 다른 생각을 갖고 있었다. 가순의 외할아버지인 정친왕鄭親王 단화端華는 함풍제가 지정한 8명의 고명대신 중 하나였지만 신유정변 이후에 그녀가 하얀 비단 천을 보내 자살토록 한 인물이었다. 서태후를 엄청 미워했고 또 그녀에 의해 참형에 처해진 숙순은 가순의 친할아버지의 사촌 형이었다. 가순의 유년 시절은 이런 집안의 대재앙 때문에 어두운 그늘이 져 있었다. 북경에서 아름다운 저택으로 소문이 높았던 어머니의 친정집은 형법에 의해 몰수되었고, 외가의 남자 친척들은 공직에서 철저히 배제되었다. 가순은 흠잡을 데 없는 행동을 보이고 있었지만 속마음은 어떨지 서태후는 알 수가 없었다. 그래서 그녀는 가순 대신에 재기발랄한 봉수鳳秀의 딸이 더 마음에 든다는 의견을 내놓았다. 하지만 아들의 호소에 굴복하여 그가 선택한 여자를 받아들였다. 아들에 대한 사랑이 이처럼 컸기 때문에 가순을 믿어보기로 한 것이다. 또 회시의 장원이 어련히 딸을 잘 가르쳤을까 하는 생각도 있었다. 이 문제가 결정되자 서태후는 몰수된 저택을 가순의 외가에 돌려주고 남자 후손들의 지위도 회복시키라고 지시했다.

동치제의 혼례는 200년 전인 1665년에 강희제가 수립한 절차를 따랐다. 이 당시 강희제는 황후로 선택된 여자와 결혼하는 유일한 현역 군주였다(동태후는 황후의 신분으로 결혼한 것이 아니었다. 그녀는 궁에 들어온 이후에 승격했다). 황제의 결혼은 대혼大婚이라고 불리지만 전국적인 축하 행사 같은 것은 없었다. 그것은 궁궐의 행사일 뿐이었다. 자금성에는 '이중의 기쁨'을 나타내는 '희囍'라는 커다란 붉은 글자를 새긴 밝은 색깔의 비단이 너울거렸다. 유사한 비단이 신부의 궁에도 내걸렸는데 특히 대문의 두 붉은 기둥 위에서 너울거렸다. 거기서 자금성까지 신부가 가야 할 수 킬로미터의 노정이 정해졌다. 울퉁불퉁한 도로는 평탄 작업을 했고 그 위에다 황실 행렬에 필수적인 노란 흙을 뿌렸다.

이 길을 따라서 일주일간 매일 아침마다 하얀 점이 박힌 붉은 상의를 입은 짐꾼들이 신부의 개인 사물을 새로운 거처로 실어 날랐다. 커다란 옷장, 자그마한 벽옥 접시, 실용적인 경목 세숫대야, 전문가용 예술 작품 따위였다. 노란 천을 덮은 탁자 위에 작은 물건들을 벌여놓고서 노란색과 붉은색이 섞인 비단 줄로 단단히 고정시켰다. 이런 궁궐 비품들을 보기 위해 북경 주민들은 새벽마다 떼를 지어 연도에 나와 섰다. 이것이 사람들이 황제의 혼례에 참여하는 유일한 순간이었다. 어느 아침, 옮기는 물건들이 너무나 귀중한 것들이어서 보안상 수송 행렬은 구경꾼들을 따돌리려고 평소보다 일찍 출발했다. 그래서 사람들은 헛되이 기다리다가 투덜거리며 흩어졌다. 신부가 타고 갈 가마를 메는 가마꾼들을 보려던 사람들도 실망하기는 마찬가지였다. 가마꾼들은 가마를 아주 안정되게 메고 가야 하고, 또 흔들림 없이 교대해야 하기 때문에 가마 안에 물이 가득 찬 꽃병을 두고서 예행연습을 했다. 그러나 무슨 이유에서인지 가마는 정해진 시간이 나오지 않았다.

궁중의 점성술가는 1872년 10월 16일을 대혼 날짜로 선정했다. 보름달이 뜬 그날 밤 자정 직전에 가순은 대행렬을 이루며 친정집을 떠났다. 그녀는 용(황제)과 봉(황후)이 서로 뒤엉킨 무늬의 화려한 겉옷을 입고 있었다. 똑같은 무늬가 새겨진 붉은 비단이 그녀의 머리를 장식했다. 길은 텅 비어 있었다. 길 위아래로 내달리는 몇 마리의 개들과 연도를 지키는 보초들이 이 황실 행렬을 바라보는 유일한 존재였다. 사람들은 길을 비키라는 사전 지시를 받았으며, 도로 근처에 사는 사람들은 집 안에 들어박혀 밖을 내다보지 말라는 주의를 들었다. 신부가 가는 길이 골목길과 교차하는 곳에는 대나무로 만든 가리개를 세워 사람들의 시선을 차단했다. 외국 공관에는 이틀 전에 통지하여 이 시간대에는 직원들을 집 안에 머물게 해달라고 요청했다. 그것은 분노와 좌절의 탄식을 불러일으켰다. 아무도 구경하지 못한다면 그게 어떻게 국가 대사인가, 하고 그들은 반문했다.

그것을 몰래 구경한 소수의 사람들 중에 영국인 화가 윌리엄 심프슨William Simpson이 있었는데, 그는 선교사 친구와 연도에 있는 가게에 몰래 잠입했다. 그 가게에는 아편을 흡입하는 사람들로 가득했는데, 그들은 외국인이든 황실의 행사든 아무런 관심이 없었다. 창문은 나무 문틀에 얇은 종이를 바른 것이어서 쉽게 구멍을 뚫어 밖을 내다볼 수 있었다. 그 문구멍 앞에서 백마를 탄 친왕들과 귀족들이 지나갔고, 그 앞뒤로 높이 쳐든 깃발, 천개, 거대한 부채 등이 선도하거나 따라갔다. 그들은 어둡고 인적 없는 북경 거리에서 유령처럼 보였다. 그 거리를 비추는 빛이라고는 희미한 지등紙燈뿐이었는데, 더러는 가마에 걸려 있었고 더러는 손에 들고 있었다. 마치 황실의 명령에 복종하는 것처럼 보름달마저 구름에 가려져 있었다. 천천히 움직이는 행렬 사이로 정적이 흘렀다.

그것은 쾌활하다기보다 황량한 행사라고 해야 마땅했다. 하지만 그런 것이 엄숙함의 본질이라고 생각되었다. 이런 분위기 속에서 자정이 조금 지난 시간에 16인의 가마꾼이 떠메고 운반하는 황금빛 가마에 올라탄 가순은 자금성의 남쪽에 위치한 정양문의 문턱을 건너갔다. 그녀는 이제 지난 200년 동안 자금성의 앞문으로 통과한 유일한 여성이었다. 이 문은 대혼식 날 황후가 될 신부 이외에는 그 어떤 여자도 출입하지 못하는 곳이었다. 서태후도 동태후도 이 문 앞에 가보지 못했다.

이런 아주 진귀한 영예를 누리면서 가순은 두 개의 사과를 손에 쥔 채 가마 안에 편안히 앉아 있었다. 자금성에 들어가서 그녀가 황금 가마에서 내리자 친왕의 부인이 그녀에게 두 개의 사과를 받아들고서 신혼방 문 밖에 있는 보석이 박힌 두 개의 안장 밑에다 놓았다. '사과[苹果]'라는 단어는 '핑[平]'이라는 소리를 포함하고, '안장[馬鞍]'을 가리키는 단어는 '안安'이라는 소리를 포함한다. 그래서 두 개의 사과와 두 개의 안장은 "핑핑안안[平平安安]"이 되는데 평화와 안정이 늘 함께하기를 바라는 소원을 뜻하는 것이다. 이런 소원은 너무나 평범하여 황후에게는 어울리지 않는 듯하다. 그러나 이 상징적인 물건들을 건너서 신혼 방으로 들어간 신부는 정작 그 어떤 평화나 안정도 발견하지 못한다.

모든 예식이 끝난 신혼 초야, '희'라는 거대한 글자를 마주보는, 붉은 색깔로 장식된 신혼 방에서 신랑은 신부와 사랑을 나누는 것이 아니라 그녀에게 당시唐詩를 암송해보라고 했다. 이 의무적인 하룻밤을 지내고 나서 그는 황후의 궁으로부터 멀리 떨어진 궁에서 밤을 보냈다. 가순은 황제를 찾아가서 자신의 몸을 바치는 것이 의무라고 느꼈으나 황제가 그것을 물리치자 수줍음 많고 남편의 말을 거역해서는 안 된다고 배운 황후는 그의 처소에서 순순히 물러나왔다.

서태후가 마음에 들어 한 봉수의 딸에게는 황제의 두 번째 배우자로서 혜비慧妃라는 칭호가 주어졌다. 대혼식 날 직전에 혜비는 4인의 가마꾼들이 옮기는 자그마한 가마와 소수의 행렬을 이끌고 뒷문으로 자금성으로 들어왔다. 후궁에 대해서는 그와 비슷한 환영 의식이 정해져 있었다. 그러나 황제의 애정에 관한 한, 혜비와 다른 세 명의 후궁 신세는 가순 황후의 그것과 별반 다를 게 없었다. 이 다섯 명의 여자는 고독한 한 평생을 보낼 운명이었다.

대혼 후 1873년 2월 23일의 예식을 통해 동치제는 공식적으로 황위에 올랐다. 그는 16세였다. 그런 어린 나이에 절대 군주가 된다는 것은 그리 이례적인 일은 아니었다. 좀 기괴해 보일지 모르지만 청 왕조의 첫 두 황제인 순치제順治帝와 강희제는 13세에 황위에 올랐다. 동치제의 즉위 또한 대혼과 마찬가지로 궁중의 대사일 뿐이었다. 평민들은 천안문에 내걸린 대형 족자(황제의 칙명)를 통해 그것을 알았다. 황제의 대관식 때에도 그러했듯이 그 칙명은 복사되어 전국의 각 성으로 보내졌다. 이제 이 10대 소년이 단독으로 제국에 관련된 모든 일에 대하여 결정을 내려야 할 터였다. 이제 그가 직접 붉은 먹을 사용해 지시를 내릴 것이므로 상유에 찍혔던 두 황태후의 인장은 불필요하게 되었다. 두 태후가 그 뒤에 앉았던 노란색 비단 장막도 철거되었고, 동태후와 서태후는 후궁 지역으로 물러났다.

황제는 훌륭한 군주가 되기로 결심하면서 제사 옹동화에게 "게으르거나 직무를 태만하지 않겠으며" 또 "열성조들을 실망시키지 않겠다."고 말했다. 스승은 크게 기뻐했다. 약 1년 동안 어린 군주는 약속을 지키면서 보고서를 읽고 칙명을 재가하고 접견을 허락했다. 하지만 그는 어머니 같은 창의적인 지도력이 없었다. 붉은 먹으로 쓰인 그의 지시는 간략하고 일상적이었다. 서태후는 궁내 규칙을 철저히 지키면서 동치제의 집정에 일절 간섭하지 않았다. 제국을 근대화하기 위한 사업이나 계획은 더 이상 나오지 않았다.

그러나 한 가지 예외가 있었다. 서구의 공사관들은 북경에 들어온 이후 황제를 만나서 신임장을 제출하게 해달라고 요구해왔다. 지금까지 그들은 불가능하다는 대답만 들어왔다. 황제가 아직 어린아이이고 두 태후는 여자이기 때문에 공식 석상에 나오지 못한다는 얘기였다. 동치제가 친정을 시작한 다음 날, 공사관들은 알현을 요청하는 문서를 집단적으로 보냈다. 게다가 그들은 고두 없이 알현하겠다고 고집했다. 매카트니 경은 1793년에 교역의 확대를 위해 마지못해 고두를 했지만, 1816년에 두 번째 영국 사절로 온 애머스트Amherst 경은 이를 거부했다. 이제 공사관들은 집단적인 영향력을 행사하면서 고두 없는 알현을 요청했다. 대부분의 궁중 관리들은 고두를 반드시 해야 한다면서 하나같이 공사들에게 비타협적인 태도를 보였다.

서태후는 이 문제에 대하여 이미 결심한 바 있었다. 사절들은 고두를 할 필요가 없다는 것이었다. 몇 년 전 그녀는 공친왕, 증국번, 이홍장 등 개방적인 소수의 고위 관리들과 이 문제를 논의했는데, 결론은 타협을 해야 한다는 것이었다. 동치제는 어머니가 시키는 대로 했다. 1873년 6

월 29일, 황제는 고두는 물론이고 무릎도 꿇지 않은 외국 공사들을 접견했다. 그것은 역사적 순간이었다. 공사들은 꼿꼿이 선 채로 모자를 벗고서 황제의 옥좌에 나아가는 각 단계마다 고개를 숙였다. 외교사절단의 단장은 축하 연설을 했고, 동치제의 친선 우호의 뜻은 공친왕이 대신 말했다. 이 모든 의식이 30분 만에 끝났다. 황실은 고두가 없었던 사실로 세인의 주목을 끌고 싶지 않아 이 행사에 대한 공식 발표를 하지 않았다. 그 소식을 들은 사람들 중 하나인 옹동화는 심적으로 동요했다. 어떤 사람들은 황제가 서방의 압력에 굴복한 사실에 분개하면서 이 모욕을 장래 언젠가 갚고야 말겠다고 맹세했다.

이 까다로운 문제를 제외하고 국가기관은 자동적으로 굴러갔다. 전통적인 중국의 행정은 잘 기름 친 기계였으므로 위기만 없다면 그런대로 부드럽게 작동했다. 창의적인 주도안은 필요 없었고, 또 제안하는 이들도 없었다. 국가정책은 거의 전적으로 황위皇位의 역동성에 의존했다. 서태후는 창의적인 생각이 넘치는 반면에 동치제는 전혀 그런 것이 없어 변화를 향해 달려가려는 특별한 추진력 또한 없었다. 서태후는 섭정하던 당시에 이미 제국의 평화, 안정 그리고 어느 정도의 번영을 구축했다. 따라서 동치제 시절에는 농민반란이나 외국의 침입이 없었다.

그렇지만 순전히 현상 유지의 황제라고 할지라도 국기기관을 원활하게 운영하려면 최소한 일상적인 실무는 돌보아야 했다. 하지만 동치제는 그런 일을 곧 피곤하게 느꼈다. 키 크고 잘생기고 놀기를 좋아하는 이 10대는 점점 더 침대에서 늦게 일어났다. 접견 횟수는 조금씩 줄어들어 마침내 하루에 한두 명 만나는 것으로 그치게 되었다. 그나마 간단한 형식적인 질문을 하는 것이 전부였다. 계속 올라오는 보고서는 종종 읽어보지도 않고 간단히 보고서 겉면에다 '건의한 대로 할 것'이라고 써넣었다. 실제로 건의가 있었는지 여부도 확인하지 않았다. 사정이 이러하자 각 부는 그들이 보기에 적당한 대로 일을 처리했고, 결국 행정은 느슨해져버렸다.

게다가 황제가 원명원을 부분적으로 재건하기로 하자 고위 대신들은 국정 상태를 크게 우려하기 시작했다. 황제는 서태후와 함께 폐허를 방문해 예전의 영광스러운 건물들이 파괴되어 잡초에 뒤덮여 있는 것을 보고서 크게 낙담했다. 1873년 가을, 황제는 칙명을 내려 원명원을 부분적으로나마 재건하겠다는 결심을 알렸다. 그가 내세운 표면적 이유는 두 태후가 은퇴 후에 거주할 궁전이 필요하다는 것이었다. 몇몇 인사들은 그 이유를 합리적이라고 생각했다. 공친왕은 복구 비용으로 은 2만 테일을 내놓았다. 서태후는 이 계획에 열광적인 지지를 보냈다. 원명원 복구는 그녀의 꿈이었고, 그녀는 그곳에 들어가 살고 싶었다. 그녀는 평소의 열성과 세부 사항에 대한 주의력을 발휘하며 그 계획에 직접 뛰어들어 관리자, 건축가 들을 접견해 각종 설계와 모형을 승인하고, 심지어 그 자신이 건물의 내부 장식을 그려보기까지 했다.

건설은 그다음 해 봄에 시작되었고, 황제는 현장을 종종 시찰했다. 그는 건설업자들에게 공기工期를 앞당기라고 종용하며, 특히 자신이 들어가 살 거처를 먼저 지으라고 지시했다. 그는 가능하다면 두 태후보다 먼저 들어가 살 계획이었다. 실제로 젊은 군주가 가장 원하는 것은 자신의 성적 모험을 자유롭게 추구할 수 있는 곳이었다. 그가 정사를 게을리 하는 동안 '환관들과 흥청대며 즐거운 시간을 보낸다'는 사실은 널리 알려져 있었다. 그는 밤중에 미복을 하고서 자금성을 빠져나와 북경 시내의 유명한 홍등가인 팔대호동八大胡同 골목에 있는 기루를 찾아 돌아다녔다. 자금성은 이런 외유를 하기에는 아주 불편했다. 일몰이면 모든 대문을 걸어 잠궈 황제라 할지라도 타당한 사유가 없으면 문밖으로 나갈 수 없었다. 문을 잠그는 시간이 되면 당직 환관들이 새된 목소리로 "일몰 점호"를 소리치고, 곧 육중한 문들이 하나하나 닫히면서 찰그랑 하는 소리와 함께 자물쇠가 잠겼다. 그러면 거대한 황궁은 완전한 정적으로 빠져들고, 야간 경비원이 죽비를 '탁탁탁' 하고 부딪치는 소리만 가끔씩 희미하게 들려왔다. 자금성의 담벼락을 따라 서 있는 보초들의 손에서 손으로 몽둥이가 건네지며 그 어떤 보초도 졸거나 현장 이탈을 하지 않았다는 것을 확인하면서, 경계 태세에 전혀 누수가 없도록 단속하는 것이다. 동치제는 이런 일몰 점호와 꼭 닫힌 문들을 두려워했다. 황제의 일상생활을 지배하는 무수한 불변의 규칙들—일정한 시간에 기상하여 그를 따라다니며 모든 동정을 빠짐없이 기록하는 수행원에 이르기까지—은 아주 짜증스러운 것이었다. 그는 원명원을 수복하여 그곳을 도피처로 삼고자 했다. 땅이 넓은 데다 둘러쳐진 담장도 없으므로 그가 원하는 대로 살아갈 수 있는 최적의 장소였다.

그러나 곧 복구공사에 반대하는 목소리들이 합창으로 터져나왔다. 이것은 황제가 과도하게 쾌락을 추구하거나 터무니없이 사치스러운 사업에 빠져들 때 신하는 간언해야 한다는 전통에 따른 것이었다. 탄원자들은 국가가 현재 부강하지 않다는 것을 지적했고, 호부戶部는 복구공사가 국가재정을 훨씬 초과하는 것임을 보여주는 재무제표를 제시했다. 황제의 숙부인 순친왕은, 원명원은 함풍제의 죽음과 복수의 의무를 상기시켜주는 것으로 충분하다고 건의했다. 그러나 동치제는 복수보다는 놀이와 환락에 빠져 있었다. 그는 순친왕의 말을 무시했고 호부의 보고서를 엎드려 있는 상서尙書에게 내던졌다. 그는 비판자들의 말을 듣는 군주가 아니었다. 동치제는 상유를 내려 탄원자들을 비난하며, 그들이 자식의 의무를 다하려는 자신의 뜻을 방해한다고 소리쳤다. 사실 유교의 윤리에 따르면 불효는 커다란 죄였다. 그는 높은 도덕적 입장을 유지하는 척하면서 '경고로서' 한 관리를 파면했고, 나머지 신하들에 대해서는 '이 문제를 다시 거론하는 자들은 처벌할 것'이라고 말했다. 마침내 복구공사가 타당하지 않다는 것을 깨달은 공친왕은 황제가 마음을 바꾸기를 건의하는 탄원서 맨 앞에 자신의 이름을 올렸다. 젊은 군주는 공친왕에게 소리쳤다. "내 옥좌를 당신한테 내놓으라는 거요?" 바닥에 엎드려 있던 한 군기대신은 황제의 말에 너무 충격을 받아 통곡을 하다가 기절해서 사람들이 밖으로 들어내야 했다.

원명원 복구공사에 관한 대치 상황 속에서 황제의 전반적인 생활 방식이 비판적인 어조로 거론되었는데, 지나친 연극 감상, 정무 태만, 야간의 미복 외출 등이었다. 동치제는 두 친왕에게 어디서 그런 말이 나왔는지 물었다. 순친왕은 팔대호동의 기루에 대해, 공친왕은 황제의 친구이며 그의 맏아들인 재징載澂이 정보의 원천이라고 말했다. 크게 화가 난 동치제는 두 숙부에게 '제발 좀 그만 괴롭히라'고 말하면서 자꾸 이러면 대역죄가 된다고 비난했다. 두 친왕은 계속 고두하면서 통촉하라고 간언했지만 황제의 분노를 풀어주지 못했다. 그는 붉은 먹으로 칙명을 직접 써서 공친왕과 재징의 지위를 박탈하고 공친왕을 모든 정부 직위에서 파면하여 종인부宗人府의 감시 하에 두라고 명령했다. 황제는 또 다른 칙명을 써서 순친왕도 파면했다.

대신들에게는 다행스럽게도 황제의 어머니인 서태후가 옆에 있었다. 그들은 태후에게 편지를 써서 이 심각한 사태에 개입해달라고 요청했다. 그녀는 동태후와 함께 아들의 집무실로 찾아와서 대신들의 의견에 귀를 기울이라고 말했다. 그녀는 눈물을 흘리면서 공친왕을 파면한 처사를 비난했다. 어머니가 말하는 동안 젊은 황제는 선 채로 그 말을 경청했고, 비난이 더욱 거세지자 무릎을 꿇었다. 전통적인 유교 가르침에 따르면 황제라도 어머니에게 복종하는 마음을 보여야 했다. 그는 또한 어머니를 사랑했다. 모든 파면 명령은 취소되고, 서태후는 원명원으로 이사하려는 꿈을 포기해야 했다.

그래도 동치제는 자금성 밖으로 나가서 즐기는 성적 모험을 포기할 생각이 없었기에 자금성 옆에 있는 서원西苑(오늘날 중국 공산당 최고위 간부들이 사는 중남해中南海를 가리킨다.—옮긴이)으로 시선을 돌렸다. 북해, 중해, 남해 등 거대한 인공 호수가 조성되어 있는 이 지역은 웅장한 궁전들은 없지만 건축적 가치를 지닌 소수의 사원과 건물들이 들어서 있었고, 있으나 마나한 담장들로 가려져 있었다. 또한 도광제와 함풍제 당시에 국가 살림이 어려워서 돌보지 않았기 때문에 사람들이 살던 집들은 허물어진 채 보수되지 않고 있었다. 대신들이 이 집들을 보수하는 데 동의하면서 공사가 곧바로 시작되었다. 황제는 이곳을 아주 좋아해 여름에서 겨울로 접어드는 동안 자주 찾았는데, 그러다가 호수에 나간 어느 날 감기가 들었다.

게다가 황제는 그보다 더 심한 병을 얻게 되었다. 어의들이 남긴 기록에 의하면, 1874년 12월 8일 발진이 그의 피부에 돋아났다. 그다음 날 어의들은 천연두라는 진단을 내렸다. 그 진단과 처방은 군기대신들 사이에 회람되었다. 약초와 기타 약재들을 혼합해 끓인 약탕에 독을 뽑아내는 데 특효라는 지렁이 같은 특별한 재료를 집어넣었다. 어의들이 먼저 탕을 맛보고 이어 태감(환관 우두머리)들도 그렇게 했다. 궁중은 천연두와 관련된 모든 의례를 지키기 시작했다. 중국인들이 무서운 힘에 대응하는 방식—어느 면에서는 현재도 그러한데—은 그 힘을 달래는 것이었는데, 그 힘을 높은 대 위에 올려놓고 추앙함으로써 그 힘이 기분이 좋아져서 저절로 물러가길 바랐다. 그래서 천연두는 '천화天花(하늘의 꽃)'라는 듣기 좋은 이름이 붙었고, 황제는 "하늘의 꽃이 가져다주는 행복을 누리고 있다."고 에둘러 말해졌다. 궁정의 신하들은 꽃 같은 겉옷을 입었고, 붉은(즐거움을 나타내는 색깔) 비단 스카프를 둘렀으며, 천연두를 다스리는 두신낭랑痘神娘娘을 모시는 사당을 세웠다. 와병 아흐렛날, 물집은 독이 올라 터질 기세를 보였다. 최측근 대신들이 호출되어 황제의 용태를 직접 보았다.

황제의 침상 옆에는 두 태후가 손에 촛불을 들고 서 있었다. 두 태후는 좀 떨어져서 무릎을 꿇고 있는 대신들에게 가까이 오라고 말했다. 병든 황제는 그들 쪽으로 몸을 돌리더니 팔을 들어 보였다. 그 광경을 옹동화는 이렇게 묘사했다. "천화들이 아주 촘촘하게 나 있어서 황제의 두 눈이 보이지 않을 정도였다." 잠시 뒤 그들은 침전에서 물러나와 접견실로 불려갔는데, 그곳에서 서태후는 정신이 혼란한 듯 말을 하면서 간간히 울음을 터뜨렸다. 그녀는 황제가 회복되는 동안 휴식을 취해야 할 것 같다고 하면서 '가끔' 그가 음악 연주를 원한다면 대신들이 "반대하지 않기를 바란다."고 말했다. 이 말이 떨어지자 대신들은 거듭하여 방바닥에 고두를 했다.

서태후는 이어 그들과 국사를 의논했다. 황제가 요사이 집무를 보지 못했기 때문에 굉장히 불안해하는데 대신들이 해결 방안을 찾아주기를 바란다는 뜻도 알렸다. 대신들은 황제가 '하늘의 꽃이 가져다주는 행복을 누리는 동안' 두 태후가 국정을 맡아주기를 제안했다. 그들은 그런 내용의 탄원서를 작성하기 위해 물러갔다. 그러나 서태후는 다른 생각을 하면서 대신들을 다시 불러 탄원서 작성을 멈추라고 일렀다. '탄원서'

는 황제에게 권력을 내놓으라고 강요하는 인상을 주기 때문이었다. 그 요청은 황제가 직접 해야 한다고 그녀는 생각했다. 그녀가 물어보니 황제는 어머니가 일시적으로 개입하는 것을 적극 환영한다고 말했다. 그 다음 날 황제는 전날보다 한결 기력을 회복한 듯했고, 대신을 소환해놓고는 공친왕에게 이렇게 말했다. "몇 마디 할 말이 있습니다. 단 하루라도 국정에 공백이 있어서는 안 됩니다. 나는 두 분 태후에게 나를 대신해 모든 보고서를 보아달라고 호소합니다. 그리고 이 '행복한 사건'이 지나가면 나 자신이 전처럼 의무를 다할 것입니다……." 그러자 서태후는 대신들이 어제 동일한 계획을 이미 '건의'했다고 말하며 황제는 염려하지 말라고 안심시켰다. 대신들은 물러났고, 서태후는 이제 권력이 다시 자신의 손에 들어와서 한결 안심이 되고 기쁘기도 했다.

와병 16일 차에 황제의 몸에 앉았던 딱지가 떨어지기 시작하면서 이제 나은 듯했다. 궁중 안에 세웠던 두신낭랑의 사당이 정교한 의식 속에서 철거되어 대규모 명예 호위병이 엄호하는 가운데 자금성 밖으로 나갔다.

그러나 동치제는 회복되지 않았다. 여기저기 물집이 점점 커지더니 터지면서 고름이 멈추지 않고 흘러나왔다. 1875년 1월 12일, 그는 아직 만 19세가 되지 않은 나이로 사망했다. 친정하면서 통치한 기간은 2년이 채 되지 않았다. 서태후가 그를 독살했다는 주장도 있는데 이것은 근거 없는 말이다. 많은 사람들이 동치제가 매독으로 사망한 것이 아닐까 의심하는데 실제로 매독은 천연두 증상과 아주 비슷해서 '대천연두'라고도 불린다. 그러나 당시는 현대적인 진단 방식이 수립되어 있지 않았기 때문에 확실하지는 않다. 궁중에서도 정확히 알지는 못한 듯하고 황제의 생활 방식이 그 질병과 상관이 있다고 짐작할 뿐이었다. 황제의 놀이

친구인 왕경기는 궁중에서 쫓겨났고, 영원히 관직에 오르지 못하는 처분을 받았다. 황제를 가까이 모셨던 환관들은 죄질에 따라 매질과 변방으로의 유배 등 다양한 징벌을 받았다.

결국 천연두가 가장 그럴듯한 사인이다. 당시 수도에 그 질병이 만연하여 동치제의 한 살 위 누나인 영안 공주도 그 직후인 2월 5일에 천연두로 사망했다. 공주는 혼수상태에 빠졌을 때, 선제가 그녀를 부르면서 남동생이랑 함께 오라고 했다고 중얼거렸다.

황제를 따라 같이 죽기로 결심한 사람은 가순 황후였다. 아내가 남편을 따라 죽는 것은 가장 높은 미덕으로 숭상되어 도시나 마을에서 그들을 기리는 열녀문이 세워졌다*. 높은 미덕으로 인해 간택되었던 가순 황후는 이런 기대에 부응했다. 몇몇 환관의 증언에 따르면 동치제가 사망했을 때 친정아버지 숭기는 딸에게 음식 통을 보내왔다. 그 통을 열어보니 비어 있어 가순은 친정아버지가 곡기를 끊어 자결하라는 뜻을 알려왔다고 해석했다. 그녀는 아버지의 뜻을 따름으로써 훌륭한 효녀라고 널리 칭송되었다. 그녀는 동치제가 사망한 지 70일 후인 3월 27일에 죽었다.

가순 황후의 죽음은 서태후 탓이라고 널리 알려져 있다. 중국인들은 서태후가 며느리를 학대하여 죽음으로 몰아넣었다고 비난하고, 서구인들은 가순이 사자嗣子를 임신했기 때문에 서태후가 권력을 놓지 않으려고 살해했다고 주장한다. 그러나 서태후가 며느리에게 심하게 대한 것은 사실이지만, 그 어느 주장에도 객관적 증거는 없다. 가순은 자살을 명

* 저자 장융의 외조부는 1930년대 초에 사망했는데, 그 할아버지의 첩들 가운데 한 명이 남편을 따라간다면서 아편을 먹고 자살했다. 훨씬 후대인 1930년대에도 아내의 자결은 부덕의 극치로 칭송되었고, 그 첩의 정절을 기리는 명패가 세워졌다.

예의 최고 표시로 생각하는 가문 출신이었다. 25년 후인 1900년에 연합군이 북경을 침공해 서태후가 서안西安으로 달아났을 때, 그녀 가문의 사람들 14인 전원이 충성심을 보이기 위해 집을 불태워 분신하는 방식으로 자결하기도 했다.

동치제의 사후 100일 동안 수도 내에서 결혼식과 오락 행사가 금지되었으며, 제국 전역에서 남자는 면도를 하거나 이발을 하는 것이 금지되었다(예전에 건륭제는 아내의 복상 기간에 이 금지를 위반한 관리들을 투옥시켰다). 북경 내의 크고 작은 사원의 종들은 3만 번을 울렸다. 누가 어떤 상복을 입어야 하는지 자세한 지침이 내려졌다. 그 당시 중국인들은 지구상에서 가장 의례를 중시하는 민족으로, 3천 가지의 의례 규칙을 적은 책이 지식인들의 필독서였다. 대표적인 규칙 중 하나는 황제가 매장될 때까지 궁중에서는 절대 음악을 연주하지 않는다는 것이다. 그래서 자금성은 다시 침묵에 빠져들었고 숨죽인 발걸음으로 조용히 움직이는 소리와 그 뒤를 따르는 메아리만 들려왔다.

궁중 내 음악 금지는 4년간 지속되었고, 이 기간 동안 동치제의 능이 조성되었다. 동치제는 자신이 직접 능묘를 조성하지는 못했다. 그런 사업을 시작할 정도로 오래 황위에 있지 못했기 때문이다. 그의 사망 후에 서태후는 순친왕, 옹동화, 풍수에 밝은 지관들을 보내 황제의 능을 쓸 적절한 장소를 물색하게 했다. 한편 그의 거대한 자궁梓宮은 자금성 외곽 지역에 안치되어 지나가는 고관들이 조의를 표시하게 했다. 자궁은 값비싼 나무로 만들었는데, 황금색을 49번 칠하고 불교 기호로 장식했으며 수많은 용들이 새겨진 13겹의 비단으로 감싸여 있었다.

북경 교외에는 청 황제들을 위한 두 곳의 능원이 있다. 하나는 도시의 서쪽에 있는 서릉西陵이고 다른 하나는 동릉東陵이다. 최근에 서거한 황제의 능묘는 아버지가 아니라 할아버지 황제의 능묘와 함께 있어야 한다는 궁중 규정에 따라 동치제는 아버지 함풍제의 능이 있는 동릉이 아니라 서릉에 매장되어야 했다. 그러나 남편과 함께 동릉에 매장될 예정인 서태후는 아들 가까이에 있서 매장지를 동릉으로 정했다. 대신들은 그녀의 마음을 이해하고 전통에서 벗어난 조치임에도 반대하지 않았다.

동릉과 서릉은 거대한 단지로서 아름다운 구릉, 시냇물, 숲에 안겨 있는 풍수지리상 명당 지역이었다. 각 능은 지하에 현실玄室이 있고 지상에는 자금성의 궁전과 유사한 건물이 세워져 있었다. 능의 전면에는 조각된 하얀 대리석 기둥들이 세워져 있고, 기둥 꼭대기는 날개 모양의 왕관을 두르고 있었다. 능묘에서 가장 위압감을 주는 부분은 접근로였다. 탁 트인 넓은 지역에 난 곧게 뻗은 길 양옆에는 코끼리, 사자, 말, 기타 동물들의 석상이 줄지어 서 있다. 하지만 동치제의 능에는 이런 장엄한 접근로가 없다. 예산이 거기까지 미치지 못했기 때문이다. 서태후는 접근로와 자궁에 사용될 경목硬木 및 능묘 위의 건물 중 하나를 선택해야만 했다. 중국은 최상급 경목이 부족했기 때문에 함풍제의 능은 도광제의 능묘 조성 작업을 하다가 남은 나무를 써야 했다. 사후의 삶을 믿는 서태후는 아들이 저승에서 최고의 물질을 누리기를 원했기 때문에 화려한 접근로는 포기해야 했다. 그녀는 해외에서 가장 비싼 경목을 사들였는데, 그 나무는 어찌나 단단한지 물속에서도 가라앉지 않고 뜬다고 했다.

동치제가 사망한 지 4년 만에 능묘 조성 작업이 완료되었고, 궁중의 점성술가가 고른 가장 상서로운 날인 1879년의 어느 날에 그와 가순 황후는 지하의 현실에 나란히 누웠다. 두 사람의 관에는 황금, 순은, 벽옥 등 각종 진귀한 보석 수백 점이 함께 들어갔다. 서태후의 세심한 배려 아래 장례식은 전에 없이 성대했으며, 북경의 고관 전원이 수도에서 동릉까지 120킬로미터를 여행했다. 총 7920명이 자궁의 운송 작업에 참가했는데 한 번 교대에 120명이 투입되었다. 이들은 훈련받은 전문 인력으로 관을 나르기 전에 목욕재계를 하고서 황실 문상용 삼베로 만든 자색 상의를 입었다. 연도에서 50킬로미터 범위 이내의 지역에 근무하는 모든 관리들은 특별히 각 곳에 건설된 추모 사당에서 대기하고 있다가 관이 지나가면 땅에 엎드려 절을 했다. 그 추모 사당들은 수천 개의 거대한 하얀 촛불들로 밝게 빛났다.

이 모든 것이 기존에 정해진 절차를 따르는 것이었지만 서태후는 모든 세부 사항들을 일일이 챙겼다. 그녀는 정말로 아들을 사랑했다. 여러 해 뒤 동치제의 기일에, 궁중에 들어와 서태후의 초상화를 그리고 있던 미국 화가 캐서린 칼은 검은 옷을 입었다. 캐서린이 서양의 조문 색깔인 검은 옷을 입은 것을 보고서 서태후가 '몹시 감동한 듯하다'고 이 화가는 쓰고 있다. 이어서 다음과 같이 적고 있다. "그녀는 내 양손을 잡고서 말했다. '내 슬픔을 이해하고 공감해주다니 당신은 마음이 고운 사람 같군요.' 그리고 그녀가 잡은 내 손등 위로 그녀의 눈물이 흘러내렸다."

제 3 부

입양한 아들을 내세워 통치하다

| 1875 ~ 1889 |

10

세 살 난 아이가 황제로 선포되다

(1875)

서태후는 동치제가 1875년 1월 어느 날 저녁에 사망할 때 그 옆에 서 있었다. 사망 직전에 대신들이 소집되어 황제의 임박한 죽음을 통보받았다. 그들은 황제가 거의 숨을 쉬지 못하고 있고, 서태후가 그 옆에서 눈물을 흘리며 아무런 말도 하지 못하는 것을 발견했다. 잠시 뒤 그들은 모자母子가 마지막 순간을 나눌 수 있도록 병상에서 물러나왔다. 대신들이 방 밖에서 울면서 대기하는데 곧 황제의 사망이 선포되었고, 그들이 서태후의 부름을 받고 다시 안으로 들어와 사후 조치에 대하여 의논했다.

늘 신중한 공친왕의 본능적 반응은 그 일로부터 멀찍이 떨어져 있으려는 것이었다. 서태후를 잘 아는 그는 사후 조치가 변칙적인 것일지도 모른다고 짐작하면서 그 일에 개입하기를 망설였다. 하지만 그는 다른 대신들과 함께 방 안으로 들어갔다. 서태후는 두 황태후가 '장막 뒤에서' 국정의 키를 계속 잡아나가는 것이 좋은 생각인지를 솔직하게 물었다.

한 대신이 즉각 "그렇다."고 대답했다. 그리고 그는 "태후께서 제국을 위해 새 황제를 지명하고 전과 같이 계속 통치해주실 수 있겠습니까?" 하고 물었다. 그러자 서태후는 동태후와 자신의 생각을 말했다. "우리 두 사람은 결정을 내렸고 완전히 합의했어요. 지금 결정을 내린 말을 하려고 하니 수정하거나 변경해서는 안 됩니다. 자, 잘 듣고 따르세요." 이런 힘찬 언어는 강력한 지위를 가진 사람만이 할 수 있는 것이었다. 동치제는 후사가 없고 또 그를 이을 후계 황제를 지명한 유서를 남기지도 않았다. 그는 사망하기 직전에 두 태후에게 제국을 대신 통치해달라고 부탁했다. 그러니 다음 황제를 지명하는 것은 두 태후가 결정할 일이었다.

서태후는 두 태후가 함풍제를 위해 아들을 입양하여 직접 키우겠다고 선언했다. 두 태후가 또다시 황태후 자격으로 아주 오랫동안 제국을 통치하겠다는 의지가 너무나 분명했다. 정상적이고 올바른 조치는 방금 서거한 동치제의 후계자를 입양하는 것이었다. 그러나 그럴 경우 서태후는 할머니로 승격되므로 그 자격으로는 제국을 통치할 구실이 없어진다. 동치제의 정비正妃인 가순 황후가 아직 살아 있으므로 그 경우에는 가순이 황태후가 되어 수렴청정을 하게 될 터였다. 그러나 서태후의 변칙적인 조치에 대하여 아무도 이의를 제기하지 않았다. 대부분의 신하들이 그녀의 권좌 복귀를 환영했다. 그녀는 아들의 친정 이전에 탁월하게 제국을 이끌어왔는데, 그와는 대조적으로 동치제의 짧은 친정 기간은 재난의 연속이었다. 대신들은 대부분 동치제에게 황당한 질책을 당했고, 또 일부는 파면되기도 했다. 그들은 서태후가 옆에서 동치제를 억제하지 않았더라면 큰 혼란이 벌어졌으리라는 것을 잘 알았다. 그녀의 복귀는 대신들에게 커다란 위안을 주는 것이었다. 특히나 지난 몇 년 동안 근대화 사업이 모두 정지되어 좌절감을 느꼈던 개혁파들은 더욱 안도하면서 환국換局의 기미를 내다보았다.

서태후는 새 황제로 세 살 난 재첨載湉을 지명했다. 그는 순친왕과 서태후의 여동생 복진 사이에서 태어난 태후의 조카였다.

순친왕도 그 방 안에 함께 있었다. 그 선언은 그를 기쁘게 하기는커녕 엄청난 충격과 고통에 휩싸이게 했다. 그는 발작을 일으키며 소리를 지르더니 방바닥에 계속 머리를 찧다가 기절했고, 정신이 하나도 없는 사람 같이 되었다. 재첨은 그들 부부가 특히 사랑하는 외아들이었다. 그보다 앞에 난 아들이 일찍 죽었기 때문에 그 사랑은 거의 익애溺愛에 가까웠다. 이제 그는 외아들을 영원히 잃어버리게 생긴 것이었다. 서태후는 전혀 동요하지 않으면서 순친왕을 방 밖으로 들어내라고 명령했다. 한 목격자는 이렇게 말했다. "그는 구석에 누워 있었는데 아무도 신경 쓰지 않았다. 그건 아주 비참하고 울적한 광경이었다."

군기대신들은 새 황제를 선포하는 칙명을 작성하기 위해 물러났다. 그 문서를 작성하기로 된 대신은 너무 긴장하여 붓을 제대로 쥐지도 못했다. 그것을 보면서 당시 궁내 장관이며 서태후의 심복인 영록은 문서가 작성되기도 전에 반대가 터져나오는 것이 아닌가 우려해 붓을 빼앗아 그 자신이 직접 칙명을 작성했다. 그는 군기대신이 아니기 때문에 그런 행동은 부적절한 것이었지만 개의치 않았다. 영록은 동치제 사망 직후에 서태후가 재첨을 새 황제로 지명하도록 옆에서 적극 거들었다. 그렇게 재빠르게 처리해야만 그녀의 결정에 반대하거나 반항하는 기회가 사라져버리는 것이었다.

그러나 서태후에게 불리한 일은 벌어지지 않았다. 곧 새 황제를 수립하는 절차가 완료되었고, 어린 재첨을 궁중으로 모셔오는 행렬이 파견되었다. 동이 트자 세 살 난 아이는 잠에서 깨워져 어머니로부터 떨어져 궁중의 두터운 겉옷에 둘러싸인 채 관리가 옆에서 대기하는 가마에 태워졌다. 그는 등불과 촛불들이 켜진 자금성 안으로 들어가 어두운 전각 안에 있던 두 태후에게 고두했다. 이어 죽은 동치제의 시신이 있는 곳으로 가서 곡성을 터뜨리며 공식적인 조문을 했다. 아이는 방금 잠에서 깬 터라 아주 자연스럽게 잘 울었다. 이렇게 하여 광서제光緖帝의 궁중 생활이 시작되었다.

이것은 서태후가 순친왕에게 복수하는 순간이기도 했다. 소안자 사건으로 그녀가 당했던 고뇌에 대하여 이제 그의 아들을 빼앗음으로써 친왕의 가슴에 복수의 칼을 찌른 것이었다. 그녀가 일을 처리한 방식은 너무나 교묘하여 친왕은 불평을 할 수가 없었다. 어쨌든 그의 아들이 황제가 된 것이니까 말이다.

아들이 황위에 오르면서 순친왕의 정치적 역할은 사실상 끝이 났다. 그는 황상皇上의 공식 섭정이 아니라 그냥 생부에 지나지 않으므로, 국정에 부당한 영향력을 행사한다는 비난을 사전에 차단하려면 모든 공직에서 물러나야 했다. 부당한 국정 간섭은 대역죄였다. 순친왕은 최대한 겸손한 언어를 사용해 모든 직위에서 물러난다는 사표를 제출했다. 서태후는 군기대신들에게 그 안건을 논의하도록 지시했고, 공친왕은 수락하자고 강력하게 주장했다. 그가 수락해야 한다고 주장하는 주된 이유는 의전 절차의 갈등이었다. 관리로 봉직할 경우 순친왕은 황제 앞에서 고두를 해야 하는데, 부자 관계에서 그것은 불가능한 일이었다. 순친왕의 동지이며 보수파인 옹동화는 그가 사라지면 개혁파를 견제할 사람이 없어지므로 순친왕이 금군대장의 보직 하나만은 그대로 유지하게 하자고 제안했다. 서태후는 그 제안을 물리치고 모든 공직의 사표를 받아들였으나 단 하나의 보직만 남겨두었는데 실권이 전혀 없는 자리였다. 그것은 청 황제들의 능묘인 동릉과 서릉의 능참봉 역할이었다. 그렇지만 그녀는 순친왕에게 온갖 영예로운 호칭은 모두 부여했다.

순친왕에게서 힘 있는 보직을 빼앗아버림으로써 서태후는 아주 효율적으로 그를 침묵시켰다. 앞으로 그가 그녀의 정책에 대하여 항의하려고 들면 그것은 곧바로 비난을 불러일으킬 것이었다. 친왕은 태후의 이런 의도를 잘 알고 있었다. 그녀가 한발 더 나아가 그를 대역죄로 몰아붙일 구실도 얼마든지 찾아낼 수 있다는 것을 알고 있으므로 순친왕은 그녀에게 앞으로 국정 개입의 의도가 전혀 없다는, 몸을 낮추는 편지를 써 보냈다. 이제 반反외세 진영의 수장이라는 순친왕의 역할은 끝이 났다. 제국을 위협하던 시한폭탄의 뇌관은 이렇게 하여 제거되었다.

순친왕은 그 후에도 개인적으로 비극을 더 맛보았다. 서태후의 동생이며 그의 부인인 복진은 두 아들을 더 낳았으나 한 아이는 낳은 지 하루 반 만에 죽었고, 다른 아이는 몇 년 살다가 죽어버렸다. 하인들에 의하면 부모가 아이를 너무 안타까워하며 지나치게 사랑한 결과였다. 부부는 아이가 과식을 할까 봐 끊임없이 걱정했다. 부유한 가정에서 아이들의 과식은 언제나 골칫거리인데 그걸 방지하다 보니 아이가 영양실조에 걸렸다는 것이다.

순친왕은 서태후가 자신을 완전히 파괴하려는 생각은 없다는 사실을 알고서 다소 놀랐다. 그녀는 언제라도 그를 끝장낼 수 있다는 실력을 확실히 보여주었으므로, 그 후에는 계속 그에게 은전을 내려주었다. 특히 그에게 첩들을 많이 내려주었는데, 그는 첩의 몸에서 세 아들을 얻었다. 그중 첫째가 1883년에 태어났는데, 태후는 이 아이에게 재풍載灃이라는 이름을 하사했다(재풍은 나중에 청대의 마지막 황제인 선통제宣統帝에 오르는 부의溥儀의 아버지이다.—옮긴이). 또 순친왕이 아들에게 쉽게 접근할 수 있도록 어린 황제의 교육 감시관이라는 보직도 주었다. 또 여동생인 복진도 자주 궁내에 불러 머무르게 하면서 어린 광서제를 만나게 해주었다. 그러나 부모는 어린 아들 앞에서 자연스럽게 행동할 수가 없었다. 그 아들이 서태후에게 입양되어 황제라는 높은 신분에 올랐기 때문이었다. 아무튼 서태후의 순친왕에 대한 예우는 그의 기대 이상이어서 당연히 그는 감사하는 마음을 갖게 되었다.

서태후는 순친왕의 동료들에게도 아무런 불만이 없음을 보여주고 또 교묘하게 그들을 매수함으로써 자신의 편으로 만들었다. 서태후는 다시 한 번 옹동화를 새 황제의 제사로 삼았는데, 그는 이로 인해 영원한 감은의 뜻을 품게 되었다. 또 소안자를 처형한 집행관인 정보정에게 마치 아무런 일도 없었다는 듯이 승진과 영예를 내려주었다. 정보정은 순무에서 총독으로 승진하자 청의 관례에 따라 북경으로 올라가서 황제를 알현해야 되었다. 서태후는 그가 도착하기 전에 궁내 장관 영록을 통해 그에게 1만 테일을 내려주어 북경 체류 시의 비용으로 쓰게 배려했다. 신임 총독이 수도로 올라오면 의무적으로 연회도 베풀고 선물도 내려야 하기 때문에 돈이 필요한데 정보정은 돈이 없는 사람이었다. 그는 청렴한 관리여서 관직을 통해 사복私腹을 채우는 일이 없었다. 영록은 마치 그 자신이 개인적으로 선물하는 것처럼 하면서 1만 테일을 건네주었다. 그러나 평소 영록과 교분이 깊지 않았던 정 총독은 그 돈이 어디서 나왔는지 잘 알았다. 그는 그 돈을 받았을 뿐만 아니라 1만 테일을 더 '빌려달라고' 요청했다. 그래서 영록은 그 돈을 즉시 조달해주었다. 그것은 정보정이 그 돈의 출처가 누구인지 알고 또 감사하고 있다는 표시를 약간 장난스럽게 보낸 것이었다(그는 다른 관리들에게는 돈을 빌려달라고 하지 않았다). 그렇게 하여 정보정은 서태후와 하나의 거래를 맺은 것이었다. 정보정과 옹동화는 보수적 견해를 그대로 유지했으나 서태후를 곤란하게 하는 일은 하지 않았다.

이렇게 하여 서태후는 모든 장애를 제거하고 제국호號를 원래 나아가려 했던 항로 위에 다시 올려놓았다. 이제 그녀는 행진의 속도를 높이려 했다. 아들에게 정권을 내주고 후궁 지역에 물러나 한거하고 있을 때에도 그녀의 마음은 게으름을 부리지 않았다. 그녀는 전에 외국으로 내보냈던 시찰단들의 보고서와 일기를 통해 외부 세계에 대하여 잘 파악하고 있었다. 홍콩과 조약 항구들에서 발간되는 신문들의 수가 늘어나면서 궁중에도 그 신문들이 들어왔다. 이제 각종 신문은 없어서는 안 될 정보의 원천이었다. 처음 집권한 10년 전과 비교할 때, 서태후는 이제 서방에 대해서 더 잘 알고 있을 뿐만 아니라 근대화 사업에 대해서도 높은 식견을 가지고 있었다. 그녀는 근대화 사업이 제국의 문제들에 대한 해결안이라고 확신했다. 하지만 그동안 많은 시간을 헛되이 잃었다는 것도 알았다. 소안자 사건의 치명적인 경고에서 동치제의 친정 기간에서 이르기까지 제국 호는 5년 동안이나 멈춰 서 있었다. 그녀는 잃어버린 시간을 벌충해야 한다고 결심했다.

11

근대화에 박차를 가하다

(1875~1889)

1875년 초 서태후는 아들을 잃었으나 권력은 되찾았다. 이 한 해는 여러 획기적인 사건들로 점철된 특별한 이정표가 되었다. 그녀는 먼저 이홍장을 소환하여 근대화의 전반적 전략을 논의했다. 천진에서 직례총독으로 근무하던 이홍장은 이미 1872년에 이런 만남을 요청했으나 당시 취약한 입장에 있었고 곧 수렴청정을 거두려 했던 서태후는 그 청을 받아들이지 않았다. 이제 그녀는 이홍장이 도착한 다음 날 곧바로 접견한 데 이어 그다음 날 다시 만났고, 며칠 후에는 세 번째로 만났다. 과거의 개혁 노선을 다시 시작하고 또 국가를 부강하게 하려는 그녀의 결심은 이처럼 굳건한 것이었다.

이홍장은 그 무렵 중국 개혁파의 영수가 되어 있었다. 그는 서구인들을 주위에 포진시켜 그들과 널리 교제했다. 그런 서구인들 중에는 전 미국 대통령 율리시스 S. 그랜트Ulysses S. Grant도 있었다. 전임 미국 대통령과 이홍장은 1879년 천진에서 자주 만났다. 웨일스 출신 침례교 선교사 티모시 리처드Timothy Richard는 이홍장을 이렇게 묘사했다. "신체적으로 다른 사람들보다 키가 컸으며, 지적으로도 다른 사람들 위에 우뚝 설 정도로 압도했다. 그래서 동료들의 머리 너머로 멀리까지 내다볼 수 있었다." 이홍장은 서태후의 근대화 추진 사업에서 핵심 인물이었다. 군기처를 이끄는 이홍장과 공친왕은 서구인들이 볼 때 '중국의 발전과 동의어'였고 이제 그는 서태후의 오른팔 참모가 되었다. 서태후는 두 사람의 도움을 받으며 제국의 근대화 사업을 꾸준하면서도 과격하게 밀어붙였다. 이홍장은 서태후에게 공동의 열망을 표현하는 글을 써서 올렸다. "앞으로 모든 종류의 사업이 중국에 도입될 것이고 백성들의 마음은 서서히 개방될 것입니다." 두 사람은 보수파를 배제하지 않았다. 서태후의 통치 방식은 개혁파는 물론이요 옹동화 같은 수구파와도 함께하는 것이었다. 힘으로 찍어 누르기보다는 설득하려고 애썼고 시간의 도움과 합리적인 사업 추진으로 사람들의 마음을 바꾸어놓으려 했다.

서태후는 이미 10년 전에 외교사절들을 해외에 내보내려 했으나 여의치 못했지만 이제 그들을 내보낼 수 있게 되었다. 1875년 8월 31일, 그녀는 곽숭도郭嵩燾를 런던 공사로 보내는 첫 번째 임명안을 발표했다. 곽숭도는 아주 진취적인 사람으로 서학西學을 적극적으로 장려하면서 기차와 전신 같은 사업을 수용하자고 주장한 개화파였다. 옹동화는 일기에서 곽숭도를 가리켜 '변태'라고 비난했고, 그의 고향인 강소성江蘇省에서 북경의 회시에 참가하려고 올라온 과거 지망생들은 모두 달려가서 곽숭도의 집을 허물어버리는 게 어떻겠느냐고 그들끼리 수군덕거렸다. 서태후는 곽숭도를 위로했고, 그가 임지로 출발하기 전에 동태후와 함께 세 번이나 접견했다. 두 태후는 그에게 조롱과 중상에 좌절하지 말

것을 거듭 당부했다. "총리아문에서 일하는 사람들은 모두 조롱의 대상이 되고 있습니다. 하지만 황상은 당신을 잘 알고 또 높이 평가하고 있습니다……. 당신은 국가를 위해 이 어려운 일을 맡아주어야만 해요."

곽숭도가 해외에 근무하는 동안 그곳의 인상을 적은 일기가 총리아문에 의해 발간되었다. 일기에서 그는 영국에 대하여 존경하는 어조로 쓰고 있다. 영국의 사법제도는 '공정'하고, 감옥은 '아주 깨끗해서 바닥이 반짝거리고 나쁜 냄새도 나지 않는다……. 이게 감옥인지 의문이 들 정도이다'. 영국 국민들의 품행은 아주 '방정'하며 이것 하나만으로도 '이 나라가 그처럼 부강한 것이 우연의 소치가 아님을 알 수 있다'. 곽숭도는 심지어 중국의 2천 년 된 군주제도가 영국의 의회 군주제만큼 바람직한 것이라고 볼 수 없다는 주장도 폈다. 몇몇 문구들—가령 중국인의 품행은 '아주 크게 뒤떨어진다'—은 출판을 위해 삭제되었지만, 일기의 1권이 출간되자 사대부와 관리들의 이빨을 갈아대는 증오를 불러일으켰다. 그들은 곽숭도가 '중국을 영국의 속국으로 만들려 한다'고 비난하면서 황제에게 그를 당장 처벌하라고 건의했다. 일기의 후속 발간은 정지되었다. 하지만 곽숭도는 처벌을 받지 않았다. 서태후는 수구파의 항의를 무시해버리고 그를 영국 공사이자 프랑스 공사로 임명했다. 곽숭도가 보수적인 사상을 가진 차석次席과 공개적으로 논쟁을 벌이자 서태후는 그 차석을 독일로 전보 조치했다. 그러나 다른 고관들과의 마찰을 더 이상 견디지 못한 곽숭도가 사표를 제출하자 서태후는 마지못해 수락했다. 그녀는 신임 주영 공사인 증국번의 아들 증기택曾紀澤 후작에게 곽숭도는 "좋은 사람이고, 훌륭하게 일했다"면서 칭찬했다.

서태후는 곽숭도의 견해에 모두 동의한 것은 아니었지만 그의 독립적인 정신을 높이 평가했다. 그녀의 통치 스타일은 서로 다른 견해를 가진 사람들과 함께 일하는 것이었다. 베를린 공사 홍균洪鈞은 곽숭도와는 정반대되는 인물이었다. 그는 유럽의 관습을 싫어했는데, 특히 남녀가 자연스럽게 어울리는 교제를 증오했다. 그는 공식 업무를 수행하는 것 말고 공사관에 틀어박혀 중국사 연구에 몰두했고, 외출하는 것은 베를린 공원을 산보할 때뿐이었다. 그가 베를린에 데려간 배우자는 첩이었는데, 새금화賽金花('황금 꽃보다 더 아름다워')라는 예명을 가진 고급 화류계 여성이었다. 그녀는 파티를 좋아했으나 홍균은 그런 장소에 참석하는 것을 허락하지 않았고, 심지어 그가 공사 관저에서 파티를 열 때에도 근처에 오지 못하게 했다. 새금화는 아름다운 옷을 입고 하늘거리는 자태로 1층으로 내려와 손님들에게 인사를 하고서 다시 2층으로 올라가 저녁 내내 거기에 머물렀다. 드물게 파티에 참석하는 것이 허용되기도 했는데 그때에도 춤은 출 수 없었다. 남편이 허락하지도 않았지만 전족을 한 발 때문에 고통스러워서 제대로 걷거나 서 있기가 어려웠다. 그녀는 카이저Kaiser와 황후에게 인사를 올린 적도 있었고, 붉은 얼굴에 하얀 턱수염을 기르고 꿰뚫어보는 눈빛에 정중하지만 초연한 비스마르크 총리를 만나서 아름다운 부인이라는 칭찬을 듣기도 했다. 하지만 그게 전부였다. 그녀는 전에 중국에서 데리고 있던 하인들을 모두 잃었다. 공사 부부와 함께 바다를 건너 베를린으로 가겠다는 하인들이 없었던 것이다. 딱 두 명만 같이 가겠다고 했는데, 그들은 '돌아올 수 없는 여행'을 떠난다면서 이빨을 뽀드득 갈았으나 한 달에 50테일이라는 높은 봉급에 마음이 흔들려 따라나섰다. 그 액수는 북경의 일반 관리가 받는 한 달치 봉급보다 많은 것이었고, 새금화가 베를린에서 고용한 독일인 가정부들보다도 10테일이 더 많았다. 새금화는 독일인 가정부들이 "아주 인정이 많고 사람들을 잘 돌보며, 중국인 하인들보다 충성심이 강하고 훨씬 더 순종적이다."라고 말했다.

그러나 홍균조차도 그의 새로운 환경을 철저하게 거부할 수는 없었다. 처음에 그는 유럽식 양말을 신지 않겠다고 완강하게 거부했다. 그러다가 본국에서 가져온 거친 목면 양말보다 유럽 양말이 훨씬 편안하다는 것을 깨닫고서 고집을 거두었다. 그는 베를린을 떠날 때 서태후에게 줄 선물로 썰매를 하나 구입했다.

1880년대 중반에 이르러 서태후는 관리들이 '시간만 질질 끌기'를 하지 못하도록 철저히 감독했다. 북경의 중앙정부는 관리들의 세계 시찰단을 해외로 보내 서구의 제도와 문화를 배워와 국내의 제도를 개혁하는 인재로 활용할 계획이었다. 그래서 관리들을 대상으로 지원자를 모집해보니, 수십 명이 적극적으로 가겠다고 신청해왔다. 이것은 10년 전과는 격세지감을 느끼게 하는 현상이었다. 외국과 관계를 맺고 교섭하는 양무洋務는 더 이상 어려운 일 혹은 부끄러운 일로 여겨지지 않았다. 외국인들과 교제하는 업무는 이제 서로 탐내는 자리가 되었다. 당시의 일기와 신문 들은 사회가 많이 변했다고 찬사를 터뜨렸다. 지난 1천 년 이상 중국의 정치적, 사회적 구조를 떠받쳐온 신성한 과거제도도 근대화의 첫 번째 조짐을 보이기 시작했다. 과거에 참가하기 위해 지방에서 올라온 수험생들은 '철도', '국방', '조약 항구', '명조 이후 중국과 서구의 교역 역사' 등에 대한 논술을 써내도록 요구받았다. 이런 획기적인 출제 경향 때문에 수험생들은 새로운 문물을 배우고 또 새로운 사상을 익혀야 했다. 어떤 수험생들은 이런 출제 경향에 당황하면서 옛것과 새것을 서로 일치시키는 데 애를 먹기도 했다. 또 어떤 수험생은 화학과 증기기관의 본질을 기원전 4~5세기경의 사상가인 묵자墨子의 가르침에서 엿볼 수 있다고 주장하기도 했다.

청조의 적극적인 외교정책으로 즉각 혜택을 본 사람들도 있었는데, 1840년대 후반부터 시작된 노예-노동 교역의 희생자들이 그런 경우이다. 주로 쿠바와 페루에 많이 나간 중국인 노동자들은 그 수가 수십만을 헤아렸다. 1873년부터 1874년까지 청 정부는 이 노동자들의 실태를 파악하기 위해 조사 위원회를 파견했다. 쿠바에 나간 위원회는 이런 보고를 올렸다.

> 노동자들 가운데 8할이 넘치나 사기를 당했다고 말했다……. 아바나에 도착하자 그들은 노예로 팔아넘겨졌다……. 대다수의 중국인 노동자들이 사탕수수 농장주의 소유물이 되었다……. 조사된 참상은……너무나 심각하고 또 견딜 수 없는 것이었다. 농장에서의 노동은 몹시 가혹하고 음식은 부족했다. 노동시간이 너무 길었고 회초리, 채찍, 쇠사슬, 몽둥이 등에 의한 체벌로 부상이나 고통을 당했다. 지난 몇 년 동안 많은 노동자들이 구타로 사망했고, 또 상처가 덧나서 죽었으며, 더러는 목매달거나, 목을 베거나, 아편을 먹거나, 우물이나 설탕 용광로에 몸을 던져 자살했다.

페루에서도 중국 노동자들의 실상은 쿠바 못지않게 처참했다. 서태후가 1875년에 다시 집권하자 청 제국은 이 두 나라와 협상하면서 중국 노동자들을 보호하려 했다. 그녀는 이홍장을 수석으로 하는 협상단에 이렇게 강조했다. "당신들은 이런 중국인 학대가 근절되어 다시는 재발하지 않도록 방법을 찾아내야 합니다." 이어 체결된 협약 덕분에 노예 노동자들은 자유의 몸이 되었고 노예무역은 중단되었다. 서태후는 쿠바 협상의 수석이었던 외교관 진란빈陳蘭彬을 미국, 쿠바, 페루의 겸임 공사로 임명해 중국인 이민자들을 돌보라는 임무를 부여했다.

1875년, 세계 수준의 해군을 건설하는 사업에 배전의 노력이 경주되었다. 중국의 이웃 국가인 일본이 점점 공격적으로 나오면서 대만을 차지하려 들었기 때문이다. 서태후가 1873년 수렴청정을 내놓고 후궁 지역으로 돌아가려 했던 시기에 그녀와 최측근은 일본의 부상을 주목했다. 일본은 그 당시 서구로부터 활발하게 문물을 수용해 널리 배우면서 기계와 포함을 사들이고 철도를 건설하고 무기를 제작하고 있었다. 청 황실은 이 '최대의 항구적 위협'에 어떻게 대응할 것인지를 의논했고, 그 결과 서태후는 해군을 건설하는 연간 예산으로 400만 테일—엄청난 예산—을 승인했다. 당시는 유럽에서 철갑 포함이 막 발명된 때였다. 5월 30일자 칙명에서 서태후는 이홍장에게 "엄청나게 비싸기는 하지만" 그런 포함을 "한두 척 사들이라."고 지시했다. 칙명이 나오고 몇 년 지나지 않아 두 척의 철갑 포함과 한 무리의 다른 전함들이 구매되었다. 젊은이들을 프랑스로 보내 전함을 제작하는 방법을 배우게 했고, 영국으로도 청년들을 보내 해군 장교로 육성시켰다. 반면에 육군 장교 후보생들은 독일로 갔다.

그리고 1888년에 서태후는 서구식 해군 규정을 승인했다. 그녀가 중국 최초의 국기國旗를 실제적으로 승인한 것은 이 규정을 승인하면서였다. 중국은 예전에 국기가 없었으나 그녀의 집권 초기에 서구와 교전하면서 신생 해군에 삼각형의 황금색 깃발을 만들게 했다. 이제 그녀는 그 깃발을 국제 규격인 직사각형으로 바꾸는 것을 승인했다. '황룡기黃龍旗'라고 명명된 깃발에는 푸른색의 살아 움직이는 듯한 용이 그려져 있고, 다시 그 용은 태양을 상징하는 붉은색 구형球形을 향해 머리를 쳐들고 있었다. 이 국기의 탄생과 함께, '중국은 세계의 국가들 사이에서 자랑스

18. 환관과 바둑을 두고 있는 서태후의 모습을 그린 황실 화가의 그림.

19. 1904년에 찍은 서태후의 사진 초상. 그녀의 70세 생일을 축하해준 데 대한 감사 표시로 미국 대통령 시어도어 루스벨트에게 보낸 것이다. 사진 속 그녀의 얼굴이 에어브러시로 수정되었다.

20. 함풍제. 사후에 제작된 군주의 표준적 초상화. 함풍제는 1860년 스스로 단행한 유배 상태에서 죽었는데, 영국군이 원명원을 불태워 파괴한 것도 죽음을 재촉한 한 가지 이유였다.

21. 원명원에서 영국군이 영국으로 가져가 빅토리아 여왕에게 바친 개 '루티'. 빅토리아 여왕은 개의 초상화를 그리게 했다.

22. (왼쪽) 나중에 동치제가 되는 서태후의 아들. 한 살 위 이복 누나인 영안 공주와 함께.

23. (아래 왼쪽) 1875년 동치제가 사망하자 그의 뒤를 이어 서태후에 의해 세 살 때 황위에 옹립된 광서제.

24. (아래 오른쪽) 함풍제의 정비인 자안 태후. 서태후의 평생 친구이며 동태후라고 불렸다.

25. 자금성의 뒤쪽인 후궁 지역. 서태후는 이 높은 담장과 꽉 막힌 뒷골목을 '답답'하게 여겼다.

26. 자금성의 정문인 정양문. 남쪽으로 나 있으며, 아주 크고 넓은데 여자들은 이 문으로 출입하지 못했다. 서태후는 중국의 최고 통치자 시절에도 이 문을 드나들지 못했다.

27. 여자인 서태후는 모두 남자인 관리들을 직접 대면해서는 안 되었다. 그래서 접견 동안에 옥좌 뒤 노란 비단 장막 뒤에 앉아서 수렴청정했다. 어린 황제는 때때로 앞쪽의 옥좌에 앉았다.

28. 서양 화가가 그린 이화원 정경. 서태후는 이화원을 매우 좋아했다.

29. (위) 미국 화가 캐서린 칼이 세인트루이스 세계박람회 전시를 위해 1904년에 그린 서태후의 초상화.

30. (아래) 서태후가 고른 중국식 복장을 한 캐서린 칼.

럽게 한자리를 차지하게 되었다'고 당시의 서방 논평가는 말했다.

획기적인 해인 1875년 가을에, 북아일랜드 사람인 총세무사 로버트 하트는 해외무역을 대대적으로 확장해야 한다는 주제로 건의서를 작성하라는 지시를 받았다. '건의서는 중국에 해가 되는 것이 아니라 득이 되어야 한다는 것을 명심하라'는 구체적인 지시를 받았는데, 하트는 이 지시를 충실히 따르면서 제안서를 작성했다. 곧 양자강을 따라 내륙 쪽으로 더 많은 국제무역용 항구들이 중경重慶까지 개항되었다. 서태후의 정부는 토머스 웨이드의 요청에 따라 그 항구들을 자발적으로 개항했다*. 미국 필라델피아에서 열린 국제박람회에 중국인 관리가 처음으로 참가하여 그가 겪은 모든 일들을 보고서로 작성해 조정에 올렸다. 하트에 의해서 도입된 근대적 기관들 중에는 중국 우정국郵政局이 있는데, 1878년에 중국 최초의 우편 시리즈인 '위대한 용들'을 찍어냈다.

'중국을 강하게 한다'는 오래된 격언이 확대되어 이제 '중국을 부유하게 한다'가 추가되었다. 서태후의 최측근들은 '중국의 약점은 오래된 가난에 있다'는 데에 동감하면서 서구식 산업 공사들을 확대할 때에만 비로소 부유해질 수 있다고 여겼다. "우리는 점진적으로 그런 것들을 채택해야만 한다. 그래야 가난에서 벗어나 부유해질 수 있다." 이런 사업들은 이미 10년 전에 하트와 웨이드가 제안했던 것들이었지만, 이 오래된 나라는 당시엔 준비가 되어 있지 않았다. 관리들을 서방에 많이 파견함으로써 비로소 눈과 마음을 열게 되었던 것이다. 1875년에 서태후는 먼

* 새로운 항구들의 개항은 영국 공사관의 직원인 마거리Margary가 운남雲南에서 살해된 데에 대한 보상으로 맺어진 지부조약芝罘條約에서 명문화되었다. 영국이 이 조약을 무력시위로 요구한 것은 아니었다.

저 복건성福建省에 전신電信을 설치하는 것을 승인했다. 이는 대만과 대륙 간의 통신을 수월하게 하기 위한 것이었는데, 당시 일본은 이 섬을 눈독 들이고 있어서 서태후는 어떻게든 자국 영토를 지키려 했다. 제국 전신국이 설립되었고 근대적 사업가인 성선회盛宣懷가 국장에 임명되었다. 처음에 대중들은 전봇대와 전선을 끌어내렸다. 그러나 이것이 아무런 피해도 주지 않고 의사소통이 신속하게 이루어질 수 있으며, 또 생활의 편의에 크게 기여한다는 것을 알게 되자 파괴 행위는 멈추었고 전선은 제국 전역으로 퍼져나갔다.

또한 1875년에 서태후는 시골 지역 두 곳을 지정해 근대적 탄광업을 시작한다는 포고령을 내렸다. 저항은 완강했고 공포를 갖는 사유는 여러 가지였다. 그중 대표적인 것이 중국의 지하 보물들이 외국인에게 도난당할지도 모른다는 우려였다. 서태후는 이런 우려에 대해 구체적으로 대응했다. "외국인을 고용할 때는 의사결정권을 반드시 우리가 확보해야 한다. 외국인들에게 모든 것을 맡겨놓고 그들이 중요한 결정을 우리 대신 내리게 하지 마라." 두 시범 장소 중 하나는 대만에 있었고 다른 하나는 북경에서 동쪽으로 약 160킬로미터 떨어진 개평開平에 있었다. 서구의 기술자들이 곧 탄광에서 필요한 기계들을 가지고 도착했고, 서태후는 또 다른 유능한 사업가인 당연추唐延樞를 탄광업의 관리자로 임명했다. 당연추는 서구 회사에서 일하면서 이 방면의 지식을 획득했고, 중국 최초의 상선회사를 설립한 사람이었다. 당연추와 성선회는 다른 1세대 기업가 및 사업가들과 함께 중국 중산층의 부상을 예고했고, 개평은 '중국의 근대식 산업의 요람지'가 되었다. 거대한 산업단지인 당산唐山이 바로 여기에서 생겨났다. 이런 국영사업 이외에 개인들에게도 광맥의 노두露頭와 노천광을 개발하라는 동기부여가 주어졌다. 자금 문제를 해결하고 사업가들을 격려하기 위해 개인 사업가들은 주식을 발행해도 좋다는 칙명이 내려왔다.

탄광업과 함께 전기가 도입되었다. 서태후는 1888년 서원에 전구를 설치하게 함으로써 그 사업에 앞장섰다. 덴마크에서 발전기를 도입해오고 금군禁軍에서 그 기계를 담당했다. 이는 조약 항구 이외의 지역에서 최초로 도입된 전기였고, 다른 지역으로의 확대를 자극했다. 그 후 몇 년에 걸쳐서 민간용, 군수용, 상업용 등을 위한 17개의 전기회사들이 북경과 다른 여러 대도시에 설립되었다. 1889년에 이르러 북경에 최초의 전차가 도입되었다.

서태후는 또한 중국의 낡은 화폐단위인 은괴를 제조된 동전으로 교체하는 일을 추진했다. 중국은 은괴 속의 은 함유량이 제각각이었기 때문에 국제무역에서 그 가치가 저평가되어 불리한 입장이었다. 오로지 근대적 화폐만이 이 문제를 해결할 수 있고 또 외부 세계와 양립하는 중국 화폐의 기능을 담당할 수 있었다. 이것은 간단한 사업이 아니었고, 특히 초기 투자비가 많이 들어가기 때문에 더욱 실시하기가 어려웠다. 서태후는 강력한 저항에 부딪쳤지만 물러서지 않고 황실의 경비에서 초기 개발비를 내놓겠다고 제안했다. 이리하여 3년 만에 사업 결과를 검토한다는 단서 아래 조폐 사업이 시작되었다.

서태후가 1875년은 물론이고 그 후에도 제대로 추진하지 못한 가장 중요한 사업은 철도였다. 그것은 종교 비슷한 문제를 건드리는 것이었다. 전국에 산재하는 무수한 조상들의 뫼는 그 가족들이 풍수에 따라 정성껏 조성한 것이어서 마음대로 이장移葬시킬 수가 없었다. 그렇지만 철도가 그 부근을 지나간다면 현재의 위치에 그대로 놔둘 수도 없었다. 사람들은 시끄러운 기차 소리에 지하의 망령들이 돌아누울 것이라고 걱정했다. 서태후는 뫼를 신성한 것이라고 굳게 믿었다.

자금 조달의 문제도 있었다. 서태후가 정권을 다시 잡은 후인 1876년부터 1878년까지 3년 동안, 중국 각 성의 거의 절반과 2억 명에 달하는 백성들이 홍수, 가뭄, 메뚜기 떼의 피해를 입었다. 지난 200년 동안 가장 규모가 큰 일련의 자연재해였고, 중국 역사상 최악의 사태 가운데 하나였다. 수백만 명이 기근과 질병, 특히 장티푸스로 사망했다. 기근에 대응하는 전통적인 방식은 궁중에서 좋은 날씨를 비는 것, 궁중의 금고를 여는 것, 피해 지역에 면세 조치를 해주는 것, 구빈원을 설치하는 것 등이었다. 그리하여 해외에서 쌀을 수입하는 데 엄청난 돈이 들어갔다. 이런 상황에서 철도를 건설하려면 해외 차관에 의존해야 하는데, 일찍이 서태후가 겪어보지 못한 일이었다. 그녀는 조심스럽게 나왔다. "우리는 수천만 테일을 빌려야 할 겁니다. 그러다 보면 심각한 재정난에 빠질 수 있습니다."

철도의 유용성을 시범 보이기 위하여 영국 상인들은 1876년에 상해에서 외곽 항구인 오송吳淞까지 20킬로미터의 철도를 부설했다. 이는 중국에 처음으로 도입된 철도였다. 어느 날 기차가 궤도 위에서 움직이고 있는데 한 떼의 남녀노소가 궤도 위에 올라와 기차를 강제로 세웠다. 기차가 다시 움직여 가자 그들은 기차의 꽁무니를 부여잡고 다시 세우려고 했다. 또 어떤 날에는 한 남자가 기차에 치였는데 이 사건으로 인해 폭동이 일어날 듯했다. 토머스 웨이드가 영국 회사를 설득해 기차 운행을 중지했다. 철도를 둘러싼 양쪽 당사자를 모두 만족시키기 위해 중앙정부는 그 철도를 사들여 해체했다. 이는 서태후가 어리석게도 중국 최초의 철도를 해체하여 바다에 버렸다고 종종 주장된다. 그러나 실제는 다르다. 철도는 포장되어 바다 건너 대만으로 수송되었는데 그곳의 탄광에서 사용될 계획이었다. 대만 원주민들은 본토 사람들처럼 뫼에 대해 민감하지 않았다. 대만은 인구가 많지 않아서 그만큼 묏자리도 상대적으로 적었던 것이다. 그러나 궤도가 대만 현지에는 맞지 않아서 본토로 다시 가져와 개평 탄광에서 사용하려 했다. 이곳도 철도가 지나가는 지역은 비교적 황폐하고 사람들이 많지 않아서 묏자리가 비교적 적었던 것이다. 그러나 개평의 영국인 기관장 클로드 W. 킨더Claude W. Kinder가 현명하게도 표준 궤도를 채택하기로 결정함으로써, 협궤인 우송 철도는 마침내 폐지되기에 이르렀다.

10킬로미터 거리의 개평 철도가 부설된 후에 어떤 사람들은 인근 지하의 망령들이 놀라지 않을까 하는 우려를 표시했다. 그래서 기차를 말들이 끌게 했다가 조금 지나서는 기관차로 대체했다. 그 기관차는 킨더의 감독 아래 현지에서 조립한 것이었는데 '중국의 로켓'이라는 별명이 붙었다. 이 철도에 대한 반대가 산발적으로 터져나왔으나 마침내 잠잠해졌다.

그러나 중국에 더 많은 철도를 부설할 것인지 여부는 서태후에게 가장 어려운 문제로 남았다. 그녀는 10년 이상 이 문제를 고위 관리들 사이의 토론에 붙여왔다. 그들의 견해는 엇갈렸고, 평소 단호하게 결정을 내리는 성격답지 않게 서태후는 자주 망설였다. 이홍장이 주축인 찬성파는 철도가 방위, 수송, 여행, 통신에 아주 중요한 수단이라고 역설했다. 하지만 백성들이 우려하는 지하의 망령을 놀라게 하는 것과 엄청난 차관을 서구에서 들여와야 한다는 것 등이 그녀의 결정을 가로막았다.

결국 서태후는 직접 기차를 한번 타보기로 했다. 1888년 그녀는 프랑스 회사에서 6개의 차량이 달린 기관차와 3.5킬로미터의 철로를 사들여, 서원 내에 설치하게 했다. 그 부품을 포장하고 수성하는 데에는 6천 테일이 들었는데, 실제 철도를 건설하는 비용에 비하면 아주 적은 비용이었다. 서구의 철도 제작 회사들은 중국의 계약을 따내려고 치열하게 경쟁했다. 몇 년 전에는 영국이 동치제의 대혼 선물로 그와 유사한 철도를 무상 제공하겠다고 했으나 그녀가 거절했다. 이제 그 철도는 이홍장이 구매를 감독했다. 구매 가격은 상징적인 것에 불과하지만 파리에서 태후가 탈 차량을 포함해 모든 부품들이 완벽하게 만들어지고 있다고 그는 서태후에게 보고했다. 철도는 궁중의 풍수 전문가의 조언을 따라 착공 시기와 노선 방향을 결정했다. 풍수 전문가는 그해엔 북쪽으로 땅을 파들어가서는 안 된다고 조언했다. 그래서 북쪽 구간은 정해진 날인 다음 해 1889년 정월 10일, 오후 3시와 5시 사이에 공사를 시작했다. 마침내 철도가 완공되자 서태후는 비록 몇 분간이지만 시승하여 진짜 철도를 타는 것이 어떤 기분인지 맛보았다. 그녀는 빠른 속도와 여행의 편안함을 체험했지만 동시에 기관차에서 나는 검은 연기와 엔진의 덜커덕거리는 소리도 놓치지 않았다. 그 후 기차는 창고 속으로 들어갔고, 가끔씩 방문객들에게만 보여주었다. 이럴 경우 환관들이 기다란 노란 비단을 꼬아서 만든 줄로 차량을 끌었다.

이런 개인적인 체험이 벌어지던 시기인 1889년 4월에 장지동 총독이 독특하면서도 설득력 있는 주장을 펴자 마침내 서태후는 철도망을 갖추는 쪽으로 마음을 굳히게 되었다. 서태후보다 두 살 아래이며 단신에다 긴 수염을 휘날리는 장 총독은 근대화의 선구적 지도자였다. 당대의 서구인들은 그를 가리켜 '지성의 거인이며 성취의 영웅'이라고 불렀다. 서태후는 신유정변 직후에 개최한 전시殿試에서 그의 재주를 알아보고 발탁한바 있었다. 시사를 논한 그의 최종 논책은 과감하면서도 파격적인 것이어서 고관考官들을 당황하게 만들었다. 그들은 그를 '제1갑'의 바로 밑, 그러니까 '제2갑'의 첫째로 채점했다. 그러나 서태후는 그 논책을 읽고서 그녀 자신처럼 개혁적인 정신의 소유자를 알아보고 그를 전시의 탐화探花(전체 3등)로 올렸다. 그 후 여러 해 동안 그녀는 장지동의 제안을 적극 수용했고 또 그를 핵심 요직에 승진시켰다. 이제 그는 양자강 유역의 두 중요한 성을 관장하는 총독으로 있었다.

장 총독의 강력한 주장은 철도가 수출을 증대시킬 수 있다는 것이었다. 그는 국제무역의 시대에 백성과 나라를 부유하게 만들 수 있는 핵심 산업이 철도라고 지적했다. 그 당시 중국의 주요 수출품은 차와 비단뿐인데, 수입품은 근대화 사업 때문에 점점 더 많이 늘어나고 있었다. 1888년, 중국의 무역 결손은 3200만 테일 이상이었다. 그러나 차 수출 물량이 점점 떨어지고 있어서 미래가 암담해 보였다. 1867년에 중국은 서구의 차 소비량 가운데 90퍼센트를 수출했으나, 이제 영국령 인도와 타 지역에서 생산되는 차들이 국제시장에 들어왔다. 수출 품목의 범위 확대가 반드시 필요했다. 이런 필요를 염두에 두고서 장 총독은 북경에서 남하하여 내륙의 성들을 지나 무한武漢에 이르는 1500킬로미터의 간선철도를 건설하자고 건의했다. 무한은 양자강을 통해 바다로 연결되는 주요 도시였다. 이 철도가 부설되면 양자강 유역에 있는 내륙의 성들은 자연스럽게 외부 세계와 연결이 된다. 수입 기계들에 의해 다듬어진 현지 제품들은 수출 경쟁력이 높아지고, 철도를 통해 해안까지 수송할 수 있다. 이는 중국의 경제 상황을 크게 바꾸고, 가장 근본적인 장애 요인인 가난을 해결할 수 있을 것이다. 이런 원대한 이상을 품은 건의서는 서태후의 마음을 움직였다. 여기에 철도의 구체적 효과가 분명하게 설명되어 있었는데, 그것은 모든 희생과 위험을 감수할 만한 것이었다.

그녀는 장지동 총독의 건의를 심사숙고했다. 고위 대신들의 검토에 붙인 결과 아무런 반대가 없자 1889년 8월 27일 서태후는 남북 간선철도로 중국의 철도 시대를 알리는 칙명을 반포했다. 북경-무한 철도는 그 후에 광주까지 확대 연결되어 수송의 동맥이 되었고, 오늘날까지도 중국 경제에 봉사하고 있다. 서태후는 이런 먼 장래를 내다본 것 같다. 그녀의 포고는 하나의 선언서처럼 쟁쟁하게 울려 퍼진다. "이 공사는 장엄하면서도 큰 의미를 갖고 있으며, 자강 정책의 청사진 중에서 핵심 요소이다. 우리가 이 획기적인 사업을 착수하는 데 불가피하게 의심과 공포도 있을 것이다." 그녀는 이어 철도가 지나가는 지역의 성 책임자들은 현지 주민들에게 사업의 취지를 잘 설명해 방해하는 일이 없도록 하라고 지시하며 말했다. "결국에는 궁중과 재야가 한마음이 되고, 관리와 상인들이 협동해서 노력하여 완전한 성공을 거두기를 희망한다……." 장 총독은 이홍장과 함께 건설 책임자로 지명되었으며, 사업 본부를 무한에 두었다. 거기서 그는 철도 산업과 관련하여 여러 근대화 산업을 주도했고, 무한을 중국 산업화의 요충지로 만들었다.

서태후는 무분별하게 혹은 무조건적으로 산업화를 받아들인 건 아니었다. 1882년 이홍장이 직물 공장의 건립을 요청하자 그녀는 난색을 표시하면서 거절했다. "직물 제조는 기본적인 가내수공업입니다. 기계로 만든 옷감이 우리 여성들의 일거리를 빼앗아 그들의 생계를 위협하고 있습니다. 우리가 외국 직물의 수입을 막지 못하는 것이 안타깝습니다. 더 이상 우리 자신에게 피해를 주어서는 안 돼요. 이 문제는 아주 신중하게 다뤄야 합니다." 그 당시 '직물 제조'는 잠상蠶桑이라고 했는데 문자적 의미는 '누에와 뽕나무 잎사귀'이다. 이 비단 생산은 지난 수천 년 동안 중국 여성들의 주요 활동이었다. 이 전통을 유지하기 위해 해마다 누에가 활동을 시작하는 봄이 되면, 서태후는 궁중의 여관들을 데리고 자금성의 잠신蠶神 사당에 가서 기도를 올리며 어린 누에들을 잘 보호해달라고 빌었다. 그녀와 여관들은 궁중의 뽕나무 잎을 따다가 하루에 네다섯 번씩 누에에게 먹이를 주었다. 누에가 비단실 잣기를 끝내고 비단실이 가득 든 고치 안에 자기 몸을 틀어박으면 고치를 삶게 되는데, 수백 미터에 달하는 고치에서 뽑은 실은 실패에 올려서 옷감 짜기에 들어갈 준비를 완료한다. 서태후는 평생 동안 자신이 처녀 적에 만든 비단 옷감을 간직했다. 새로 나온 비단이 예전의 것처럼 가늘고 훌륭한지 비교해 보기 위해서였다. 그녀는 예전의 방식이 완전히 사라지지 않기를 바랐다. 그녀는 어떤 방면에서는 변화를 강력하게 밀어붙였지만, 다른 방면에서는 변화에 완강하게 저항하거나 아니면 마지못해 받아들였다. 서태후가 통치하는 중국의 산업화는 불도저로 마구 밀어붙여 모든 전통을 파괴하는 그런 식의 산업화가 아니었다.

12

제국의 수호자

(1875~1889)

1875년 아들이 황제로 등극한 이후로 순친왕의 성격은 서서히 변해갔다. 그는 먼저 형수를 두려워하기 시작했다. 아들을 빼앗기고 나자 그는 전에 보지 못했던 서태후의 특별한 점을 주목하게 되었다. 그녀는 비록 아주 드물게 사용하기는 했지만 치명적인 '침針'을 가지고 있었다. 순친왕은 1869년에 소안자의 처형을 강력히 주장했을 때에도, 또 서태후의 지시에도 불구하고 1870년의 천진 교안을 배후 조종했을 때에도 보복을 전혀 두려워하지 않았다. 이제 그는 서태후가 자신의 소행을 망각하지도 용서하지도 않는다는 것을 깨달았다. 5년 뒤 그녀는 아주 냉정하게 복수해왔다. 그 충격은 순친왕을 공황에 빠뜨렸다. 아들이 황제로 옹립된 후 서태후에게 보낸 편지에서 그는 그 소식을 듣고 '의식을 잃었다'고 썼다. 그는 '몽환에 빠진 듯 혹은 술을 마셔서 정신을 잃은 듯, 심신이 떨리는 상태로' 집으로 돌아갔다. 그는 쓰러졌고 '식물인간 상태로' 병상에 드러누웠다. 예전에 거드름을 피우던 태도는 온데간데없어진 채 과거의 잘못(구체적으로 적시하지는 않았으나)을 사죄하고 그 자신을 전적으로 비난하면서 그녀의 자비를 구하는 편지를 썼다. "당신은 나를 꿰뚫어보았습니다. 또 내게 분에 넘치는 혜택을 베풀어주었습니다. 모자라고 쓸데없는 바보의 목숨을 살려주기 위해서 말입니다."

이어 그는 서태후가 그를 파괴할 수도 있었는데 그렇게 하지 않고 오히려 친절하게 대해주었다는 사실을 깨달았다. 순친왕은 감은했고 공포가 외경으로 변했다. 그는 상당히 많은 시간을 명상하면서 보내며 '뒤로 물러서서 과거의 잘못을 보상할 방법을 생각한다(退思補過)'는 좌우명을 채택했다. 그는 이 글귀를 명판으로 만들어 서재 출입문 위에 걸어놓았다. 병풍의 서예에서 책상 위의 상아 문진에 새겨진 글귀에 이르기까지, 그의 집 안에는 이런 생각을 표시하는 물품들로 넘쳐났다. 그는 전에 서태후의 대對서구 정책에 반대했던 자신의 입장이 '편벽된' 것임을 깨달았다. 그리하여 그는 서태후를 적극적으로 지지하는 사람들 중 하나가 되었다.

순친왕의 변신은 사실 이보다 좀 더 중요한 원인들에 기인한 것이었다. 그는 서태후가 제국을 위해 성취한 업적에 강한 인상을 받았다. 그중에서도 대표적인 것은 영국, 프랑스, 독일, 이탈리아를 합쳐놓은 크기의 중앙아시아의 신강新疆 지역을 다시 탈환한 것이었다. 당대의 역사가 모스H. B. Morse는 20세기 초에 이렇게 말했다. "이 지역은 중국이 지난 2000년 동안 소유해왔던 곳이다. 중앙정부가 강력할 때는 아주 강력하게, 허약할 때에는 다소 느슨하게, 또 혼란의 시기에는 잠시 놓아두었다는 점만이 다르다……. 이 지역은 자주 중앙정부의 단속으로부터 탈퇴하려 했지만 곧 다시 정부의 통제 아래로 돌아왔다." 가장 최근의 탈퇴는 태평천국의 난이 터진 1860년대 초반의 일이었다. 탈퇴한 지역의 대부분은 무슬림 지도자인 야쿠브 벡Yakub Beg이 통제하고 있었는데, 나중에 주중 미국 공사가 된 찰스 덴비Charles Denby는 그를 가리켜 "행운의 군인"이라고 말했다. 서태후는 신강 지역을 다시 북경의 통제 아래 두고자 단단히 결심했다. 이런 결정은 이홍장의 건의와는 배치되는 것이었다. 그는 신강 지역을 탈퇴하게 놔두어서 제국의 속국으로 만드는 것이 좋겠다고 건의했다.

속국은 중국 주위의 소규모 독립국을 가리키는데, 이 나라들은 자국의 행정을 자치적으로 해나갔지만 중국 황제의 권위를 인정하여 정기적으로 조공을 보내오고 또 새로운 통치자가 들어설 때마다 중국의 승인을 받았다. 베트남 외에, 네팔, 버마, 라오스, 유구琉球 열도 등도 중국의 속국이었다. 이홍장은 신강 지역을 이런 속국으로 만들자는 것이었다. 그가 볼 때, 신강은 '수천 리에 걸친 황무한 지역'으로서 수복할 만한 가치가 없으며, 설사 정복한다고 하더라도 '그 주위의 여러 나라들이 눈독을 들이고 있기 때문에 오래 유지할 수가 없다. 북쪽에 러시아, 터키, 페르시아가 있고 서쪽에 다른 이슬람 국가들이 있으며, 남쪽 가까운 곳에는 영국이 포진해 있다……'. 신강을 되찾으려면 대군이 사막 속으로 장거리 행군을 해야 하고, 제국의 '재정 수단'이 감당할 수 없는 지구전을 펼쳐야 한다. 이것은 뛰어난 전략가인 고故 증국번의 견해였는데 순친왕도 이에 동의했다.

그러나 서태후는 신강을 놓아주지 않으려 했고, 1875년에 권력을 다시 잡자 이 지역을 수복하기 위해 좌종당左宗棠 장군을 현지에 파견했다. 이 원정遠征은 태후로서는 아주 긴급한 사항이었다. 러시아는 지난 4년간 신강의 핵심 지역인 이리伊犁를 점령하고 있었는데, 만약 중국이 지금 당장 조치를 취하지 않는다면 러시아의 영유권이 기정사실로 굳어지고 말 터였다.

그 원정의 뒷돈을 대기 위해 서태후는 각 성에서 돈을 갹출했고 또 좌종당 장군이 해외 은행에서 500만 테일의 차관을 얻어오는 것을 승인했다. 좌종당의 자세한 보고서를 통해 행군 상황을 면밀히 추적하던 태후는 대부분 자금을 지원해달라는 장군의 요구를 맞추기 위해 노심초사해야 했다. 60대의 투박한 전사인 좌종당은 사막 원정을 나서면서 자신이 들어갈 관棺도 가지고 갔다. 그것은 죽을 때까지 싸우겠다는 결의의 표시였다. 그의 원정은 성공적이었으나 아주 무자비한 것이었다. 장군은 1878년 초에 신강의 대부분 지역을 재점령했다. 자비는 그의 사전에 들어 있지 않은 말이었고, 학살이 자주 벌어졌다. 생포된 야쿠브 벡(이미 사망)의 아들들과 손자들은 청 왕조의 형법에 따라 거세형에 처해진 후 노예로 팔려갔다. 서구인들은 경악했다. 하지만 일부 온건한 성격의 중국 외교관들도 이런 징벌이 필요하다고 주장하면서 '당신들의 일이나 신경 쓰라'며 서구인들을 비난했다.

서태후는 좌종당과 그의 방식을 지지했다. 신강에 대한 통제권을 회복한 뒤 그녀는 좌종당의 건의를 받아들여 그 지역에 자율권을 부여하지 않고 중국의 한 성省으로 만들었다. 또 중국 군대를 그곳에 주둔시켜 의병들을 진압하지 않을 때에는 그곳의 처녀지를 개척하여 자급자족의 원천으로 삼았다.

서태후는 숭후를 상트페테르부르크로 보내 이리의 반환을 협상하도록 했다. 온화한 성격의 숭후는 1870년의 천진 교안 때 서구인들을 보호하려 했던 관리이기도 하다. 하지만 그는 강인한 협상가는 아니어서 여러 달에 걸친 회담 끝에 이리를 확보하는 대신 신강의 넓은 지역을 러시아에 할양하도록 강요하는 합의안에 서명하고 말았다. 이 합의에 대하여 북경 지도부는 크게 분노했고, 군기대신들은 서태후의 재가를 받아 그를 '사형 대기의 투옥형[假死罪]'에 처했다. 그러자 서방의 공사들은 강한 불만을 표시했다. 그것은 '중국의 새로운 외교술'에도 어울리지 않는 일이라는 항의였다. '대역죄를 저지른 것도 아니고 단지 실수를 한 외교관을…… 참형에 처한다는 것'은 있을 수 없는 얘기라는 것이었다. 빅토리아 여왕은 '중국의 위대한 황태후'에게 관용을 호소하는 개인 편지를 써 보내기도 했다. 서태후는 그들의 주장에 일리가 있다고 생각하여 숭후를 석방했다.

하지만 그녀는 러시아와의 조약은 거부했다. 러시아는 전쟁을 위협하면서 9만 명의 병력을 분쟁 지역으로 이동시켰다. 중앙정부를 도와 태평천국의 난을 진압하는 데 공로를 세운 상승장군 고든은 이런 조언을 했다. "만약 전쟁을 하려거든 북경 외곽을 불태우고, 문서와 황제를 북경에서 소개疏開시키십시오. 그리고 싸우십시오……. 5년간…… 평화를 원한다면 이리를 통째로 포기하십시오." 이런 두 가지 극단적인 시나리오는 전혀 서태후의 마음에 들지 않았다. 중국은 감당할 능력이 없으므로 전쟁은 불가능했다. 반면에 러시아는 더 많은 땅을 확보하기 위해 전쟁도 불사한다는 태세였다. 그러나 이리든 숭후가 양보한 지역이든 영토를 잃어버리면서까지 평화를 추구해서도 안 되는 것이었다. 서태후는 중국이 '상대국 못지않게 전쟁을 할 준비가 되어 있다'는 인상을 강하게 풍기면서 1880년 새로운 협상자인 증기택을 러시아에 파견했다. 서태후는 그에게 구체적인 지시를 내렸다. 가장 중요한 지시는 이러한 것이었다. 만약 분쟁 지역의 전역을 돌려받을 수 없다면 숭후 합의 이전의 상태로 타결하도록 하고, 이리는 당분간 러시아인들의 손에 맡겨두도록 하라. 단 이리에 대한 중국의 영유권 주장은 계속 유지하라. 증기택은 최소한 숭후 합의 이전 상태라는 가이드라인을 가진 채 어떤 사안은 절대 받아들일 수 없고 또 어떤 사안은 협상이 가능하다는 것을 분명하게 밝혔다. 협상 내내 그는 전보를 띄워 서태후와 연락을 취했다.

세부적인 준비 사항이 동반된 분명하고 정밀한 전략은 마침내 효과를 발휘했다. 중국은 이리는 물론이고 숭후가 양보한 지역 대부분을 되찾았다. 일종의 타협안*인 새로운 조약은 서방 관측통들에 의해 "외교적 승리"라고 평가되었다. 당시 상트페테르부르크 주재 영국 대사였던 더퍼린Dufferin 경은 이렇게 말했다. "중국은 미증유의 협상을 러시아에 강요하여 성사시켰다. 러시아는 일단 삼킨 것을 다시 토해낸 것이다." 근대적 외교술에서 거둔 최초의 승리 덕분에 증기택은 큰 칭송을 받았다. 그러나 핵심적 역할은 배후에서 서태후가 수행한 것이었다.

전쟁과 영토 상실에 직면한 최고 위기의 국면에서 서태후는 엄청난 신경 압박을 받고서 쓰러졌다. 그녀는 여러 날 계속해 잠을 자지 못했고 온몸에 힘이 없었으며 객혈을 했다. 전통적으로 해오던 방식대로 황실은 1880년 7월에 각 성장省長들에게 어의를 도울 의사들을 추천하라는 공문을 내려보냈다. 거기에는 '빨리 북경에 도착할 수 있도록 증기선으로 그들을 모셔오라'는 주문도 들어 있었다. 절강성浙江省 출신의 설보전薛寶田이라는 의사는 서태후를 최초로 진찰한 소견을 글로 남겨놓았다. 우선 그가 태후 앞에서 부복을 하자 그녀가 일어서서 침상 곁으로 다가오라고 지시했다. 그녀는 침상 주위에 드리운 노란 비단 장막 뒤에서 침

* 중국은 이리를 의병들에게서 지켜주고 또 교역을 계속하게 해주는 조건으로 러시아에 돈을 지불했다. 이 대금은 전쟁배상금은 아니었다. 그러나 중국 역사책은 그것이 배상금인 것처럼 기술하고 있다.

상 위에 가부좌를 틀고 앉아 있었다. 그녀가 한 팔을 장막 밖으로 내밀어 작은 탁자 위에 놓인 베개에 올려놓았다. 손수건이 팔을 덮고 있었는데, 의사가 진맥할 수 있는 부분만 맨살이었다. 의사는 무릎을 꿇은 채 손가락으로 태후의 손목 부분을 눌러보았다. 그는 '과도한 고민과 불안'이 병의 원인이라고 진단하면서 태후가 머리를 쥐어짜며 번뇌하지 않는다면 곧 회복이 될 것이라고 말했다. 그러자 태후가 대답했다. "알아요. 하지만 그렇게 할 수가 없어요." 그러나 그녀는 증기택의 외교적 승리에 고양되어 마침내 회복했다(이 와병에 대하여 서태후 비방자들은 그녀가 영록 혹은 총관總管 태감인 이연영李蓮英과 통정해 임신을 했는데 태아를 강제 유산한 후유증이라는 소문을 퍼뜨렸다.—옮긴이).

국사의 논의 과정에 순친왕도 끼어들었다. 그는 모든 공직에서 사퇴했으나 서태후는 일부러 그를 의사 결정 과정에 참여시켰다. 순친왕이 '고두하며 사퇴를 청원했었다'라고 과거를 들먹이며 그의 개입을 반대하는 이들에게 서태후는 자신이 그의 참여를 고집했다고 설명했다. 그녀는 자신이 국사를 어떻게 처리하고 있는지 순친왕에게 보여줌으로써 그의 지지를 이끌어낼 생각이었다. 그래서 순친왕은 서태후가 제국의 이익에 전력하고 있으며, 있는 힘을 다해 유능하게 제국을 지키고 있음을 직접 목격했다. 그는 신강 원정과 러시아와의 대치에서 강단 있게 대처한 것과 타협하고 협상하는 서태후의 능력에 큰 감동을 받았다. 그녀와 비교해 볼 때, 외국인들에 대하여 '보복'을 외쳐대는 이들은 막상 외국의 위협에 직면했을 때에는 어떻게 대응해야 하는지 전혀 알지 못했다. 이런 여러 가지 일들을 겪으면서 순친왕은 서태후가 제국의 귀한 보물임을 깊이 깨닫고서 앞으로 그녀에게 순종할 것을 결심했다.

순친왕을 가장 감동시키고 그를 결정적으로 서태후의 '종'으로 만든 사건은 1884년에서 1885년까지 벌어진 대 프랑스 전이었다. 프랑스는 1859년에 중국의 이웃 나라이며 속국인 베트남을 식민지로 삼으려는 군사작전을 개시했다. 프랑스가 베트남 남부를 병탄하고 북쪽으로 진격해올 때 청 정부는 아무런 조치도 취하지 않았다. 대표적인 이유는 베트남이 도움을 요청하지 않았기 때문이었다(속국은 그런 도움을 요청할 자격이 있었다). 서태후가 베트남에 병력을 파견한 것은 베트남의 요청에 따라 그곳에서 준동하는 중국인 비적들을 검거하기 위해서였다. 비적 소탕 작전이 끝나자 중국 군대는 철수했다.

이 무렵 서태후는 제국의 국경 문제에 관해 심사숙고한 끝에 한 가지 방침을 세워놓았다. 그녀는 중국 본토는 무슨 일이 있어도 지키려 했으나 강요에 의해 그렇게 할 수밖에 없을 때에는 속국들을 포기할 계획이었다. 현실적인 여자인 서태후는 강력한 유럽 세력들이 주위에 진출해 있기 때문에 제국이 속국들을 예전처럼 거둘 수 없다는 것을 잘 알았다. 그래서 신강에 원정군을 보내고 대만을 지키기 위해 모든 노력을 다하면서도 속국인 유구 열도가 1870년대 말 일본에 합병되었을 때 항의만 했을 뿐 그 이상의 조치는 없었다. 마찬가지로 베트남에 대해서도 그 나라를 속국으로 지킨다기보다는 중국의 대월對越 국경을 안전하게 확보하는 선에서 그치려고 했다. 1883년 8월, 베트남은 강제로 프랑스의 보호령이 되었다. 프랑스의 총리 쥘 페리Jules Ferry는 식민지를 거느린 제국을 지향해 튀니스, 콩고, 니제르, 마다가스카르, 인도차이나 등 다양한 지역에서 제국주의적 모험을 시작했다. 그리하여 프랑스 군대는 이제 중국과 접한 베트남 국경을 향해 꾸준히 북상하고 있었다.

서태후는 전쟁을 준비했다. 궁중과 민간의 점성술사들은 며칠 동안 밝게 빛나는 하늘과 유성의 각도 등을 관찰하면서 대규모 전쟁이 다가오고 있다는 징후를 읽어냈다. 서태후는 점성술을 신봉했다. 그녀는 혜성을 하늘의 경고라고 생각했다. 과거에도 하늘에 혜성이 나타나면 그녀는 자신이 무엇을 잘못했는지 곰곰이 반성했고, 도하 각 성에 칙명을 내려 무능한 관리가 채용되지는 않았는지, 백성의 가난 구제를 게을리하지 않았는지 등을 하문했다. 밤하늘의 비상한 동향을 보고받은 그녀는 두려움에 사로잡혔다. 몇 달 동안 계속된 추위로 감기에 걸린 그녀가 신하들을 접견하면서 계속 기침을 했다. 관리들이 그녀에게 마음을 편히 가지라고 하자 이렇게 말했다. "하늘에 불길한 징조가 나타나는 이때에 어떻게 걱정하지 않을 수 있겠어요?"

프랑스 군대가 중국의 남쪽 국경을 압박하자 서태후는 광서성과 운남성雲南省에 접한 베트남 북단 지역인 통킹TongKing에 군대를 파견했다. 운남은 프랑스인들이 귀중하게 여기는 광물자원이 많이 나는 땅이었다. 서태후의 의도는 통킹의 일부를 완충지대로 지킨다는 것이고, 그것이 여의치 않다면 국경을 수비한다는 것이었다. 12월부터 그다음 해인 1884년 3월까지 중국 군대는 이 지역에서 프랑스 군과 교전해 거듭해 패배를 당했다. 프랑스 군은 중국 본토 안으로 침략해올 기세였다.

군기처의 영수인 공친왕은 기질적으로 상대방을 달래며 타협하는 사람이었다. 서구 열강과 전쟁을 해서 이긴다는 전망을 어둡게 보는 친왕은 서태후가 대 프랑스 전을 배후 지휘하는 데 별 도움을 주지 못했다. 옹동화의 일기에 의하면 공친왕은 "막연한 이야기를 할 뿐 구체적인 제안을 하지 못했다". "그는 태후에게 자주 건의했지만 모두 사소한 것뿐이었다." 때때로 그는 좌불안석이었고 어떤 때는 군기처 사무실에 출근도 하지 않았다. 그의 건강이 좋지 않다는 것도 불리한 요인이었다. 공친왕은 지난 몇 년 동안 여러 가지 병을 앓아왔고, 때때로 객혈을 해서 태후는 그에게 장기 휴가를 내려주었다. 그의 정력은 고갈되었고 판단력은 둔화되었다. 그런데도 그가 사표를 제출하지 않기 때문에 서태후로서는 신유정변 때부터 그녀를 지근거리에서 보필해온 지체 높은 친왕을 마음대로 사직시킬 수가 없었다. 그녀는 상당 기간 속으로만 끙끙 앓고 있었다.

더는 견딜 수 없는 사건이 1884년 3월 30일에 벌어졌다. 당시는 중국군이 프랑스 군대에 처참한 패배를 당한 때였다. 상황이 이런데도 공친왕은 가을의 태후 50세* 생일잔치 건, 특히 선물 진상 건에 대해 의논하고자 했다.

공친왕은 서태후 앞에서 부복한 채 한 시간 반 동안 그 얘기를 계속 늘어놓았다. 태후는 짜증을 내며 그를 물리쳤다. "국경 상황이 이 모양인데 그대는 생일 선물을 얘기하고 있군요! 이런 위기에 그런 건 의제가 되지도 못해요. 왜 그런 문제로 나를 귀찮게 하는 거요?" 그러나 공친왕은 조금도 굽히지 않고 계속 같은 얘기를 했다. 그는 하도 오랫동안 무릎을 꿇고 있어서 말을 마치고는 제대로 일어서지를 못했다. 현장을 목격한 옹동화는 일기에 이 사건을 기록하며 공친왕에 대한 경멸감을 감추지 않았다. 그다음 날에도 공친왕은 다시 입궐해 같은 얘기를 늘어놓으면서 "제발 태후께서 생일 선물을 받아주시기를 바란다."고 주청했다. 서태후는 '무거운 마음을 보여주는 말로써 그를 비난했으나' 공친왕은 그 말을 제대로 알아듣지 못했다. 옹동화는 '주제넘게 나서서' 공친왕에게 조언을 했다. 그는 친왕에게 태후의 말씀을 새겨듣고서 제발 "사소한

* 중국 음력에 따른 것.

것들에 더 이상 신경 쓰지 말라"고 말했다. 옹동화는 일기에서 경멸하는 어조로 썼다. "친귀親貴들 가운데 최고로 신분 높은 분이 이토록 지능이 낮다니!"

서태후는 그때 공친왕을 사직시키기로 결심했다. 그것은 결코 쉬운 일이 아니었다. 그는 25년 동안 군기처의 영수로 일해왔고 제국에서 서태후 다음으로 가장 유력한 인물이었으므로, 그녀는 이 문제를 아주 조심스럽게 다루지 않으면 안 되었다. 그녀는 적절한 구실을 붙여서 공친왕을 며칠간 북경 밖으로 내보냈다. 그가 떠나 있는 동안 서태후는 순친왕을 불러서 마치 정변을 계획하는 것처럼 사전 준비를 시켰다. 4월 8일 공친왕이 돌아오자 서태후는 그와 군기대신 전원의 일괄 사표를 알리는 붉은 먹으로 쓴 칙명을 내밀었다. 이렇게 일격을 가하며 서태후는 매일 그녀 곁에 있으면서 개혁의 도전을 함께 헤쳐 나온 20년 이상의 정치적 동반자와 결별했다. 그것은 오랜 세월 그녀에게 오로지 충성심과 동지 의식을 바쳐온 친밀한 친구에게 대하는 것이라기보다 철천지원수를 쳐내는 방식이나 다름없었다. 서태후는 불편한 마음이 있었기에 이후 10년 동안 그를 만나지 않았다. 공친왕은 그녀에게 아무런 불만이 없으며 그런 조치를 취한 이유를 충분히 이해한다고 진언했다. 그는 서태후의 생일을 축하하는 신하의 신분으로 그녀를 만나기를 번번이 요청했으나 그때마다 거부당했다.

서태후는 새로운 군기대신들을 임명하고 순친왕을 영수로 삼았다. 그는 광서제의 생부이기 때문에 공식적인 영수는 되지 못하고 그의 집에서 집무를 보았다. 이러한 권력 이양은 두 형제 사이에 전혀 마찰을 일으키지 않았다. 전에는 서구인들에 대한 정책 차이로 갈등 관계였던 두 형제는 이제 한결 가까워졌다. 근본적으로 사람이 바뀐 순친왕은 불명예 퇴진한 이복형을 자주 찾아가 만났다. 그들은 형수에 대한 존경심을 공유했다. 두 형제는 서로에게 시를 써서 보냈는데, 공친왕의 시는 '지나간 세월을 회고하기가 가슴 아프다'는 반복적인 주제를 노래하면서 서태후와 협력하던 시절에 대한 향수를 표시했다. 그는 또 순친왕을 통해 그런 추억을 소중하게 여기며 앞으로도 계속 그녀에게 충성하겠다는 의사를 전달했다.

순친왕도 형만큼이나 프랑스와의 위기를 돌파하는 방법에 대하여 아는 것이 없었다. 그러나 그는 서태후의 지시를 흔들림 없이 효율적으로 이행했다. 서구인들은 순친왕이 형과는 다르게 타협을 모르는 매파라고 생각했다. 그리고 공친왕 대신에 그를 앉힌 것은 전쟁의 길을 계속 가겠다는 서태후의 정치적 결단으로 보았다. 실제로 그녀는 '적을 상대로 지구전'을 벌일 각오를 했고, 고국에서 멀리 떨어진 프랑스 군대는 지쳐서 결국 먼저 전쟁을 끝내려 할 것이라고 내다보았다.

하지만 그녀의 진짜 목적은 전쟁이 아니라 평화였고, 필요하다면 베트남을 내줄 생각도 있었다. 단 프랑스가 중국의 국경을 존중한다는 약속은 반드시 해주어야 했다. 그녀는 이홍장을 수석 협상자로 임명했다. 그는 이제 수석 고문관일 뿐만 아니라 중국의 최고 외교관이었다. 공친왕보다 월등히 우수한 그는 서태후와 완벽한 조화를 이루며 일을 해나갔다. 이 당시 이홍장은 돌아가신 어머니를 위해 거상居喪 중이어서 27개월 동안 아무런 일도 할 수 없었다(부모 사후의 3년 거상은 정확하게는 25개월이었으며, 2년이 지나서 3년차에 들어가는 첫 달에 끝났다. 여기서 27개월이라고 한 것은 월중에 거상이 시작되어 두 달에 걸친 것을 통산한 것으로 보인다.—옮긴이). 그러나 서태후는 군사적 임무를 맡은 사람들에게 거상의 의무를 면제해준 고대의 성인들 사례를 열거하면서 그 기간을 줄이라고 지시했다. 협상 기간 중에 두 사람 사이에는 전보가 오갔다. 그들은 프랑스가 아프리카 쟁탈전에 깊숙이 뛰어들어 중국과 장기전을 치르고 싶은 생각이 없음을 꿰뚫어보았다. 평화는 충분히 성취 가능한 것이었고, 이홍장은 천진에서 프랑스 사령관 푸르니에F. E. Fournier와 합의를 이끌어낼 수 있었다. 사실 두 사람은 친구 사이였다. 이-푸르니에 협약은 서태후가 받아들일 수 있는 최소한의 조건들을 구체화한 것이었다. 즉 프랑스는 중국의 남쪽 국경을 침범하지 않고, 또 다른 사람들이 그렇게 하는 것을 허용하지 않는다고 약속해야 한다. 그에 대한 반대급부로 중국은 프랑스가 베트남을 통치하는 것에 대하여 동의해야 한다. 푸르니에는 이홍장에게 프랑스 외무부가 전쟁배상금을 요구한다고 알려왔다. 프랑스 국내의 여론이 그것을 요구한다는 것이었다. 서태후는 이홍장에게 그 요구는 "전적으로 부당하고 결코 합리적이지 않으며, 명백하게 국제협약에 배치된다."고 말했다. 이홍장은 그 요구 사항을 거부했고, 푸르니에는 고집하지 않았다. 합의문 초안이 서태후에게 송부되었고, 그녀는 1884년 5월 9일에 전보로 회신했다. '합의안을 정독하였음. 해당 조목들이 우리나라의 근본적 이해에 피해를 주지 않음. 승인함' 그 협약은 11일에 체결되었다.

서태후는 베트남에서 병력을 철수시키기 시작했다. 파리 정부가 배상금을 한 푼도 받아내지 못해 불만이고, 또 포함이 오고 있는 중이라는 것을 알았기 때문에 조심스럽게 철군했다. 7월 12일, 프랑스는 2500만 프랑이라는 거액의 배상금을 최후통첩해왔다. 중국이 무력 충돌을 먼저 시작해 합의를 깨뜨렸다는 것이었다. 그 무력 충돌은 우발적 사건이었고, 서구 관측통들은 '고의가 없는 오해'에 기인한 것이라고 판단했다. 서태후는 분노했다. 접견실에서 그녀를 직접 본 사람들은 그녀가 아주 강한 태도로 나왔다고 말했다. 그녀는 배상금 협상에 찬성하는 이들에게 절대 그런 소리는 하지 말라고 입단속을 시켰다. 그 당시 이 갈등에 관여한 사람들은 이홍장을 포함하여 거의 전원이 전쟁을 피하려면 어느 정도 프랑스의 요구를 들어줘야 한다고 생각했다. 하지만 서태후는 프랑스에 단 한 푼도 줄 수 없다며 단호했다. 중국 외교관들이 훨씬 낮은 금액을 제시하면서 타협하는 게 어떻겠느냐는 제안을 했을 때 그녀는 외교관들을 엄중하게 질책했다. 서태후는 먼저 미국에 이 전쟁을 중재해줄 것을 제의했다. 그러나 프랑스가 그 중재를 거부하자 그녀는 이를 갈면서 '전쟁은 불가피하다'고 선언했다. 그녀는 사념조史念祖라는 신하를 접견하면서 이렇게 말했다. "청나라와 외국의 관계에 대해서 말해보자면, 물론 평화를 유지하는 것이 더 좋다. 그러나 진짜 평화를 원한다면 우리는 싸울 준비를 해야 한다. 모든 요구 사항에 굴복하고 나서 평화를 추구하려 든다면 우리가 그것을 얻을 가능성은 더 적어진다."

프랑스는 1884년 8월 5일 청프전쟁(중불전쟁)을 개시해 먼저 대만을 공격했고 이어 남동 해안의 복주에 있는 중국 선단과 해군 조선소까지 폭파했다. 그 조선소는 프랑스인 프로스페르 지켈의 지휘 아래 지어진 것이었다. 8월 26일, 분노로 가득한 포고를 내리면서 서태후는 중국이 프랑스와 교전 중이라고 선언했다. 고대의 전쟁 수사법에 약간 근대적인 어구가 추가되었다. 프랑스 국민을 위시하여 중국에 거주하는 외국인들을 보호하라는 것이었다. 연해沿海의 관리들이 남해 섬들의 중국인들에게 좌초된 프랑스 배들에 제공하는 음식에 독을 넣으라고 지시하는 방을 내붙였다는 얘기를 듣자, 서태후는 의지懿旨를 내려서 즉각 그 행위를 중단시켰으며 해당 관리들을 질책했다. 또 해외에 나가 있는 중국인들에게는 군사적 갈등에 끼어들지 말라고 주의를 주었다.

그 후 몇 달 동안 중국군은 여러 번 승리를 거두었으나 그보다 훨씬 많은 패배를 당했다. 그러다 1885년 3월 말 중국군이 남쪽 국경의 진남鎭南 고개에서 획기적인 승리를 거두면서 프랑스 군은 전략적으로 중요한 도시인 양산諒山에서 철수했다. 프랑스 본국의 쥘 페리 내각이 붕괴되자 그의 후임자는 재빨리 평화 협상안을 들고 나왔다. 평화조약은 6월 9일 천진에서 이홍장과 프랑스 공사 쥘 파트노트르Jules Patenôtre 사이에 체결되었다. 이 조약은 본질적으로 1년 전의 이-푸르니에 협약과 똑같은 것이었다. 프랑스는 중국에서 한 푼도 얻어내지 못하고 다시 원점으로 돌아간 것이다. 중국 측에서 볼 때 전쟁 수행 비용은 엄청난 것이었지만 중국 민중들의 사기를 크게 드높여준 전쟁이었다. 옹동화의 말을 따르면, "그것은 중국이 약체라는 겁먹은 체념을 일소해버렸다".

서태후는 자신이 주요한 전쟁을 수행할 능력이 있음을 보여주었을 뿐만 아니라 적당한 시기에 그것을 중단할 판단력도 있음을 과시했다. 국경에서의 승리 이후에 전방의 사령관들은 계속 싸울 것을 희망했다. 평소에는 신중한 장지동 총독도 양산 지역을 지키고 그 외에 다른 베트남 지역을 확보하여 남쪽 국경의 완충지대로 삼는 방안을 지지했다. 서태후는 현지 사령관들에게 일련의 긴급한 절대복종의 명령을 내리면서 휴전하고 빨리 철군하라고 지시했다. 그녀는 사령관들에게 '앞으로 계속 승리할 수 있으리라는 확신이 없고, 설사 승리한다 하더라도 결국에는 베트남이 우리의 손에 들어오지 않는다'고 말했다. 그녀는 베트남 사람들이 중국의 지배에 저항해온 오랜 역사를 잘 알고 있었다(국경에 있는 고개 '진남'도 그 뜻이 '베트남을 진압한다'는 것이다). 게다가 당시 일부 베트남 사람들은 프랑스인들을 적극적으로 돕고 있었다. 또한 프랑스는 대만을 봉쇄하고서 만약 전쟁이 계속되면 대만을 공격할 태세였고, 그럴 경우 중국은 필경 대만을 잃게 될 터였다. 서태후의 전보는 아주 엄중한 문안으로 작성되어 있었는데 장 총독과 다른 고관들은 머쓱해하며 그 지시에 복종했다. 나중에 이때를 회고하면서 순친왕은 이렇게 썼다. "프랑스와 평화를 맺으려는 서태후의 예견과 결단력이 없었더라면, 우리는 끝없이 위험한 전쟁에 말려들었을 것이고, 그러면 국고는 비어버리고 국방은 더욱 취약해졌을 것이다. 그렇게 되면 어떤 일이 벌어졌을지 상상이 되지 않는다."*

서태후의 대 프랑스 전쟁 조치로 인해 청 제국은 대내외에서 존경을 받게 되었다. 로버트 하트는 이렇게 선언했다. "올해의 시련에서 중국이 잘못했다고 말하는 사람은 없으리라 본다……." 평화협정 체결에 따른 연회장에서 프랑스 측 서명자 파트노트르는 열광하는 목소리로 말했다.

> 우리가 금방 서명한 외교적 합의로 과거의 분쟁을 종식시켰다고 확신한다. 뿐만 아니라 우리의 기억에서 신속하게 그런 분쟁에 대하여 지워지기를 희망한다. 프랑스와 중국 사이에 새로운 연결고리를 창조함으로써…… 6월 9일의 조약은 의심할 나위 없이 중국과 외국 간의 공동 이익을 발전시키고 또 강화할 것이다. 그런 공동 이익은 민족 간의 우의를 효과적으로 보장해왔다.

이홍장 백작도 같은 뜻으로 말했다. "앞으로 우리 두 나라의 우정은 밤의 어둠을 물리치는 아침 해처럼 빛날 것이다."

* 서태후는 오늘날에도 중국이 전투에서 승리한 다음에 청프전쟁을 끝냈다고 비난을 받는다. 비판자들은 중국이 계속하여 베트남을 속국으로 거느렸어야 했다고 말한다.

프랑스와의 전쟁이 끝난 후 서태후는 해군을 재건하고 근대화하는 사업에 집중하면서 붉은 먹으로 친히 글을 써서 그 사업의 중요성을 강조했다(그녀가 제왕의 권위를 상징하는 붉은 먹을 사용하는 경우는 드물었다). 유럽에서 더 많은 포함을 사오고 또 더 많은 중국 선원들이 서구인 강사에게 훈련을 받도록 했다.

1886년 봄, 그녀는 순친왕을 보내 대고항大沽港 맞은편에 있는 북양함대北洋艦隊를 시찰하게 했다. 친왕은 이때 서태후가 신임하는 총관 태감인 이연영을 데리고 갔다. 물담배 파이프를 들고 친왕의 옆에 서 있는 이연영은 시찰단에서 단연 눈에 띄는 인물이었다.

순친왕은 일부러 그를 데리고 갔다. 17년 전에 서태후의 신임하는 환관인 소안자는 동치제가 혼례 때 입을 용포를 사기 위해 소주로 파견되었다. 비록 서태후의 명을 받고 떠난 여행길이었지만 소안자는 감히 환관 주제에 수도를 떠났다는 이유로 참형에 처해졌고, 그때 순친왕이 극형을 주도했다. 이제 친왕은 자신이 과거에 저지른 잘못에 대하여 서태후에게 참회의 태도를 보여주고 있었다. 서태후가 신임하는 태감을 북경 밖으로 나가는 여행에 동행시켜 근대식 함선을 타고 바다에 나가게 함으로써 친왕은 서태후에게 때늦었지만 받아줄 것이 분명한 사죄를 하고 있는 것이었다.

순친왕은 제국을 수호한 서태후에게 자신의 고마운 마음을 표시하고 싶어서 이런 이례적인 조치를 취했다. 1880년대에 그녀는 유럽 제국들과 조약을 완료하여 그들에게서 중국의 국경을 존중하겠다는 약속을 받아냈다. 이렇게 하여 중국 국경이 공식적으로 설정되었고, 오늘날까지도 그 틀을 그대로 유지하고 있다. 이 10년 동안에 맺은 조약 대상국으로는 러시아(1881년), 프랑스(베트남과의 국경에 관한 것, 1885년), 영국(버마에 관한 것, 1886년 그리고 시킴Sikkim에 관한 것, 1888년) 등이 있다. 그 당시 전 세계를 휩쓸면서 오래된 왕국들을 병탄하고 오래된 대륙들을 분할하던 유럽 열강이 중국을 가만 내버려둔 것은 오로지 서태후 덕분이었다.

1889년 초, 성취의 정상에 도달한 서태후는 이제 은퇴하고 17세된 양아들 광서제에게 권력을 이양하겠다고 선언했다. 그녀의 통치 아래 중국은 연간 국가 수입이 갑절로 늘어났다. 그녀가 집권하기 전의 국가 수입은 연간 4천만 테일 정도였으며, 심지어 건륭제의 성시盛時에도 그러했다. 이제 수입은 8800만 테일에 달했는데 그중 3분의 1이 관세 수입이었다. 이처럼 많은 관세를 거둘 수 있었던 것은 서태후의 문호 개방 정책 덕분이었다. 후궁 지역으로 물러나기 전에 그녀는 약 100명에 달하는 살아 있는 혹은 사망한 신하들을 표창하는 서훈 명단을 내렸다. 그 명단에 두 번째로 오른 사람은 총세무사 로버트 하트였는데, 잘 조직되고 효율적인 재정 기관의 운영과 '국가에 점점 많은 수입을 가져다준' 부정부패의 근절 등이 표창 사유로 거론되었다. 관세 수입은 수백만 백성들의 목숨을 살려주었다. 그 전해인 1888년 중국은 홍수, 지진, 기타 자연재해를 겪으며 큰 피해를 보았다. 이때 중국 정부는 백성을 구호하기 위해 쌀을 해외에서 사들이며 은 1천만 테일을 지불했는데, 이 돈의 대부분이 관세 수입에서 나왔다. 그녀가 하트에게 내린 영예는 조상 3대에 대한 1급 최고 훈장이었다. 이것은 그의 후손 3대에 내린 것이 아니라 조상 3대에게 내린 것이기 때문에 최고의 영예였다. 하트는 친구에게 이렇게 편지를 썼다. "중국인들에게 이보다 큰 영예는 없다. 서태후가 은퇴하기 전에 이런 은전을 내리다니 나로서는 아주 만족스럽다……."

서태후는 또 중국과 그들 나라 사이에 좋은 관계가 형성되도록 도와준 외국 공사들에게도 감사하는 포고문을 내렸다. 그녀는 총리아문에 명하여 길일을 골라 공사들에게 대연회를 열어주라고 했다. 또 이 연회에 맞추어 그녀는 각 공사들에게 벽옥으로 만든 여의홀如意笏과 그녀 자신이 손수 고른 비단과 공단을 하사했다. 큰 연회는 1889년 3월 7일에 열렸으며, 서구의 공사들이 대거 참여하여 서태후에게 찬양을 바쳤다. 그것은 서태후 생애의 정점이었다.

그 공사들 중에는 1885년에서 1898년까지 북경 주재 미국 공사를 지낸 찰스 덴비도 있었다. 그는 나중에 당시 서구인들 사이에서 퍼져나간 서태후의 '찬란한 명성'과 그녀의 업적에 대해 글을 썼다.

> 그녀는 내전을 종식시킴으로써 제국의 영토를 온전하게 보존했다. 이뿐만 아니라 훌륭한 해군을 창설했고 육군도 크게 향상되었다. 전신주가 전국 각지에 세워지고 복주, 상해, 광주, 대고항, 여순항旅順港 등에 무기창과 조선소가 건립되었다. 서구식 채광 방법이 도입되었고 두 개의 철도가 부설되었다. 증기선들이 주요 하천에서 운항하게 되었다. 수학 공부가 장려되었고 자연과학이 과거 시험에 도입되었다. 절대적인 종교의 자유가 허용되고 선교사들이 중국 각지에 들어갈 수 있게 되었다……. 서태후의 통치 시기에 많은 학교와 대학들이 중국인들의 손에 의해 세워졌다.

더욱이 서태후의 통치는 청 역사상 가장 관대한 시기였다. 예전의 황제들은 사람들의 말과 글을 시비 삼아 처형했으나 서태후 시절에는 그런 일이 없었다. 기아를 구제하기 위해 해마다 대규모로 식량을 수입하면서 수십만 때로는 수백만 테일을 지출했다. 다시 덴비는 이렇게 썼다.

"이 시기에 이르기까지 서태후는 백성들에게 친절하고 자비로웠으며, 외국인들에게는 공정했다." 대외관계는 근본적으로 개선되었고 중국과 미국의 관계는 "안정적이면서도 만족스러웠다". 또 미국 공사는 이런 중요한 사항을 지적했다. "서태후는 중국과 외부 세계의 관계가 중요하다는 것을 이해한 최초의 중국인이었다. 이 대외 관계를 잘 활용하면 왕조의 기반이 강화되고 또 물질적 발달을 촉진시킬 수 있다는 것을 꿰뚫어 보았다." 서태후는 중국이 스스로 부과한 고립을 끝내고 중국을 국제사회로 이끌어내는 기관차가 되었다. 그녀는 오로지 국가를 부강하게 만들기 위해 이렇게 했다. 덴비는 다음과 같이 요약한다. "그 당시 그녀는 외국인들 사이에서 널리 존경을 받았고, 역사상 가장 훌륭한 인물들 가운데 하나라는 평가를 받았다……. 25년에 걸친 그녀의 통치 시기에 중국은 굉장한 발전을 이루었다."

현대 중국의 틀은 이때 구비되었고, 그 창조자는 서태후였다. 덴비는 강조했다. "위에서 언급한 개선과 발전이 주로 섭정 서태후의 의지와 권력에 의한 것이었음을 아무도 부인하지 못할 것이다." 이런 빛나는 업적과 함께 서태후는 1889년 초에 제국의 키를 양아들인 광서제에게 건네주었다.

제 4 부

아들 광서제의 친정

| 1889~1898 |

13

서태후에게서 멀어지는 광서제

(1875~1894)

광서제는 1871년 6월 28일(음력)에 태어났다. 그는 동치제가 19세도 안 된 나이로 후사 없이 사망하자 그의 뒤를 이어 3세에 제위에 올랐다. 서태후는 그를 입양하여 다음 황제로 옹립했다. 이것은 그녀의 친정을 격상시키려는 뜻도 있었고(광서제는 서태후의 여동생 복진의 아들이었다) 다른 한편으로는 순친왕을 벌주려는 의도도 있었다. 그녀는 광서제를 자신이 낳은 동치제를 사랑한 만큼 사랑하지는 않았다. 한겨울 밤에 집을 떠나 차디 찬 구중궁궐로 들어간 세 살 난 어린 재첨은 부모는 물론이요, 같이 따라오지 못한 유모와도 생이별을 해야 했다. 궁중에서 그는 환관들의 보살핌을 받았다. 서태후는 재첨에게 그녀를 '아버지'라고 부르게 했고, 더 커서는 황부皇父라고 부르게 했다. 서태후는 스스로 아버지 역할을 맡았다. 어머니로서는 따뜻한 온정보다 의무를 강조하는 편이었다. 그녀는 아이를 원래 좋아하지 않았다. 한번은 궁중에서 귀족 부인들을 위한 연회가 열렸는데, 어린 여자아이가 울음을 터뜨리더니 그치려

하지 않았다. 짜증이 난 서태후는 아이의 어머니에게 데리고 나가라고 지시했다. 아이의 어머니는 눈물을 흘리며 무릎을 꿇고 사죄했다. "나는 그대에게 교훈을 주고 싶어서 궁 밖으로 나가라고 하는 것이오. 이 교훈을 그대의 아이에게도 가르치기 바라네. 나는 아이를 비난하지는 않아. 그대를 질책하고 또 그 아이를 불쌍하게 여기지. 하지만 그 아이도 그대와 마찬가지로 따끔한 맛을 보아야 한다네." 그 가족은 한동안 궁내에 초청되지 않았다.

오히려 동태후가 그녀보다는 어린 광서제에게 더 어머니다운 존재였다. 그러나 동태후는 1881년 4월 8일 43세의 나이로 사망했다. 광서제는 동태후의 관대 옆에서 울고 또 울었다. 동태후가 서태후에 의해 독살되었다는 주장이 있는데, 아무도 그것을 뒷받침하는 증거를 내놓지 못했다. 그녀는 뇌출혈로 사망한 것이 거의 확실하다. 동태후의 의료 기록을 검토한 의사들이 그런 결론을 내렸다. 그녀는 뇌중풍의 전력이 있었는데, 옹동화 일기는 그것을 세 번이나 언급하고 있다. 첫 발병은 동태후가 25세이던 1863년이었는데, 당시 그녀는 갑자기 기절했고 그 후 근 한 달 동안 말을 하지 못했다. 접견 때 '말을 더듬어서 입을 다물고 있는' 그녀의 특징은 아마도 뇌중풍의 후유증이었을 것이다. 마지막 발병 때에 그녀는 갑자기 의식을 잃고 쓰러지더니 이틀 뒤에 사망했다.

서태후는 동태후의 죽음을 친밀한 집안 어른의 장사처럼 애도했다. 시신을 염할 때에는 동태후의 머리를 하얀 천으로 직접 싸기도 했다. 이것은 황실이 규정한 태후의 장례 절차를 훨씬 뛰어넘는 애도 행위였고, 옹동화 같은 전통주의자들은 '엄청난 존경심'을 표시했다. 황가 규정에는 27일의 애도 기간을 규정하고 있으나 서태후는 그것을 100일로 늘였고, 이 기간 중에는 혼례 등 모든 즐거운 행사가 금지되었다. 더욱이 그녀는 궁중에서 27개월간 음악을 연주하지 못하게 했다. 동치제가 사망하면서 4년 동안 음악을 금지했다가 해제한 지 겨우 1년 만에 다시 금지한 것이었다. 서태후는 이 기간 중에 병이 들어서 음악을 무척 듣고 싶어 했으므로 이것은 상당한 희생이었다. 그녀는 너무도 음악에 굶주려 있었기 때문에 금지가 해제되기 여러 달 전부터 공연을 계획하고 또 궁중 밖에서 가수들을 선정했다. 드디어 1883년 여름에 풍악 금지가 해제되자 그 직후부터 그녀는 열 시간 동안 계속 연극을 보았다. 그 후에도 여러 날 공연이 계속되었는데 어떤 것은 상연 시간이 열두 시간이나 되었다.

동태후의 죽음은 광서제에게 친어머니 같은 인물을 빼앗아간 사건이었다. 이제 그와 서태후 사이에 중재해줄 사람이 없어졌으므로 커다란 공동空洞이 생기게 되었다. 어린 황제는 자라는 동안 점점 더 서태후와 사이가 멀어졌고, 그들을 화해시켜줄 중간 다리는 이제 없었다. 그 누구도 그럴 위치에 있지 않았고 또 그런 영향력이 없었다. 서열이 서태후보다 위인 동태후는 10대 시절부터 서로 친구였고, 신유정변 때에는 능지처참을 각오한 혁명의 동반자였다. 서태후가 겸손한 태도를 보이는 사람은 동태후가 유일했다. 서태후는 20년 동안 함께 일해오면서 동태후의 판단력을 존중했고, 가정 내의 일이라면 모두 양보했다. 심지어 동치제의 아내를 선정하는 일에서도 동태후의 뜻을 따랐다. 그러나 동태후가 사라지자 서태후는 광서제와의 점점 나빠지는 사이를 개선할 수가 없었다. 이런 관계 악화는 두 사람은 물론이고 제국을 위해서도 대재앙의 결과를 가져올 터였다.

이 단계에서 서태후는 '부재不在 부모'같이 처신했다. 어린 광서제의 문안 인사를 매일 받는 것 말고는 오로지 그의 교육에만 관심을 쏟았다.

그녀는 과거에 동치제를 가르쳤던 옹동화를 광서제의 사부로 임명했다. 그녀와 보수파인 옹동화는 여러 문제에 대해 의견을 달리했지만 그것이 장애 요인이 되지는 않았다. 옹동화는 가장 청렴하고 수준 높은 학자로 널리 명망을 얻고 있었고, 어린 광서제에게 훌륭한 황제의 자질을 잘 함양시켜줄 것으로 믿어졌다. 서태후는 서구의 사상에 개방적이었지만 중국 문화를 철저하게 신봉했다. 중국의 황제가 중국식으로 교육받으며 성장해야 한다는 것은 너무나 당연했다. 황제가 서구식 교육을 받아야 한다는 생각은 하지 않은 듯하다. 설사 그녀가 서양식 교육을 시킬 의사가 있었다 하더라도 황제 교육에 발언권이 있었던 대신들이 동의하지 않았을 것이다. 그 결과 광서제는 선제들과 똑같은 사상의 틀 속에서 육성되었다. 그가 받은 교육은 근대 세계에 능동적으로 대처하게 해주는 그런 것이 아니었다.

어린 황제는 4세에 첫 공부를 시작했다. 어느 화창한 이른 봄날, 그는 글방에 가서 스승들을 만났다. 남쪽을 향해 있는 낮은 책상 앞에 앉아서 그는 책상 위에 커다란 종이를 펼쳐놓고 붓을 달라고 했다. 그는 이미 글을 약간 쓸 줄 알았다. 스승 옹동화가 붓을 먹에다 찍어 건네주자 어린 광서제는 넉 자로 된 두 문구를 써내려갔다. 옹동화는 '아주 균형 잡힌 멋진' 글씨라고 일기에 적었다. 문구 하나는 천하태평天下太平이었고 다른 문구는 정대광명正大光明이었다. 그 둘은 훌륭한 군주라면 반드시 이룩하려고 애쓰는 유교적 이상이었다. 이런 멋진 시작과 함께 옹동화는 어린 황제에게 '제덕帝德'이라는 단어를 알려주고, 스승을 따라 네 번 외우게 했다. 이어 옹동화는 《제감도설帝鑑圖說》이라는 그림책을 펼쳤다. 그 책은 역대 명군明君과 암군暗君을 그림으로 그려 설명한 책이었다. 옹동화가 그들이 왜 명군인지 혹은 암군이지 설명해나가는 동안 광서제의 작은 손가락이 스승의 손가락을 따라 삼황三皇 시대의 전설적 명군으로 칭송되는 요순堯舜의 그림을 가리켰다. 네 살 된 황제는 그들에게 매혹된 모양이었다. 요순의 그림을 살펴본 후에 광서제는 옹동화에게 '제덕'이라는 단어를 다시 써서 보여달라고 했고 스승은 그렇게 했다. 어린 광서제가 그 단어를 한참 내려다보고 난 후에 첫 공부는 끝났다.

옹동화 일기에 나오는 이 첫 공부 장면은 광서제의 교육이 어떤 것인지 엿보게 해주고 또 그가 앞으로 어떤 학생이 될지를 짐작하게 한다. 공부를 싫어한 사촌 형인 동치제와는 달리, 광서제는 공부를 좋아하는 듯했다. 그는 이미 다섯 살에 유교 경전을 늘 외우고 있어서 서태후를 놀라게 했다. 그는 '앉을 때나, 서 있을 때나, 걸을 때나, 누워 있을 때나' 전혀 이해하지 못하는 경전의 문구들을 계속 외웠다. 이처럼 면학하는 태도는 어린 광서제가 스승인 옹동화에게 느끼는 강한 친밀감과 관련이 있었다. 광서제는 노인의 마음에 들려고 애썼다. 황제가 여섯 살 때 옹동화는 집안의 묘지를 보수하기 위해 잠시 강소성으로 출장을 갔다. 그가 없자 광서제는 보통 아이들처럼 굴며 스승이 하라는 숙제를 제대로 하지 않았다. 옹동화는 광서제에게 어떤 유교 경전을 하루에 스무 번씩 낭독하여 철저히 외우라고 지시했다. 그러나 광서제는 하루에 한 번 읽었을 뿐이었다. 옹동화가 돌아온 날 어린 광서제는 노인의 품에 뛰어들며 소리쳤다. "오랫동안 스승님을 뵙지 못해 정말 그리웠습니다!" 이어 광서제는 책상에 앉아서 옹동화가 숙제로 내준 유교 경전을 스무 번 낭독했다. 옆에서 이를 본 한 환관은 이렇게 논평했다. "정말 오랜만에 글 읽는 소리를 들어봅니다."

스승에 대한 강한 애착과 좋은 기억력 덕분에 광서제는 공부가 급속히 늘었다. 동치제에 대해서는 분노에 찬 탄식이 가득했던 옹동화의 일기는 이제 '훌륭한', '아주 훌륭한', '탁월한', '명민한' 같은 만족스러운 감탄사로 넘쳐나게 되었다. 아홉 살이 되자 광서제는 '예술적 운치가 가득한' 서체로 부채를 장식할 수 있었다. 이것은 훌륭한 서예가로서 옹동화의 논평이다. 10대에 들어서자 소년은 '아주 유창하게' 시를 썼고 빠른 속도로 논문을 작성했다. 성숙한 생각이 그의 명민한 머리에서 '날개를 달고' 날아오는 것 같았다.

어린 광서제는 하루 종일 공부에 매달렸다. 중국 고전이 학습의 주된 과목이었지만 만주어와 몽골어도 공부했다. 9세 때부터 그는 각 성에서 올라오는 보고서를 읽고 또 붉은 먹으로 지시문을 쓰는 연습을 했다. 또 학습용으로 일부 보고서 사본을 만들어 광서제가 그 문서를 가지고 연습하게 했다. 그 당시 중국어 문장은 구두점이 없었으므로 광서제는 먼저 붉은 점을 사용해 아주 기다란 글을 여러 개의 문장으로 분해해야 했다. 그가 내린 지시는 대체로 일반적이었지만 그래도 매우 합리적이었다. 때때로 서태후는 그가 이런 연습을 하는 동안 옆에 앉아 있었는데, 오늘날 학부모가 어린 자녀의 숙제하는 모습을 지켜보는 것과 별반 다르지 않았다. 한 지방 총독이 보고서에서 황제의 친필을 요청해왔다. 그 친필을 명판에 새겨서 뇌공雷公(천둥의 신)의 사당 입구에 걸어두겠다는 것이었다. 당시 현지에서 천둥의 신이 모습을 드러내자 백성들은 곧 폭풍우가 닥쳐와 곡식을 다 망쳐놓을 것으로 해석하고 있었다. 황제가 천둥의 신에게 경의를 표시하면 그의 분노를 달랠 수 있지 않을까 하는 총독의 건의였다. 아홉 살짜리 황제는 그 요청을 허가하면서 책에서 배운 문장으로 답변을 작성했다. 그러자 옆에 있던 서태후가 좀 더 구체적인 지시를 내려야 한다며 다음과 같은 추가 내용을 적어넣으라고 일러

주었다. "총독은 풍년을 얻기 위해 황제의 친필에만 의존하지 말고 총독 자신이 목민 업무를 더욱 충실하게 수행해야 하며, 그래야 신들이 더 기뻐하실 것이다."

또 다른 보고서는 증기택 후작이 보낸 것이었는데 해외에 나가 있는 젊은 외교관들에게 귀국 휴가를 주고 그 비용을 국가에서 부담해달라는 것이었다. 열 살의 황제는 동의했다. 그러자 서태후는 이런 원칙을 추가해넣으라고 말했다. "가장 중요한 것은 합당한 사람을 선정하는 것이다. 일단 그런 사람들을 임명했으면 그다음에는 관련 비용을 아끼지 말아야 한다."

이런 식으로 광서제는 서태후와 옹동화에 의해 현군이 될 준비를 착착 해나가고 있었다. 열 살이 되면서 그는 가끔 신하들을 접견하기도 했다. 서태후가 몸이 아플 때에는 그가 대신 들어서서 신하들에게 이런 식으로 말했다. "호남의 곡식 상황은 어떤가? 아직도 비가 풍부하게 내리지 않았는가? 우리 수도 사람들도 가뭄에 시달리고 있다. 우리는 정말로 간절히 비를 원한다!" 이런 것들은 명군이면 당연히 해야 할 상투적인 언사였다. 그래도 옹동화는 '아주 만족스럽고 보답을 받은' 느낌이었다.

실제로 광서제는 모범적인 유교 군주로 성장했다. 그는 옹동화에게 '개인적 재산'을 경멸하고 검약을 중시하도록 교육받았다. 광서제가 그런 태도를 보이자 스승은 이렇게 찬탄했다. "하늘 아래 이 얼마나 큰 축복인가!" 광서제의 논문과 시들은 수백 편에 달하는데 노란 비단 봉투에 넣어져 자금성 문서 보관소에 보관되었다. 그 내용은 주로 훌륭한 황제가 되는 방법에 대한 그의 생각을 적은 것이다. '애민愛民'이 한결같은 주제였다. 궁중 호수에 비친 달빛에 대하여 글을 쓰면서 황제는 저 멀리 떨어진 마을의 배고픈 백성이 그 달빛을 함께 쳐다보지만 황제의 호사는 누리지 못하는 것을 안타깝게 여겼다. 여름에 사방이 탁 트인 정자에서 얼음으로 차갑게 한 과일을 먹으며 더위를 식히고 있을 때에도 뜨거운 여름 태양 아래에서 힘들게 일하는 농부들에 대하여 시를 썼다. 겨울에 난방이 잘되는 궁중의 황금빛 목탄 난로 옆에 앉아 창밖의 울부짖는 바람 소리를 들을 때면, 그 바람이 '빈한한 집안의 수만 가족들'을 매섭게 때릴 것이라고 상상했다.

광서제의 정서와 언어는 수세기에 걸쳐 정립된 훌륭한 유교적 황제의 선례와 일치하는 것이었다. 그가 백성들에 대하여 그토록 애틋한 정서를 표현했음에도 불구하고 황제는 근대적 수단을 통해 그들의 삶을 향상시키는 방법에 대해서는 일언반구도 없었다. 그의 문장 어디에서도 산업, 대외무역, 외교 등에 대한 말은 나오지 않는다. 황제의 어린 마음은 과거 속에 동결되어 있었다.

철저한 유교 신봉자로 교육된 광서제는 오락을 죄악시했다. 그는 휴일이든 생일이든 주로 서재에 틀어박혀 시간을 보냈다. 그의 여덟 살 생일 때 궁정에서 여러 날 동안 연극을 상연했다. 그는 날마다 잠깐 모습을 드러냈다가 곧 서재로 돌아갔다. 그는 워낙 근면한 학생이었지만 동시에 옹동화에게 연극을 경시하라는 가르침을 받았다. 그 통속적인 줄거리와 화려한 곡조는 '천박하다'는 것이었다. 광서제가 연극은 수행원들을 즐겁게 하기 위한 것일 뿐이라고 대답하자 스승은 흡족해했다. 광서제는 '종과 북의 우아한 소리'를 더 좋아한다고 말했는데, 그것은 공자가 인정한 장중한(다소 단조로운) 예악으로서 즐거움보다는 명상과 의례를 위해 연주되는 음악이었다.

어린 황제는 놀이를 피했고 만주 황제의 교과 과목에 들어 있는 승마 같은 적극적인 운동도 싫어했다. 그는 의무 사항을 이행하기 위해 목마를 설치하고 그 위에 앉아서 승마 교육을 받았다. 하지만 그는 손을 움직이는 것은 잘해서 손목시계와 궤종시계를 분해했다가 조립하는 것을 좋아했다. 환관들은 이런 시계들을 북경에 가게를 연 진취적인 덴마크인에게서 사들여 황제에게 진상했다.

광서제는 몸이 허약했고 수줍음을 많이 탔으며, 긴장하면 말을 더듬고 쉽게 놀랐다. 천둥소리는 그를 겁먹게 했다. 폭풍우가 몰려오면 환관들이 그의 곁에 모여서 있는 힘껏 소리를 질러 천둥소리를 막아냈다. 서태후나 동치제와는 다르게 광서제는 활기가 부족한 편이었다. 그는 여행하고 싶다는 얘기를 하지 않았고 심지어 자금성 밖으로 나가보고 싶다는 말도 하지 않았다. 그는 외부 세계와 격리되어 살아가는 삶에 만족했다.

자금성 내에서 유교 경전 공부가 10년간 계속되었다. 일가를 이룬 학자로 성장하려면 그 정도의 시간이 걸렸다. 10년이 경과하자 광서제의 사부들은 황제가 '아주 훌륭하게' 교육을 마쳤다고 선언했다. 열다섯 살이 된 1886년 여름, 그는 중국의 통치자가 될 자격을 충분히 갖춘 것으로 여겨졌다. 서태후는 마지못해 점성술가에게 지시를 내려 다음 해 정월의 길일을 잡아보라고 했다. 광서제의 친정을 위한 예비 절차였다.

서태후가 곧 권좌에서 물러난다는 소식은 근대화 사업을 추진하는 개혁파를 경악하게 했다. 그녀의 정력적인 제안과 추진력이 없다면 그녀가 시작한 각종 개혁 사업들은 흐지부지될 수 있었다. 여러 날 동안 이홍장은 '잠도 못 자고 밥도 제대로 먹지 못했고' 또 '지속적인 공포 상태에 빠져들었다'. 결국 그는 순친왕에게 편지를 보내 서태후가 좀 더 권좌에 머무르는 방법을 생각해보라고 호소했다. 순친왕도 아들 광서제가 서태후의 대타가 될 수 없다는 것을 잘 알았으므로 서태후가 황제의 '후견인'으로 몇 년 더 정사에 참여해달라고 호소하는 운동을 시작했다. 그는 아들에게 압력을 넣어 서태후를 찾아가 무릎을 꿇고 은퇴하지 말아달라고 호소하게 했다. 서태후는 군기처를 움직여 관리들의 호소문을 작성케 함으로써 그 운동을 측면 지원했다. 한 호소문은 그녀가 '국가를 오랜 역사에서 전례가 없을 정도로 아주 새롭고 영예로운 상태로 진입시켰다'며 노골적으로 그녀의 업적을 찬양했다. 하지만 제자가 제자리를 찾아가 친정하기를 바라는 사부 옹동화는 이런 평가를 '부적절하다'고 생각했다. 서태후는 모든 각도에서 이 문제를 심사숙고했고 또 집권 연장 요청이 황제를 짜증 나게 할지도 모른다는 탄원문도 나올 것으로 예상했다. 그래서 그녀는 황제 자신이 무릎을 꿇고서 연장을 요청했다는 사실을 널리 알리게 했다.

마침내 서태후는 '앞으로 몇 년 더 후견인 자격으로 정권을 맡겠다'고 선언했다. 이홍장은 아주 기뻐했다. 순친왕은 이렇게 썼다. "지난 며칠 동안 너무나 놀라 입속에 있는 것 같던 심장이 드디어 제자리로 돌아왔다. 제국의 모든 사람에게 행운이 아닐 수 없다." 이홍장은 이렇게 논평했다. "정말로 맞는 말이다." 옹동화는 연장 조치가 마음에 들지 않았으나 노련한 궁정 신하답게 항의하지는 않았다. 서태후가 옹동화에게 제자가 정말 친정을 할 준비가 되어 있느냐고 묻자 그는 우회적으로 대답했다. "황제의 사부로서 황제 폐하가 더 이상 향상될 점이 전혀 없다고 자랑하지는 못하겠습니다. 설사 그렇게 자랑할 수 있다고 하더라도 왕조의 이익이 그보다 우선입니다."

광서제는 실망했다. 마음에도 없는 '호소'를 억지로 해야 되었던 터라 그는 며칠 동안 몸이 불편했다. '기분이 안 좋고 감기와 두통이 있었다'고 옹동화는 일기에 적고 있다. 황제는 공부도 중지했고, 다음번에 스승을 만났을 때 아주 우울한 표정이었다. 스승은 그의 사기를 북돋아주려고 애를 쓰다가 그만 눈물을 터뜨렸다. 평소에는 침착하던 청년이 아주 감정적인 상태가 되어 있었다. 옹동화는 제자에게 그의 마음을 서태후에게 솔직히 털어놓으라고 권했다. 그러나 광서제는 그렇게 하지 않았다. 공자가 칭송한 모든 미덕 중에서 부모에 대한 효도가 최고의 미덕이었다.*

효도라는 개념은 정해진 의식에 따라 광서제의 머릿속에 깊이 새겨졌다. 그는 날마다 아침저녁으로 서태후를 찾아가 문안 인사를 드리지 않은 적이 없었다. 그는 '부모에게 불효해서는 절대 안 된다'고 매일 자신에게 상기시키면서 살아왔다. 광서제의 마음이 공부에서 떠나버리자 전에는 즐거운 마음으로 제자를 대했던 스승은 이제 광서제의 집중력 부족을 탄식했다.

내성적인 광서제는 깊은 생각에 잠겼다. 그의 건강은 악화되었고 며칠에 한 번씩 각종 탕약을 먹었다. 그는 나중에 바로 이때부터 '발목과 무릎에 계속 한기를 느꼈고, 밤중에 이불을 단단히 덮고 있지 않으면 조금만 바람이 불어와도 감기에 걸렸다'고 적었다. 그의 목소리는 속삭이는 것처럼 약해져서 그를 알현하는 신하들은 그의 말을 제대로 알아듣지 못했다. 심지어 그의 글씨조차 허약해진 상태를 드러냈다. 붓질은 꼬리 부분이 흔들렸고, 글자 크기는 예전의 절반 수준으로 작아졌다. 그는 붓을 잡을 힘조차 없는 것 같았다.

* 옹동화가 영웅으로 숭앙하는 관리들 중 한 사람은 부모가 세상을 뜨자 그 자신의 질병을 치료하지 않고 뒤따라 죽은 이였다.

서태후는 양아들의 정신 상태를 잘 알고 있었다. 그녀는 옹동화에게 광서제를 안정시켜 학과에 다시 집중하게 해달라고 부탁하면서 '조상들에 대한 의무' 때문에 권력 이양을 잠시 미루는 것이라고 눈물로 호소했다. 광서제의 건강을 회복시킬 수 있는 유일한 처방은 권력을 넘겨주는 것이었는데, 그녀는 그럴 마음이 없었다.

광서제는 1887년 여름에 열여섯이 되었다. 그것은 동치제가 결혼한 나이였고, 선제의 경우에는 이미 열세 살 때부터 결혼 준비가 진행되었다. 서태후는 광서제의 결혼을 미루었는데 일단 결혼하면 성년이 되었음을 의미하는 것이어서 그 이후에는 더 이상 정권을 잡고 있을 수가 없기 때문이었다. 하지만 결혼을 무한정 미룰 수는 없어서 이해에 전국적인 신부 간택이 시작되었다. 이 과정 또한 오래 걸렸는데, 1888년 어느 날 광서제는 좌절감을 이기지 못하여 그만 폭발해버렸다. 그는 예정된 학과에 나가기를 거부하고 창문의 유리를 박살내버렸다(황제는 버럭 신경질을 내는 경향이 있었다. 옹동화 일기에 의하면, "미친 듯이 화를 내면서, 사소한 일로 차茶 담당하는 환관 세 명을 모질게 매질하여 그중 한 명은 거의 죽을 뻔했다"). 이제 서태후를 향한 그의 분노는 더 이상 억제할 수 없는 것이었다. 서태후는 경악했다. 이런 폭발이 있고 나서 이틀 뒤에 그녀는 대혼식을 다음 해 정월에 거행하겠다고 선언했다. 곧이어 대혼 후에는 즉시 은퇴하겠다는 선언도 나왔다. 그러자 광서제는 그녀의 은퇴식을 준비하라는 칙명을 내려 더 이상 다른 사람들이 끼어들 틈이 없게 만들었다. 이런 선언을 한 지 며칠 후에 서태후는 자금성에서 나와 그녀의 은퇴 후 거처인 서원으로 옮겨갔다. 그녀는 새 거처에 바른 단청이 채 마르지 않아 임시로 다른 전각에 머물러야 했다.

서태후는 황제의 어머니 자격으로 광서제의 배우자를 마음대로 고를 수 있었다. 그녀는 자신에게 절대복종할 황후를 원했다. 간택 과정을 모두 거친 뒤 서태후는 자신의 선택을 분명하게 밝혔다. 남동생 계상桂祥의 딸인 융유隆裕였다. 서태후는 융유를 소녀 시절부터 좋아하여 일찍부터 그녀를 언젠가 황후로 만들리라 '점찍어두고' 있었다. 융유는 온순하며 행동거지가 조신했다. 그러나 얼굴이 너무 평범하게 생긴 것은 그 어떤 재치로도 보상될 수 없는 약점이었다. 게다가 결혼 당시 광서제보다 세 살이 더 많은 21세였는데, 관례로 보아 황실의 정비가 되기에는 많은 나이였다. 당시에는 평범한 가정에서도 그 정도 나이면 노처녀 취급을 받았다. 옹동화는 비빈들의 간택에 대하여 일기에 기록할 때 새 황후의 나이는 생략하고 오직 진비珍妃(13세)와 근비瑾妃(15세)의 나이만 적었다.

광서제는 융유 황후를 별로 좋아하지 않았고, 장인은 더더욱 좋아하지 않았다. 계상은 경멸을 받는 인물이었다. 그는 누나인 서태후가 아편을 싫어하는데도 아편 중독자였다. 일찍이 무능한 자로 판정이 나서 이렇다 할 관직을 맡아본 적이 없었다. 집안의 재산을 상당 부분 탕진했기 때문에 서태후는 그에게 돈을 주는 것이 아니라 때때로 선물을 내려주었다. 돈은 주어봐야 아편 판매상의 손에 곧 들어가버리기 때문이었다. 환관들이 서태후가 내린 백자나 칠보로 장식된 보석함을 가지고 계상의 집을 방문하면 행하行下를 주는 것이 관례였다. 계상은 그 돈을 마련하기 위해 집안의 물건을 전당포에 맡겨야 했다. 환관들은 계상의 집에서 전당포에 다녀올 시간을 주기 위해 거기에 맞추어 도착하거나 아니면 그 집 안에 들어가 모든 식구들에게 인사를 하고 또 아첨을 좋아하는 계상의 부인에게 한없이 칭찬의 말을 늘어놓으며 시간을 끌었다. 그들은 행하를 받고 나서는 자기들끼리 저속한 언어로 계상의 부인을 조롱했다. 계상 부부는 광서제가 자랑스럽게 여길 만한 장인 장모가 아니었다.

이 중매결혼은 서태후가 광서제에게 얼마나 무심한지를 잘 보여주었다. 동치제의 경우 그녀는 아들이 신부를 직접 고를 수 있게 해주었다. 그가 고른 처녀 가순은 정친왕 단화(신유정변 때 태후가 자결형을 내린 고명대신)의 외손녀라서 서태후에게 앙심을 품고 있을지 모르는데도 아들이 좋다고 하니 동의했다. 이번에 그녀는 양아들의 심기 따위는 조금도 고려하지 않고 임의로 황후를 선택했다. 광서제는 효도를 명심하면서 그 선택에 노골적인 반발을 하지는 않았다. 게다가 서태후는 도전을 허용하는 호락호락한 상대가 아니었다. 하지만 그는 나름대로 보복할 방법이 있었고, 1889년 3월 4일 친정을 시작한 직후에 깜짝 반격을 했다. 친정 개시일 다음 날은 그의 대혼을 축하하는 날이었다. 그 혼례에는 550만 테일의 돈이 들어갔다. 대혼 행사는 예상대로 화려했고 좋은 날씨의 도움도 받았다. 융유 황후는 황금 가마를 타고서 자금성의 중앙 도로를 따라 입궁했다. 그 도로는 황제와 대혼 날의 황후만 사용하는 길이었다. 그녀의 주위에는 나무가 전혀 없는 자금성의 남문이 장엄하게 솟아 있었다. 그 앞에 붉은 제복을 입은 금군들이 좌우에 도열해 있고, 그 뒤로 붉은 담장과 황금색 지붕을 배경으로 푸른 제복을 입은 관리들이 서 있었다. 그녀가 탄 가마는 태화문太和門을 통과했다. 태화문은 최근에 불타서 임시로 만든 복제품이었으나, 그래도 겉보기는 진짜처럼 웅장했다. 융유의 결혼 생활은 이 복제해 만든 문을 닮은 가짜 생활이 될 터였다.

태화문 바로 너머에는 자금성 중에서 가장 웅장한 전각인 태화전이 있는데 여기서 왕조의 가장 중요한 행사가 거행되었다. 장인인 계상을 위한 대연회가 축하일 다음 날에 이곳에서 열릴 예정이었다. 그러나 그 날 아침, 옹동화 일기에 의하면, 황제는 기상하면서 '어지럽다고 하면서 먹은 것을 토했다'. 어의들은 아무런 신체적 이상을 발견하지 못했으나 광서제는 찬바람을 피해야 한다면서 태화전에 가기를 거부했다. 대연회는 취소되어 모여 있던 대신들은 뿔뿔이 흩어졌다. 이런 취소는 전례 없는 것이라서 곧 수도에 소문이 나돌기 시작했다. 황제는 처가에 대한 홀대를 더욱 확실히 했다. 그는 남은 음식들을 초대받은 관리들에게 골고루 나누어주라고 했지만 정작 장인의 집에는 아무것도 주지 말라고 특별한 지시를 내렸다. 남동생이 이처럼 노골적으로 모욕당한 것을 알고서 서태후가 굉장히 분노했으리라는 것은 쉽게 상상할 수 있다. 옹동화 일기에 의하면, 황제가 미령하다는 소식에도 불구하고 그녀의 거처인 서원에서는 '연극 상연이 멈추지 않았다'.

혼례 이후 광서제는 융유를 아주 차갑게 대했다. 궁중의 사람들이 다 보는 데에서도 그는 마치 그녀가 거기에 없는 것처럼 융유를 쳐다보지 않았다. 황후는 그의 비위를 맞추려 했으나 오히려 그럴수록 광서제는 더욱 짜증을 냈다. '그녀가 들어오면 광서제가 종종 그녀에게 신발을 차 던졌다'는 사실은 널리 알려져 있다. 만만한 며느리를 통해 광서제를 통제하려던 서태후의 계획은 역효과를 내면서 모자 관계를 더욱 악화시켰다. 이제 곧 그녀가 은퇴하기로 되어 있었으므로, 광서제는 그녀와 국사는 물론이고 그 어떤 일도 의논하고 싶은 마음이 없었다.

황제는 생기 넘치는 어린 소녀인 진비를 좋아했다. 환관들은 그녀가 황제 앞에서 여자 티를 내지 않는다는 것을 목격했다. 화장도 하지 않고 남자 머리(등 뒤로 늘어뜨린 변발)를 했으며, 남자용 모자에 승마용 겉옷을 입고 검은 공단 신발을 신었다. 광서제가 나중에 프랑스 의사인 드테브 Dethève 박사를 위시하여 어의들에게 털어놓은 바와 같이, 그는 어린 소년 시절부터 밤중에 몽정을 했다. 그는 꿈속에서 타악기 소리에 흥분을 느꼈고 이것이 신체적 감각으로 이어져 몽정을 하게 되었다. 그러나 드테브 박사가 쓴 의료 기록에 따르면, 평시에는 이런 몽정이 발생하지 않으며, 그래서 '발기될 가능성은 없다'. 이것은 광서제가 평범한 성생활을 할 수 없다는 의미이다. 당시의 중국인들은 그런 남자도 있다는 것을 알고 있었는데 이를 '하늘에 의한 궁형宮刑'이라고 불렀다. 남자 복장을 한 진비는 그에게 방사의 의무감이라는 압박을 주지 않아서 광서제는 그녀와 함께 있으면 편안함을 느꼈다. 황제는 징, 북, 심벌즈 같은 타악기—그를 성적으로 흥분시키는 것들—를 좋아해서 그 자신이 훌륭한 타악기 연주자가 되었다.

신체적 문제점에도 불구하고 광서제는 황제의 의무를 꼼꼼하게 수행했고, 중국 고전과 만주어 공부도 계속했다. 그는 한평생을 자금성에 틀어박혀 보냈고 가끔 인근의 서원에 가거나 사찰에 들려 풍년을 기원하거나 조상의 축복을 빌기 위해 왕릉을 방문하는 것이 외출의 전부였다. 그는 사부 옹동화와 아주 가깝게 지냈다. 옹동화는 황제의 인격 형성기 대부분을 함께 보낸 아버지나 다름없는 인물로서 거의 매일 만나는 사람이었다. 근대적 성향을 갖춘 또 다른 사부 손가내孫家鼐는 광서제에게 개혁과 근대화 사업에 대하여 깊이 생각해보라고 건의했다. 그러나 황제는 별 관심이 없었고 손가내에게는 사제의 정을 느끼지 못했다. 오로지 옹동화만이 광서제의 친정 중에 정책 결정에 영향을 미칠 수 있었다.

옹동화는 더 이상 서구를 미워하지 않고 또 일부 서구의 문물에 호의적이었으나 그래도 여전히 서구를 경멸했다. 그는 해외 여행자들의 기록과 상해에 방문한 경험으로 '제철 공장, 조선소, 무기 제작소' 등 여러 산업의 혜택을 알고 있었다. 그는 1887년에서야 처음으로 사진을 찍었다. 그는 자신이 방문했던 한 가톨릭교회에 대해서는 우호적인 발언을 하기도 했다. 그 교회가 운영하는 고아원은 남자 고아와 여자 고아를 구분했고, '높고 건조한 땅'에 세워졌으며 '청결하고 질서 정연했다'. 교회 학교에는 네 반이 있었는데 학동들이 아주 낭랑한 목소리로 과문科文을 읽었다. 그를 맞이한 주인들은 '아주 공손했고' 하인들은 '행하를 거절했다'. 사부는 그 고아원에서 깊은 감명을 받았다. 그렇지만 상해에 갔을 때 서구식 건물에 '강한 혐오감'을 느끼면서 외출하기보다는 실내에 있는 것을 선호했다. 그는 계속하여 철도 건설에 반대했다. 황제의 대혼 직전에 자금성에서 불이 나자 옹동화는 그것이 궁내에 전기, 모터보트, 작은 철도 등을 들인 것에 대한 하늘의 경고라고 해석했다.

서태후는 옹동화의 보수적 견해와 그가 황제에게 미치는 영향을 잘 알고 있었다. 그렇지만 그녀가 어떻게 해볼 수는 없었다. 젊은 황제는 그 노인에게 강한 애착을 느낄 뿐만 아니라 서태후를 너무나 싫어했다. 권력을 이양하기 직전에 그녀는 사제師弟와 만나서 그들로부터 그녀가 이미 시작한 노선을 변경하지 않겠다는 약속을 받아냈다. 그러나 오래지 않아서 그녀가 포고한 남북간 대동맥 철도가 보류되었고, 화폐개혁은 흐지부지되었다. 그녀가 해외로 내보낸 관리 시찰단이 귀국했을 때 그들과 그들의 지식은 모두 무시되었다. 옹동화 일기에 의하면, 양아들을 친親서방 정책 쪽으로 밀어붙이기 위해 서태후는 황제에게 영어를 배우라고 '지시'했다. 이제 그가 성인이고 황제로 친정을 하고 있지만 부모로서 자식의 교육에 발언권이 있었던 것이다. 영어 수업이 시작되자 옹동화는 경악했다. "이건 도대체 무엇을 하자는 것인가?" 그는 물었다. 그는 일기에 장탄식을 쏟아냈다. "외국어 책이 이제 황제의 책상 위에 놓여 있다. 이건 정말로 나를 슬프게 한다!" 광서제는 계속 영어를 공부했다. 서태후의 강요도 있었지만 그 자신이 영어에 흥미를 느꼈기 때문이다. 그러나 그의 관심은 순전히 학술적인 것이었지 근대화 사업 쪽으로 연결되지는 않았다.

광서제는 서태후의 개혁 정책을 계속 밀어붙이지 않았을 뿐만 아니라 오히려 그것을 후퇴시켰다. 그는 아주 오래된 제국 운영의 방식으로 되돌아갔다. 관료주의적 행정으로 일관했고, 각 지방에서 올라온 일일 보고서에다 붉은 먹으로 간단히 지시를 썼다. "보고서를 받았음." "제안한 대로 하라." "해당 부서로 이첩하라." 그의 접견은 일상적이면서 짧은 것이었다. 황제는 '언어장애가 있었다……. 그는 천천히 어렵게 말을 했다'고 널리 알려져 있었다. 그의 목소리는 거의 들리지 않았고 게다가 말을 더듬었다. 황제가 말을 해야 하는 고통을 덜어주기 위해 관리들은 황제가 첫 질문을 한 후에 신하가 일방적으로 말을 오래하여 최소한 10분간의 접견 시간을 채우자고 그들끼리 약속하기도 했다. 황제는 아직도 '백성들의 척박한 삶'에 대해 안달했다. 한번은 홍수가 둑을 무너뜨려 북경으로 밀고 들어와 자금성 담장을 때렸는데, 황제는 홍수가 지나가는 길에 사는 수많은 사람들에 대해 걱정하면서 괴로워했다. 하지만 그는 식량 구호청을 개설하거나 하늘에 기도하는 등 전통적인 방식 이외에는 별다른 조치를 취하지 않았다. 근대화 사업이 이런 문제를 해결하는 데 도움이 될 수 있다는 생각은 전혀 하지 못했다. 식량 수입은 늘어나고 해외무역도 증가했으나 국가는 '동면기'에 접어들었다고 서구인들은 생각했다. "이 시기에 해외무역업자들만 활약했다."

이러한 무기력을 개탄하는 탄원서들은 제출되지 않았다. 옥좌를 위해 감시하는 관리들은 전례에서의 이탈, 황실의 방탕과 비례非禮, 유교 원칙의 위반 등에 대해서는 무섭게 간언하지만 부작위不作爲에 대해서는 아무런 항의도 하지 않았다. 서태후의 궁정을 활발하게 만들었던 정책 토의는 완전 실종되어버렸다. 정책을 논의하던 관리들은 예전의 기계적 절차로 돌아가버렸다. 공친왕은 집무실에 나오지 않았고 설사 나온다고 해도 변화를 위한 의제를 내놓거나 그것을 밀어붙일 위인은 못 되었다. 순친왕은 스스로 지도자가 되기보다는 참모로서 일을 잘하는 사람이었다. 게다가 그는 병에 걸려서 1891년 정월에 사망했다. 많은 서구인들이 '중국의 위대한 근대화 기수이며 위대한 정치가'라고 평가한 이홍장도 서태후가 없는 상태에서는 역시 무기력했다. 그는 관직을 그대로 유지했지만 두 손이 묶였다. 그의 대적大敵이며 정치적 라이벌인 옹동화가 이제 황제의 귀를 독점하고 있었다(개혁파인 이홍장은 수구파인 옹동화를 미워해 "할 수만 있다면 그의 살을 뜯어먹고, 그의 가죽을 벗겨 요를 만들어 그 위에 드러눕고 싶다"는 말을 남겼다.—옮긴이).

광서제는 친정을 시작하고서 2년이 지나도록 외교단에 신임장 제출을 위한 알현을 허용하지 않았다. 황제가 그들을 접견했을 때—이것은 그가 처음으로 서구인들과 접촉한 것인데—그 행사는 잘 진행되었다. 1873년에 서태후의 지휘 아래 외국 사절들은 고두를 하지 않아도 된다는 방침이 정해졌다. 이 전례에 따라 사절들은 허리를 굽혀 절을 했고 광서제는 간단히 고개를 끄덕였다. 공친왕의 뒤를 이어 총리아문의 수장이 된 경친왕慶親王은 각국 공사들에게 받은 축하 편지를 황룡 탁자 위에 올려놓고 이어 무릎을 꿇고서 공식적으로 보고서를 낭독했다. 공사가 신임장을 제출할 때마다 이 절차가 반복되었다. '접견은 성공적으로 진행되었다'고 로버트 하트는 썼다. 그러나 옹동화 일기를 읽었더라면 각국 공사들은 깜짝 놀랐을 것이다. 황제 앞에서 "서양 야만인 사절들은 겁먹고 몸을 떨면서 적절한 복종의 의식을 수행했다." 옹동화가 쓴 서양 야만인이라는 말은 서태후의 궁정에서 수십 년 동안 사용되지 않던 것이었다.

서양인들은 젊은 황제가 친정에 나섰을 때 큰 희망을 품었다. "철도, 전기, 자연과학, 새 해군, 강력한 육군, 전반적인 은행 제도, 조폐국 등 이제 꽃봉오리를 맺은 것들이 활짝 피어날 것이다……. 젊은 황제의 통치는 중국 역사상 가장 기록할 만한 시대가 될 것이다." 많은 사람들이 이런 꿈을 꾸었다. 그러나 서태후가 힘들여 심고 가꾸어온 그 꽃봉오리는 개화하기는커녕 더 이상 자라나지 못했다.

학자 기질이 있는 꼼꼼한 행정가인 광서제는 느릿느릿 앞으로 나아갔고, 사부 옹동화는 시가와 서예를 느긋하게 즐기며 세월을 보냈다. 사제는 서태후가 만들어놓은 평화와 안정의 혜택을 누리고 있었다. 그러나 일본이 1894년 서태후의 부재를 이용해 공격해오면서 광서제와 옹동화는 돌연 격동의 소용돌이 속으로 내던져지고, 그것은 모든 것을 바꿔놓게 된다.

14

이화원

(1886~1894)

서태후의 은퇴가 고려되던 1886년, 25여 년 전에 불타버린 원명원의 일부를 복구하려는 꿈이 강박관념처럼 그녀를 사로잡았다. 세월이 흘러갈수록 예전 원명원의 찬란했던 모습이 더욱더 눈앞에 삼삼했고, 그녀의 마지막 야망이 원명원의 일부라도 옛 모습을 수복하는 것임은 널리 알려져 있었다. 자신의 꿈에 뒷돈을 대기 위해 서태후는 궁정의 경비를 아껴왔다. 환관들은 그녀가 '알뜰히 절약하는 모습'을 지켜봤고, 궁중의 시녀들은 그녀가 선물 포장지와 끈을 재활용하라고 말한 것을 떠올렸다. 그녀는 첫 단계로 그녀가 사랑한 곤명호昆明湖 주위의 조경 공원인 청의원淸漪園을 먼저 복구하기로 결정했다. 청의원의 전각들은 비교적 수도 적고 파손 정도도 미약하여 엄청난 비용을 지출하지 않아도 수리할 수 있었다.

서태후는 이 공사가 굉장한 반대를 불러일으키리라는 것을 알고 있었다. 10여 년 전에 아들인 동치제가 그녀의 은퇴 거처를 마련하기 위해 원명원 수복 안건을 내놓았다가 반대가 너무 심해 할 수 없이 포기하고 말았었다. 이제 복구 얘기를 꺼내면 똑같은 반대가 일어날 터였다. 특히나 자금성 인근의 서원을 공식 은퇴 거처로 정해놓고 있었기 때문에 그 반대는 더욱 심할 것으로 예상되었다. 서원의 수리 공사조차 비판을 받았고, 공사 자금은 늘 부족했었다. 어느 시점에, 수천 명의 인부를 동원했던 개인 건설업자들이 임금을 제때에 주지 못해 노무자들이 파업을 벌이기도 했다. 이리하여 1886년에서 1887년 사이에 '파업'이라는 근대적 용어가 궁중에 들어오게 되었다.

서태후는 서원이 북경 시내 한가운데에 있어서 그녀가 좋아하는 자연 환경을 제공하지 못하기 때문에 불만이었다. 그녀의 마음은 옛 원명원에 가 있었다. 그녀는 칙명을 내려 원명원 수복 공사를 합리화하면서 평소답지 않게 그 공사의 재개에 개인적 호소를 보태기도 했다. 공사비를 크게 낮추어 말하면서('아주 제한적인 보수공사'), 그녀 자신이 지난 25년 동안 국가를 위해 '마치 벼랑 위에 서 있는 것처럼 잘못될까 봐 밤낮으로 노심초사하며 의무를 다해왔고' 그리하여 제국에 '평화와 안정'을 가져온 공로를 내세웠다. 25년 동안 '백성들의 척박한 삶을' 깊이 명심하면서, 예전의 제왕들과는 달리 '사냥 같은 개인적인 유흥을 좇아 여행을 떠난 적도 없었다'는 점을 지적했다. 그녀는 공사비가 호부 예산을 전용하지 않을 것이므로 '백성의 생계에 영향을 미치지 않을 것'이라고 다짐하면서 '제국의 모든 사람들이 양해해줄 것을' 호소했다.

과거에 건륭제는 1년에 두세 번씩 어머니와 비빈들을 대동하고 장거리 여행을 다녔다. 여행 비용은 한 번에 수십만 테일이었다. 서태후 또한 여행을 좋아했지만 이런 사치는 한 번도 부리지 못했다. 그녀는 독실한 불교 신자여서 예전 황제들이 자주 찾아갔던 북경 남서쪽의 불교 성산聖山인 오태산五台山을 가보고 싶어 했다. 하지만 여행 비용을 생각해 공친왕과 군기대신들의 조언을 받아들여 포기하고 말았다. 이제 그녀는 대신들에게 말했다. "예전의 황제들이 자주 찾아갔던 승덕의 피서산장 등 값비싼 여행을 다니거나 최근에 근대화된 해군을 방문하는 것—그녀가 합법적으로 할 수 있는 행사—을 포기하는 대신에 평소 소망해왔던 은퇴 후의 거처를 건설하고 싶어요." 대신들의 극심한 반대는 없었다. 그렇게 하여 서태후가 새로 짓게 된 여름 궁전인 이화원頤和園의 공사가 시작되었다.

오늘날 북경의 주요 관광 명소가 된 이화원은 서태후를 비난하는 좋은 구실로 활용되고 있다. 이화원 복구 비용이 1천만 테일이 들었는데 서태후는 이 돈을 해군 예산에서 몰래 훔쳐왔으며, 그 결과 해군을 파산시켜 청일전쟁 중 일본과의 해전에서 치욕적인 패배를 맛보게 되었다는 것이다. 하지만 공사비용과 조달 방법의 실상은 조금 다르다. 이화원의 공사비는 수천만 테일이 들지는 않았다. 건륭제가 18세기 중반에 조성한 원래의 청의원 건립 비용이 440만 2852테일이었다. 서태후가 이 정원을 재건할 때 전각과 현대적 시설을 더 보탰으므로 그 비용이 원래의 공사비는 초과했을 것이다. 공사 예산처가 56개 공사 현장(전체 공사의 절반)에 대한 초기 비용을 뽑아보았는데 316만 6700테일이었다. 그 후 궁중 기록을 면밀하게 조사한 중국 역사학자들에 의하면, 총 복구 비용은 최대한으로 잡아서 600만 테일이었다. 이것은 광서제의 대혼식 때 사용한 550만 테일(호부에서 지출했고, 아무런 불평도 터져나오지 않은 예산)을 약간 웃도는 금액이다. 서태후는 궁중의 경비를 아껴 300만 테일을 준비해두고 있었다. 또 일부 관리들은 공사비를 일부 '기증'하기도 했다. 그래도 여전히 정부 예산이 필요했다.

정부 예산은 서태후의 승인 아래 집행되지만 그렇다고 해서 그녀 마음대로 필요한 돈을 가져갈 수는 없었다. 칙명에서 호부 돈은 쓰지 않겠다고 약속했으므로 국가 예산을 우회적으로 전용하는 방안을 찾아야 했다. 당시 해군은 순친왕의 지휘 아래 대규모 근대화 사업을 벌이고 있어서 해마다 400만 테일이라는 엄청난 예산이 배정되었다. 이 예산의 작은 부분—그러니까 외국은행에 넣어둔 예산의 이자 정도—을 가져다가 이화원 공사비용에 보탠다 해도 해군에는 큰 피해가 없지 않을까? 그녀는 이렇게 생각한 모양이었다. 그녀는 충실한 신하인 순친왕과 관련 대신들이 이를 감춰준다면 백성들이 이런 계획을 알지 못할 것이라고 보았다. 그녀가 해군 예산을 정확하게 얼마나 가져다 썼는지는 불분명하다. 한 해에 해군 예산에서 그녀에게 약속한 금액이 30만 테일이었는데, 해마다 이 정도를 가져가지 않았을까 추측된다. 그리하여 10년 정도 되었을 때 그녀는 약 300만 테일을 가져갔을 것이다. 이렇게 보면 전체 공사 금액과도 맞아떨어진다. 이 돈은 은행에 예치된 해군 예산 원금에서 나온 것은 아니었다. 그래서 유수한 중국학자들은 이런 자금 유용이 '해군에 심각한 피해를 입히지는 않았다'고 결론 내렸다.

그 피해가 별 것 아니라고 할지라도 부정부패의 신호가 되는 것까지 피할 수는 없었다. 최고 권력자인 그녀가 부패를 저지른다면 그 밑의 신하들도 따라 할 것이기 때문이다. 그녀의 자금 유용은 그녀의 자식이나 다를 바 없는 해군에도 해로운 것이었다. 서태후는 자신의 소행에 죄책감을 느낀 모양이다. 그녀의 기분을 좋게 하고 또 이제 공사 현장을 목격하고 수군거릴 백성들을 달래기 위해, 충직한 순친왕은 이런 제안을 했다. "태후가 해안으로 가지는 않을 것이므로, 해군이 곤명호에서 훈련을 하고 그녀가 이화원에서 열병식을 하면 어떻겠는가." 실제로 그녀는 훈련 광경을 지켜보았다. 비록 그 배들이 포함은 아니었지만 말이다. 그러나 서태후는 하늘이 그런 기만행위를 금방 알아볼 것이라고 두려워했다. 1889년 초, 광서제의 대혼과 서태후의 은퇴 직전에 자금성에서 큰 불이 났을 때 그녀는 그 불이 하늘이 자신의 비행에 진노하여 내리는 벌이라고 생각해 겁을 먹고서 공사를 중지하라는 포고를 내렸다. 그러나 곧 아름다운 여름 별장을 갖고 싶은 그녀의 욕망이 모든 다른 고려사항들을 억누르면서 태후는 하늘마저도 속였다. 이화원 공사는 재개되었다.

그녀는 건설 공사를 적극적으로 감독했다. 설계 도면을 자세히 검토하며 공사 감독관들과 의논하고, 며칠에 한 번씩 공사 진척 상황을 보고하게 했다. 이화원의 4분의 3은 인공 호수인 곤명호가 차지하고 있다. 이 호수는 크기가 2.2제곱킬로미터이고, 그 옆에 높이 60미터의 만수산萬壽山이 우뚝 서서 내려다보고 있다. 호수 주위를 따라 기다란 목제 통로가 설치되어 있는데, 통로의 기둥에는 불교 이야기와 민담을 묘사한 아름다운 그림들이 그려져 있다. 호수에서 조금 떨어진 곳에는 17개의 아치로 이루어진 기다란 석제 다리가 우아하게 세워져 있다. 이화원은 평온한 자연의 모습과 예술적 창조의 기술이 완벽하게 조화를 이룬 인공 정원이다. 밤이면 독일에서 사들여온 발전기와 램프를 설치하여 전깃불로 주위를 밝혔다. 이 구매 건을 감독한 이홍장은 경친왕에게 이런 편지를 보냈다. "서태후를 위해 램프는 서구에서도 최신식 모델을 골랐으므로 중국에는 아직 이런 물건이 없습니다……. 정말 아름다운 물건입니다." 근처의 주민들은 서태후가 이화원에 있는지 여부를 금방 알 수 있었다. 호수의 배를 대는 곳에는 커다란 가로등 기둥이 있었는데 서태후가 이 정원에 있을 경우에는 가로등에 불을 켜두었다. 옹동화는 이화원을 한 번 둘러보고 나서 "이토록 화려한 건물과 호화로운 장식은 본 적이 없다."고 논평했다. 이화원은 북경의 보석 같은 건물이요, 중국 전통 조경 공원의 모범이라고 널리 인정되었다.

15

은퇴 후의 한일閑逸한 시기

(1889~1894)

서태후가 1889년에 은퇴했을 때 이화원 공사는 아직도 마무리되지 않았으므로 그녀는 먼저 자금성 근처의 서원에 살았다. 거기 호수 한가운데에 영대瀛臺라는 전각이 있었는데 광서제가 가끔씩 와서 머물렀다. 날마다 문안 인사를 하기 위해 서원에 왔으면서도 황제는 국사에 대해서는 철저하게 침묵을 지켰다. 그는 오래전부터 자신이 직접 통치하고 싶어 했고, 서태후가 그에게 마음에 없는 결혼을 강요한 이후에는 더욱더 태후의 간섭을 원하지 않게 되었다.

은퇴하기 전에 그녀의 향후 정치적 역할과 관련하여 순친왕과 대신들은 일련의 상세한 규칙을 세웠고, 서태후는 이것을 받아들였다. 그 규칙에 의하면 광서제는 국가정책에 관하여 태후와 의논할 필요가 없고 또 태후도 황제의 결정에 대해서 발언할 수 없다. 단 하나의 예외가 있는데 1급과 2급의 고위 관리의 임명과 관련해서는 선포를 하기 전에 서태후의 승인을 받도록 하였다. 그 외에 황제는 접수된 보고서들의 제목을 서태후에게 보내도록 되어 있었다. 그녀가 제국의 운영에 대해 윤곽을 파악할 수 있게 하려는 것인 만큼 세부 사항은 보고되지 않았다. 오로지 정보 제공용이었다. 순친왕은 서태후가 국정의 키를 계속 잡고 있기를 바랐고 그녀 자신도 그러고 싶었지만, 이 정도가 은퇴한 태후에게 해줄 수 있는 한도였다. 그녀의 은퇴 직전에 한 관리는 황제에게 올리는 모든 보고서를 서태후도 열람할 수 있게 하자는 탄원서를 올렸으나, 그녀는 그것을 즉각 거부하는 것 말고는 다른 대안이 없었다.

광서제는 그 규칙을 철저히 지켰고 친정하는 첫날부터 보고서들의 제목을 서태후에게 보냈다. 동시에 군기대신과 이홍장 같은 고위 대신들과의 접촉이 끊어졌다. 처음에, 지난 30년 동안 국정을 맡아온 서태후가 이처럼 완전 비켜서 있는 것은 아주 어려운 일처럼 보였다. 은퇴한 해 여름, 그녀는 국정에 개입하여 북경-무한 철도 공사의 시작을 선언했다. 그 포고는 구체적으로 이런 문안을 담고 있었다. '황태후의 지시를 받아 황제는……' 그녀가 이렇게 할 수 있었던 것은 옹동화가 조상들의 묘를 보살피기 위해 잠시 출장을 간 사이에 황제가 서태후의 위압적 간섭에 굴복했기 때문이었다. 그러나 옹동화가 돌아와서 그 공사를 반대하자, 광서제는 계획을 보류했다. 그다음 해인 1890년 초, 서태후는 동릉에 참배할 기회를 얻어서 그곳에 온 군기처 대신들과 이홍장을 만날 수 있었다. 그들은 철도 공사와 조선의 최근 상황을 논의했다. 당시 여러 열강들이 조선의 이권을 노리고 각축하면서 위기가 조성되고 있었다. 그 만남은 황제를 불쾌하게 만들어서 광서제가 서태후에게 따지고 들자, 다시 그것이 태후를 화나게 했다. 그녀는 호의의 표시로 관리들에게 과일을 나누어줄 때 황제의 수행원들은 일부러 배제했다. 이와 유사한 긴장의 순간들이 1891년까지 계속되었다.

1891년 6월 4일, 서태후가 이화원으로 공식 이사하면서 이런 긴장 국면은 끝났다. 그녀가 이제 물리적으로 의사 결정 중심부로부터 멀어졌기 때문이다. 이제 국정에 개입하려면 음모를 꾸미지 않고서는 불가능했다. 광서제는 서태후가 이제 떠나간다는 칙명을 반포하여 널리 알렸고 또 대규모 관리들을 그녀의 환송식에 참여시켜 떠나는 모습을 더욱 강조했다. 이사 가는 날 아침에 그는 예복을 입은 관리들을 이끌고 서원의 출입문에서 무릎을 꿇고 기다렸다가 그녀의 출발을 환송했다. 서태후의 가마가 출발하자 그는 앞서 이화원으로 가서 역시 무릎을 꿇고 도착을 기다렸다. 두 사람은 저녁 식사를 함께했고, 황제는 다시 자금성으로 돌아왔다. 그 후 황제는 이화원을 정기적으로 방문했으나 오로지 문안 인사를 위한 것이었다. 문안 인사에서 정치적인 얘기는 철저히 배제되었다. 서태후는 나중에 한 총독에게 말했다. "나는 은퇴한 뒤에는 국사에 대해 아무것도 들은 것이 없습니다."

그녀의 황실 의무는 상징적이고 의례적인 것이었다. 대규모 흉년이 들면 그것을 위로하는 공식 선언서를 발표하고 궁중 경비의 일부를 하사했다. 1891년 순친왕이 사망했을 때 장례식에서 사당 건립에 이르는 모든 필요한 조치를 그녀의 책임 아래 처리했다. 그 외에 서태후는 환관, 궁녀 들과 한가한 나날을 보냈다.

서태후를 보살펴주고 이화원의 모든 업무가 잘 돌아가게 한 인물은 총관 태감인 이연영이었다. 그는 순친왕이 해군 시찰을 나갈 때 함께 데려갔던 환관이기도 하다. 그 여행은 서태후가 일상생활에서 잘 보필해준 환관에 대한 선물일 뿐만 아니라 순친왕이 자신의 과거 잘못을 뉘우치는 행사이기도 했다. 몇 년 뒤 이연영을 만났던 미국 화가 캐서린 칼은 그를 이렇게 묘사했다.

> 그는 키가 크고 날씬했다. 그의 머리는 이탈리아의 종교개혁자인 사보나롤라 Savonarola 같은 유형이었다. 매부리코, 크고 날렵한 턱, 비쭉 튀어나온 아랫입술, 총기가 넘치는 날카로운 눈과 거기에서 뿜어져나오는 매서운 눈빛. 얼굴에는 주름이 많았고 피부는 오래된 양피지 같았다……. 그는 우아하고 매력적인 매너를 갖고 있었고, 훌륭한 중국어를 말했다. 발음이 명확하고 어휘 선택이 적절했으며, 목소리는 낮고 부드러웠다.

이연영은 여섯 살 때 가난에 찌든 아버지가 거세 전문가에게 데려가면서 운명이 결정되었다. 궁중에 처음 들어갔을 때 소년 연영은 일하기보다 놀기를 좋아해 '게으르다'는 평가를 받았다. 그러나 철저한 훈련과 '직무유기'에 대한 강한 처벌 덕분에 사람이 바뀌어, 주인을 열심히 모시면서 궁중의 규칙을 철저히 따르게 되었다. 아주 신중하고 기민한 그는 서태후의 일상생활을 철저하게 보필했다. 그는 독성 유무를 살피기 위해 태후의 음식을 먼저 맛보는 사람이었고 가장 친한 친구이기도 했다. 서태후는 외로웠다. 일부 환관들은 이렇게 회상했다.

> 서태후는 많은 업무를 처리했지만 그녀의 개인 생활은 공허했다. 일을 하지 않을 때에는 그림을 그리거나 연극을 구경했지만 때때로 그녀는 불안함을 느꼈다. 그녀의 좌불안석 상태를 덜어줄 수 있는 유일한 사람이 환관 이연영이었다. 그는 어떻게 그녀를 보필해야 하는지 잘 알았고, 그녀의 둘도 없는 친구가 되었다. 우리는 두 사람이 아주 가깝다는 것을 알 수 있었다.

환관들은 서태후가 종종 이연영의 방에 들려 이렇게 소리쳤다고 기억했다. "연영, 산책 나가자." 그들은 '함께 산책을 나갔고, 우리는 멀리서 뒤따라갔다. 태후는 때때로 이연영을 그녀의 침실로 부르기도 했다. 그러면 두 사람은 밤늦도록 대화를 나누었다'. 이연영이 아플 때—환관들에 의하면 침대에 누워 있고 싶어서 아프다고 할 때—서태후는 걱정을 하면서 어의를 즉각 불러오라고 했다. 태후는 어의가 약제를 준비할 때까지 그의 옆에 있었다(약초와 기타 약제는 약상자에서 꺼내 섞어서 탕으로 끓이는 데 시간이 걸린다). 궁중 의료 기록에는, 서류철을 공유하는 다른 궁내 사람들과는 다르게 이연영의 서류철이 별도로 준비되어 있었다. 이런 의료 특혜는 하급의 후궁도 누리지 못하는 것이었다. 서태후는 그에게 값비싼 선물을 내려주었고, 청 역사상 환관에게는 전례가 없는 총관 태감으로 승진시켰다.

궁중에서 이연영은 '상급자에게 공손하고 하급자에게 관대하다'는 중평을 받았으나, 이런 특별한 지위가 궁내의 사악한 질투를 불러일으키지는 않았다. 그러나 전국적으로는 다른 얘기였다. 그가 서태후와 가깝고 또 환관이기 때문에 관리들은 그가 국정에 개입한다고 끊임없이 비난을 해댔다. 하지만 아무도 구체적인 증거를 내놓지 못했다. 서태후는 청 왕조의 규칙을 철저히 따르면서 이연영을 절대 정치에 개입시키지 않았다. 그러나 비난의 소리는 잦아들지 않았다. 그가 순친왕을 따라 해군 시찰 여행에 나섰을 때 그 소식은 엄청난 폭풍을 일으켜서 시찰 여행을 거의 압도할 정도였다. 어사御史 주일신朱一新은 서태후를 비난하는 글을 올렸다. 이연영을 그 여행에 동행시켰기 때문에 그 징벌로 홍수가 발생해 여러 성의 작물 추수를 망쳤다는 것이었다. 서태후는 어사를 처벌하지 않는다는 자신의 규칙을 깨뜨리면서 주일신의 중상모략을 비난했다. 그러고는 그의 탄원서를 공개적으로 거부하면서("탄원서를 그에게 되던져주었다"), 이 불온한 관리를 좌천시켰다. 또 다른 관리가 환관을 수도 밖으로 내보내서는 안 된다는 글을 올리자 그녀는 그 탄원서를 무시했다. 이연영이 서태후의 머리를 잘 빗질해주었기 때문에 그런 높은 지위에 올랐다는 소문이 널리 퍼졌다. 이것은 성적인 암시가 가미된 근거 없는 소문이었다. 심지어 나중에 서태후가 은퇴한 후에 중국이 일본에 패배하자 그것도 태후와 이연영의 관계 탓이라고 비난하는 사람들이 있었다.

이연영은 그 나름의 방식으로 복수를 했다. 관리들이 한직을 바라고서 값비싼 선물을 가져오면 그걸 받고서도 아무런 조치를 취하지 않았다. 서태후는 이런 소행을 잘 알고 있었으나 눈감아주었다.

이연영에게 온갖 상을 다 내리던 서태후는 그의 여동생을 궁중으로 불러서 머무르게 했다. 하지만 그녀는 오래 머무르지 못했다. 이연영의 동생은 환관의 친척이기 때문에 아주 어색한 입장이었다. 궁내의 다른 여성들이 오래 걷다가 지쳐서 가마를 타면 이연영의 동생은 오빠와 마찬가지로 가마 옆에서 걸어가야 했는데 전족을 한 그녀에게는 굉장한 고통이었다. 한 궁녀의 말에 의하면 서태후는 이연영의 동생에게도 가마를 타도록 해줄 의사가 있었을 것이나, 신중한 이연영이 그런 혜택을 받아들이지 않았다. 여동생의 지위는 너무나 낮다고 여겨져 심지어 아랫사람들도 그녀의 행하는 받지 않으려 했다. "우리는 가난으로 굶어죽는다 해도 저 여자의 돈은 받지 않으려고 했습니다." 한 시녀가 콧방귀를 뀌면서 말했다. 오래지 않아 이연영의 여동생은 궁중에 오지 않게 되었다.

서태후 주위의 귀부인들은 대부분 젊은 과부들이었다. 그들의 결혼은 모두 서태후가 지정해주었는데, 이들에게는 큰 영예였다. 이들은 전통적인 도덕관에 의하여 배우자가 사망할 경우 재혼이 금지되어 있었다. 그런 과부들 중에는 경친왕의 딸인 사격격四格格도 있었다. 그녀는 총명하고 생기가 넘치며, 유머가 있고 인기가 높아서 늘 서태후를 웃게 만들었다. 서태후는 사격격이 자신의 젊은 시절을 연상시킨다고 말했는데, 그녀가 다른 곳에 있으면 늘 그리워했다. 또 다른 10대 과부로는 원 귀인袁貴人이 있었다. 그녀는 통상적인 의미로 볼 때 결혼한 것이 아니었다. 그녀가 정혼한 남자는 서태후의 조카였는데 결혼 전에 죽었다. 그런데 원 귀인은 장례식 전에 이미 과부의 상복을 입었으며, 애도의 표시로 흰 삼베를 두른 가마를 타고 그의 관 옆으로 가서 과부로서의 의례를 수행했다. 이처럼 배우자로서의 일편단심을 바쳤기 때문에 그녀는 평생 정절을 지키는 과부로 살아가게 되었다. 사람들이 볼 때 그녀는 목석처럼 전혀 생기가 없었고, 서태후도 그녀에게 별로 할 말이 없었다. 그러나 원 귀인을 특별히 불쌍하게 여겨서 늘 초청자 명단에 넣어주었다.

융유 황후는 태후의 수행원 중 붙박이였다. 광서제는 융유를 완전히 무시했고, 심지어 우연히 마주쳐서 그녀가 무릎을 꿇고 인사해도 본 체만 체 했다. 사람들은 그녀에 대해 '착하고', '매력적이고', '사랑스럽다'고 말했지만 '그녀의 눈빛에는 거의 병적인 슬픈 체념이 어려 있었다'. 그녀의 삶은 공허했고 또 아주 따분했다. 어떤 사람들은 그녀가 좌절과 분노를 시종들과 애완동물들에게 풀었다고 말한다. 그래서 그녀의 고양이들은 몇 달을 견디지 못하고 도망쳤다고 한다. 모든 숙녀들은 서태후 곁에 있을 때에는 쾌활한 척했지만 거기에 진정한 행복은 없었다.

서태후는 잘 정돈된 삶을 살았다. 아침에는 기상하는 데 시간이 좀 걸렸다. 이제 예전처럼 억지로 5시나 6시에 일어나야 할 필요는 없으므로 때때로 8시까지 침대에서 뭉그적거렸다. 그녀가 숙소의 창문을 열어 하루 일과를 시작할 준비가 되었다고 알리면 온 궁전이 들썩거렸다. 전령 환관들이 달려가서 그 '소식'을 전하면 태감들이 침전 밖에 모여서 그녀의 지시를 기다렸다.

방 안에서 그녀는 비단 덧옷을 입었고, 궁녀는 주방으로 달려가 뜨거운 물을 가져왔다. 이 물을 어린 환관이 무릎을 꿇고 들어올린 은 대야에 부었다. 그 옆에서는 궁녀들이 비누 그릇과 타월을 들고 서 있었다. 태후는 뜨거운 타월로 얼굴을 몇 번 문지른 뒤 손바닥으로 살살 두드려서 말렸다. 이어 또 다른 타월로 두 손을 감싸고서 뜨거운 물속에 오랫동안 담궜다. 뜨거운 물을 두세 번 갈 정도로 오래 뜸을 들였다. 이것이 그녀의 양손이 소녀처럼 부드럽게 된 비결이라고 한다.

양치질을 한 후 그녀가 남쪽을 바라보는 의자에 앉으면 환관이 들어와 그녀의 머리를 빗겨주었다. 환관들에 의하면 서태후는 마흔 살 무렵부터 머리카락이 빠지기 시작해 숱이 듬성한 부분에는 검은색 가발을 썼다. 그녀의 머리를 빗어 보석 핀을 박은 복잡한 만주식 스타일로 고정시키면서 동시에 가발을 제자리에 잘 앉히려면 상당한 기술이 필요했다. 머리를 매만지는 환관이 우스운 이야기를 전하면 그녀는 웃으며 건강과 미용에 좋다는 버섯 젤리를 먹었다. 머리를 모두 다듬고 나면 그녀는 머리에 꽃을 꽂았다. 만주 귀부인의 머리는 꽃이 없으면 끝난 게 아니었다. 그리고 서태후는 보석보다 꽃을 더 좋아했다. 그녀는 머리의 꽃 장식을 잘 매만졌는데 때로는 재스민의 하얀 꽃망울을 왕관 모양으로 만들어 꽂기도 했다(궁녀들도 같은 꽃을 꽂았는데 서태후의 오른쪽에 서 있을 때에는 오른쪽에, 왼쪽에 서 있을 때에는 왼쪽에 꽂았다).

얼굴은 별로 가꿀 것이 없었다. 그녀는 과부이기 때문에 화장을 해서는 안 되었다. 그렇지 않은 만주 숙녀들은 하얀색과 분홍색으로 과도한 얼굴 화장을 했고, 아랫입술에 강한 연지를 찍어 '앵두 같은' 작은 입술을 만들려고 애썼다. 당시에는 자그마한 입술을 예쁘다고 생각했기 때문이다. 화장을 하고 싶은 생각이 들 때면 서태후는 양뺨과 손바닥에 연지를 조금 바르고 심지어 입술에도 조금 발랐다. 궁중에서 사용하는 연지는 북경 서쪽 산에서 나는 장미로 만든 것이었다. 붉은 장미의 꽃잎을 돌절구에 넣어서 하얀 대리석 절굿공이로 찧는다. 그런 다음 명반을 조금 집어넣고 검붉은 즙액이 생기면 올이 가늘고 얇은 하얀 천으로 걸러서 '연지 항아리'에다 받는다. 비단 솜털을 네모나거나 둥근 조각으로 만들어서 그 항아리에다 며칠 동안 넣어두어 그 액체를 빨아들이게 한다. 그 후 비단 패드를 유리 창문이 있는 방 안에 두고 먼지가 묻지 않게 깨끗이 건조시킨다. 이런 과정을 거쳐서 연지 패드는 비로소 황실의 화장대 위에 오른다. 서태후는 그 패드를 미지근한 물에 잠시 넣었다가 사용했다. 입술에 바를 경우에는 패를 말거나 아니면 벽옥 머리핀으로 비틀어서 립스틱처럼 만들어 입술 한가운데에다 살짝 찍어 발랐는데, 윗입술보다는 주로 아랫입술에다 발랐다. 향수로 서로 다른 꽃들에서 나오는 기름을 그녀가 손수 배합하여 사용했다(궁중은 서태후의 지시 아래 특유의 비누를 만들었다. 궁녀들이 비누가 될 반죽을 미리 보여주면 태후가 그 반죽을 손수 힘껏 휘저었다).

서태후는 과부였으므로 밝은 적색이나 녹색 같은 화려한 색깔은 사용할 수 없었다. 하지만 아주 수수하다는 옷조차 유럽의 기준으로 보면 다

채로운 것이었다. 그녀는 거처 주위에서는 연한 오렌지색의 겉옷에다 연푸른 조끼를 받쳐 입었는데 이 옷들은 주로 가장자리에만 장식이 들어간 것이었다. 특별한 행사가 있는 날에 그녀가 즐겨 입는 옷은 커다란 백목련이 장식된 푸른색 공단 겉옷이었다. 그녀와 함께 11개월을 보낸 캐서린 칼은 이렇게 말했다.

> 그녀는 언제나 흠잡을 데 없이 단정했다. 그녀는 자신이 입을 옷을 스스로 디자인했다……. 색깔 선택에 탁월한 안목을 가지고 있었는데, 나는 그녀가 황실의 색인 노란색을 제외하고는 어울리지 않는 색의 옷을 입는 걸 보지 못했다. 노란색은 그녀에게 어울리지 않았으나 공식 행사에는 어쩔 수 없이 그 색의 옷을 입어야 했다. 하지만 가장자리 장식을 잘 활용하여 노란색을 되도록 억제하려 했는데, 때로는 장식이 너무 화려해서 원래의 색깔은 거의 보이지 않을 정도였다.

서태후의 보석류는 그녀 자신의 디자인에 맞추어 준비되었는데, 그런 것들로는 공식 겉옷 위에 입는 진주가 박힌 망토가 있었다. 다이아몬드는 나중에 좋아하게 된 보석이었다. 당시의 중국인들은 다이아몬드의 반짝거리는 빛을 천박하다고 여겨서 주로 시추용으로만 사용했다.

옷을 잘 차려입는 것은 서태후에게 중요했다. 의상을 다 갖추어 입고 나서 그녀는 거울에 비친 자신의 모습을 찬찬히 살펴보았다. 나이에 비해서 필요 이상으로 오래 들여다보는 것 같다고 일부 궁녀와 귀부인들은 생각했다. 서태후는 젊은 여자들이 무슨 생각을 하고 있는지 알았고, 그래서 어느 날 궁녀인 덕령德齡에게 이렇게 말한 것을 덕령이 기록해놓았다.

"나같이 나이 많은 여자가 옷을 입고 꾸미는 데에 이처럼 오랜 시간과 노력을 들이는 게 좀 우스꽝스럽게 보일지 몰라. 하지만 나는 옷을 잘 차려입는 것을 좋아하고 또 잘 차려입은 젊은 예쁜 여자들을 쳐다보는 것도 좋아해. 그러면 나도 다시 젊어지고 싶어져." 나는 태후에게 그녀가 아주 젊게 보이고 또 지금도 아름답다고 말했다. 비록 우리가 젊기는 하지만 그녀와 감히 비교할 바가 못 된다는 말도 했다. 내 말은 그녀를 기쁘게 했는데, 그녀는 칭찬을 좋아하기 때문이다…….

의상실을 나서기 전에 서태후는 신발을 마지막으로 내려다보았다. 그녀의 신발은 앞부분이 편안한 네모꼴로서, 한족 여인들이 신는 뾰족한 신발과는 아주 달랐다. 그녀의 양말은 하얀 비단으로 만든 것인데 예쁜 리본으로 발목 부근을 묶어서 사용했다. 그녀는 양말의 가장가리가 제자리인 신발보다 위에 놓여 있는지 확인했다. 양말은 한 번밖에 안 신기 때문에 지속적으로 공급되어야 했다. 궁내의 전문 재봉사가 만드는 양말 이외에도 그녀의 친정과 다른 귀족 가정에서 그녀의 양말을 만들어 선물로 헌상했다.

아침 단장이 끝나면 그녀는 '꼿꼿한 자세와 가볍고 빠른 걸음'으로 전각 바깥쪽으로 걸어나갔다. 궁녀가 휘장을 열어젖히는 순간, 전각 밖에서 휘장을 응시하며 그 순간을 대기하고 있던 환관들이 일제히 무릎을 꿇고서 큰 소리로 외쳐댔다. "노불야老佛爺(원래는 부처를 지칭하는 말이지만 청대 황태후와 태상황제에 대한 존칭이다.—옮긴이), 오늘도 모시게 되어 커다란 즐거움입니다!" 그녀는 이제 궁중에서 이런 비공식적 별명으로 불렸는데, 이 별명은 북경 시내까지 널리 알려져 있었다.

서태후는 태감들에게 할 일을 지시하면서 물파이프로 그날의 첫 담배를 피웠다. 물파이프는 기다란 관 끝부분에 자그마한 직사각형 통이 달려 있어서 손바닥으로 잡고 있어야 했다. 하지만 그녀가 그 파이프를 들고 있는 경우는 거의 없었다. 그것은 파이프 담당 궁녀가 대신 하는 일로 태후로부터 '벽돌 두 장의 거리'를 유지한 채 파이프를 들고 서 있어야 했다. 태후가 그녀에게 시선을 돌리면 하녀는 오른손을 내밀어 파이프의 물부리가 태후의 입가에 바로 다가가게 했다. 그러면 태후가 고개를 약간 돌려 입술을 벌리고서 파이프를 물었다. 태후가 파이프를 빼끔거리는 동안 궁녀는 담배통을 잘 들고 있어야 했다. 이 일을 잘 해내기 위해 궁녀들은 여러 달 동안 훈련을 받았다. 미동도 하지 않은 채 오른쪽 손바닥으로 뜨거운 물통을 꽉 붙잡고 있어야 했기 때문이다.

담배를 두 대 피우고 나면 아침 식사가 나왔다. 제일 먼저 나오는 것은 차였다. 만주족은 우유와 함께 차를 마셨다. 서태후가 마시는 우유는 사람의 젖에서 나온 것이었다. 그녀는 1880년대 초에 오랫동안 병을 앓고 나서 저명한 의사의 권유에 따라 사람의 젖을 마시기 시작했다. 그래서 유모 여러 명이 고용되었는데, 유모들은 그들의 젖먹이 아이들과 함께 궁중에 들어왔다. 궁내에서 태후에게 가장 오래 봉사한 유모의 경우, 그 아들에게 교육을 시켜주고 나중에 관직을 주었다.

서태후가 차를 마시고 있는 동안 환관들이 용무늬가 새겨진 노란 비단보에 싸인 나전칠기 음식 통을 들고 왔다. 총관 태감인 이연영이 그 통들을 문간에서 받아 직접 서태후에게 가져왔다. 그녀는 캉[炕, 온돌]에 가부좌를 하고 앉아서 기다렸다. 캉은 침대만한 높이의 직사각형 벽돌 구조물로 그 밑에서 군불을 때는데, 중국 북부 지역에서 주로 사용하였다. 서태후는 창문 바로 옆에 앉는 것을 좋아해 안뜰을 내다보면서 햇빛과 하늘을 마음껏 즐겼다. 그녀가 먹을 음식은 캉의 낮은 탁자에다 차려놓았는데 그 옆의 더 작은 탁자에 이르기까지 죽 진열되었다. 작은 탁자들은 식사가 끝나면 곧바로 치웠다. 음식 통들이 제대로 진열되면 궁중 규칙에 따라 서태후가 보는 앞에서 뚜껑을 개봉했다. 통 안에는 다양한 종류의 죽, 떡, 과자—찐 것, 구운 것, 튀긴 것—가 있었고, 콩국에서 맑은 수프에 이르기까지 다양한 국거리들이 있었다. 또 간장과 기타 향긋한 양념으로 요리한 오리 간 같은 맛있는 반찬들도 많았다.

서태후는 식욕이 좋아서 하루 세 끼를 충분히 먹고도 중간에 간식을 먹었다. 식사하는 장소는 그녀가 가는 곳에 따라 달라서 고정된 식당이라는 게 없었다. 식사의 규모와 차림은 규정을 따랐다. 하지만 국가적 재난이 있는 경우에는 음식의 가짓수가 줄어들었다. 자희는 황태후로서 하루 31킬로그램의 돼지고기와, 닭과 오리 한 마리씩을 배당받을 자격이 있었다. 이런 고기 배당량에다 채소와 기타 식자재가 추가되어(이런 것들도 그 수량이 다 정해져 있었다), 수십 가지의 반찬이 요리되었고, 간식이 아니라 주식일 경우에는 100개 이상의 접시에 음식이 담겨져 올라왔다. 대부분의 접시들은 손도 대지 않으며 그냥 거창함을 강조하기 위한 장식용으로 차려진 것이었다. 그녀는 식사를 할 때 물을 거의 마시지 않았고, 대부분 혼자서 했다. 그녀의 식사에 초대받은 사람은 황제를 제외하고는 모두 서서 먹어야 했기 때문에 잘 초대하지 않았다. 그녀의 식탁에서 나온 음식들은 황실의 호의 표시로서 신하들에게 나누어졌다. 황제도 그녀와 같은 궁전에 머무르면 그 음식을 받았다. 궁정에서 매일 나오는 엄청난 음식 덕분에 인근의 음식 가게들은 큰 호황을 누렸다. 또 날마다 일정한 시간에 남루한 거지들이 특정 문으로 오면 남은 음식을 받아갈 수 있었으며, 아니면 음식물 쓰레기를 반출하기 전에 그것을 뒤지는 것이 허용되었다.

점심 식사는 손을 잘 씻고 난 후에 진행되었고, 식사가 끝나면 낮잠 시간이었다. 잠들기 전에 서태후는 선생 환관과 함께 중국 고전을 읽었는데, 그러면 환관은 태후가 좋아하는 농담을 섞어 말함으로써 책 읽기의 흥미를 높였다. 그녀가 낮잠에서 깨어나면 또다시 궁전 안에서는 흥분의 전율이 일었다. 한 목격자는 이렇게 묘사했다. "그녀가 잠에서 깨어나면 그 소식은 전기 불꽃처럼 온 전각과 궁전 경내로 퍼져나갔고, 모든 사람이 곧바로 경계 태세로 들어갔다."

서태후는 밤 11시경 취침하기 전에 발바닥 안마를 종종 받았다. 두 명의 안마사가 그녀의 두 발을 은도금한 나무 그릇에다 담그고서 그들의 양팔을 넓게 벌려 그녀의 임시 발걸이를 제공했다. 그릇 속의 물은 꽃이나 약초를 넣고 끓인 것이었다. 물론 이런 꽃과 약초 들은 어의들이 그날의 날씨와 그녀의 신체 상황을 감안해서 처방을 내린 것이다. 여름에는 말린 국화를, 겨울에는 모과나무 잎사귀를 주로 넣었다. 안마사들은 오늘날의 반사신경 요법과 비슷하게 발바닥의 경락을 부드럽게 눌렀다. 발톱을 깎을 때면 안마사들이 가위를 사용해도 좋다는 허락을 받은 후 궁녀들이 가위를 가져왔다. 서태후의 궁전에서는 통상적으로 날카로운 물체는 반입이 금지되어 있었다. 기다란 손톱 손질은 하나의 전문 분야라 할 만한데, 특히 넷째 손가락과 새끼손가락을 길게 기르는 것은 만주 귀족 여성들 사이에서는 흔한 일이었다. 이 기다란 손톱들은 루비나 진주가 상감된 속이 비춰 보이는 나전칠기 혹은 황금 덮개로 잘 보호되었다. 지체 높은 여자들은 손수 손톱을 다듬거나 머리를 빗지 않기 때문에 이런 손톱이 전혀 문제가 되지 않았다.

서태후의 침상은 침전의 벽감 속에 집어넣은 캉이었다. 그 주위의 3면 벽에는 선반들이 있었는데 거기에 자그마한 벽옥 소입상小立像들이 진열되었다. 침상에서의 독서는 선생 환관들과 중국 고전을 공부하는 시간으로 보통 책을 읽는 도중에 태후는 잠이 들었다. 그러면 궁녀가 침전 바닥에 조용히 앉아서 마치 가구처럼 미동도 하지 않았다. 침전 바깥의 대기실과 궁전의 다른 곳에는 더 많은 궁녀와 환관들이 대기했다. 침전에서 밤새워 보초를 서는 이들은 곤히 자는 사람의 코 고는 소리를 들었다.

ↄ

서태후는 이제 50대 초반이었고 아주 건강했다. 그녀는 다른 젊은 수행원들보다 더 민첩하게 제기를 찼고 언덕도 제일 먼저 올라갔으며, 웬만해서 피곤한 기색을 보이지 않았다. 북경의 한겨울 추위에도 그녀는 통상적으로 난방을 거부했는데 침전에는 아무것도 놓지 않고 그 옆 대청에 목탄 구리 화로를 놓고서 지냈다. 구리 화로는 보기에는 그럴듯하고 또 푸른색 불꽃을 피워올리지만 난방 효과는 그리 좋지 못했다. 서태후 처소의 방문들은 늘 열려 있고 두껍게 안감을 댄 휘장이 드리워 있었다. 그 휘장을 들치고 환관들과 궁녀들이 자주 들락거리기 때문에 찬바람이 방 안으로 쉴 새 없이 들어왔다. 다들 뼛속 깊숙이 추위를 느꼈지만 태후는 별로 추위를 타지 않는 듯했다. 그녀는 비단과 모직으로 된 내의 그리고 털옷을 입었는데, 아주 추워야 그 위에 털 달린 외투를 덧입었다.

서태후의 정신은 예전과 마찬가지로 날카로워서 정치와 완전히 담을 쌓고 지내는 것이 아주 어려웠다. 그녀가 날마다 강요된 고립과 한거를 견딜 수 있었던 것은 폭넓은 관심사 덕분이었다. 그녀는 새로운 것이라면 뭐든지 호기심이 발동했고 또 모든 것을 직접 해보고 싶어 했다. 곤명호에 증기선을 두 척이나 띄웠으므로 이제 그녀는 몇 년 전 군사용으로 들여온 열기구를 타보고 싶어 했다. 그러나 이홍장은 열기구가 좋은 상태가 아니어서 비행 중에 폭파할지도 모른다는 실망스러운 소식을 전해왔다.

이화원은 서태후에게 끝없는 즐거움의 원천이었고, 경내에서 아무리 오래 산책해도 피곤하지 않았다. 빗속에서 산책하는 것이 그녀를 가장 즐겁게 했다. 환관들이 늘 우산을 들고서 뒤따라왔으나 그녀는 억수로 퍼붓지 않는 한 우산을 쓰지 않았다. 여러 명의 환관들이 그녀를 수행했고 그들과 함께 귀부인들과 궁녀들도 함께 따라왔다. 그들은 태후의 "옷, 신발, 손수건, 빗, 솔, 파우더 통, 각종 크기의 거울, 향수, 핀, 검은 먹과 붉은 먹, 노란 종이, 담배, 물파이프 등을 들었고 맨 마지막 궁녀는 노란 공단을 씌운 간이 의자를 들고 있었다……". 한 귀부인은 그 광경을 가리켜 '다리가 달린 걸어다니는 여성용 의상실'이라고 말했다. 종종 서태후와 귀부인들은 가마를 타고서 그녀가 지정한 아름다운 경승지로 갔다. 그런 곳에 도착하면 그녀는 노란 공단 의자에 앉아서 아득히 먼 곳을 오랫동안 바라보았다. 그런 경승지 중 하나가 높은 아치를 자랑하는 다리의 맨 꼭대기였다. 그 다리는 부드럽게 물결치듯이 호수 위에 놓여 있었는데 이름도 그럴듯하게 옥대교玉帶橋였다. 그녀가 좋아한 또 다른 곳은 외장을 대나무로 마무리한 자그마한 오두막집이었다. 그녀는 이곳에 앉아서 차를 마셨다. 그녀가 마시는 차는 중국 각지에서 진상해온 최고급품으로 벽옥 잔에 담아 마셨는데, 때때로 찻물에다 인동, 재스민, 말린 장미꽃을 함께 집어넣었다. 건조시킨 꽃들도 벽옥 그릇에 담아왔는데, 그녀는 가느다란 앵두나무 젓가락으로 그 꽃들을 집어서 찻물에 넣고 흔들어 마셨다.

서태후가 좋아하는 놀이는 곤명호에 배를 띄우는 것이었다. 그녀가 뱃놀이를 하는 동안 약간 떨어져서 환관들이 따라오며 대나무 피리, 대나무 리코더, 만돌린과 비슷하게 생긴 달[月] 모양의 월금月琴 등의 악기를 연주했다. 서태후가 '마치 몽환에 빠진 듯' 음악에 취해 있으면 다들 침묵을 지켰다. 때때로 달 밝은 밤에, 그녀는 호수 위로 건너오는 음악에 맞추어 부드럽게 노래를 불렀다.

서태후는 자연을 사랑했는데, 특히 식물을 좋아했다. 국화는 그녀가 가장 좋아하는 꽃이었다. 번식 시기가 되면 태후는 궁중의 귀부인들을 데리고 가서 접지接枝하여 화분에다 옮겨 심고 날마다 물을 줘서 꽃망울이 올라오게 했다. 그런 다음에는 꽃망울에 보호막을 씌워서 비 피해를 입지 않게 했다. 이 작업을 하느라고 평소의 낮잠도 거를 정도였다. 나중에 그녀는 권좌에 복귀하자 공식 집무처에 식물을 두지 못하게 한 오래된 관습을 깨뜨리면서 접견 전각에 화분들을 가득 들여놓아 계단식으로 정리했다. 그래서 서태후를 알현하러 온 관리들은 절을 하려고 무릎을 꿇을 때 방향 조정을 잘해야 했다. 그녀의 옥좌가 '꽃의 산' 뒤에 감추어져 있는 듯했기 때문이다.

서태후는 과수원도 정성스레 가꾸었다. 제철이 되어 과실나무에 열매가 맺히면 매일 그녀 앞으로 여러 광주리의 과일들이 왔다. 그녀는 과일들의 색깔과 모양을 잘 살펴보았는데, 좋아하는 포도는 햇빛에 비춰보면서 오래 응시했다. 사과, 배, 복숭아가 대청의 커다란 법랑 항아리를 가득 채웠고, 저마다 좋은 향기를 내뿜었다. 향기가 완전히 사라지면 그 과일들을 궁녀들에게 나누어주었다. 그녀는 냄새가 없는 호리병박도 좋아했다. 때때로 과수원에 나가 격자 시렁 위에 열린 호리병박을 쓰다듬었고, 비가 올 때에도 나가서 호리병박을 살펴보았다. 그녀가 수집한 호리병박은 수백 개가 넘었다. 그러면 손재주 좋은 환관들이 그것으로 악기나 그릇을 만들고, 때로는 표면에 세밀화나 서예를 새겨 넣어 다양한 멋진 물품으로 만들어냈다. 서태후는 일부 호리병박은 날카로운 대나무 조각으로 표면을 문질러서 부드럽게 만들기도 했다.

그녀는 며칠에 한 번씩 넓은 채소밭으로 나가서 신선한 채소나 농산물을 직접 채취하면서 즐거워했다. 때때로 그 채소들을 안뜰에서 직접 요리하기도 했고 궁녀들에게 검은 찻잎과 양념으로 달걀 삶는 방법을 가르쳐주기도 했다.

이화원에서는 모기가 아주 성가셨는데 특히 여름 저녁이 큰 문제였다. 그러나 서태후의 환관들은 아주 교묘한 해결안을 생각해냈다. 그들은 태후의 전각과 안뜰을 몽땅 덮을 수 있는 거대한 천막을 세웠다. 지붕과 커튼이 있어 줄과 도르래를 활용해 천막 윗부분을 펴거나 감을 수 있고 또 커튼을 올리거나 내릴 수 있는 천막이었다. 이 교묘한 기술을 발휘한 작품은 일종의 거대한 모기장으로서, 모기를 물리치는 것은 물론이요 낮에는 뜨거운 햇빛을 차단해주었다. 게다가 이 천막에 등을 달고 또 천막 안의 촛불이 미풍에 가볍게 흔들리면 여름 저녁은 그야말로 향기가 은은한 즐거운 한때였고, 모기 걱정은 전혀 할 필요가 없었다. 이런 거대한 천막은 외국인 공관들을 위해서도 세워졌다.

서태후는 새와 동물을 사랑했다. 그녀는 동물들을 기르고 교배하는 법을 배웠으며, 그 분야의 전문가로 알려진 환관을 고용했다. 그 환관이 돌보는 새들은 늘 가두어놓는 것은 아니었다. 커다란 안뜰의 한쪽에 수백 개의 새 우리가 대나무 틀에 정연하게 줄을 이루어 매달려 있었지만 말이다. 어떤 새들은 자유롭게 날아가서 이화원에 둥지를 틀었다. 희귀한 종류의 새들을 보호하기 위해 금군에서 새들을 잘 아는 젊은이를 차출하여 경비원으로 삼았다. 그는 석궁을 들고 있다가 외부에서 날아온

새가 희귀종 새를 공격하려 들면 쏘아서 추락시켰다. 태후가 기르는 새들의 먹이에 대한 수요가 높았기 때문에 이화원 밖에서는 유충, 메뚜기, 귀뚜라미, 개미집 등 새들의 입맛을 돋우는 먹이를 파는 가게들이 성업 중이었다.

어떤 새들은 높고 떨리는 소리를 내어야만 그들이 좋아하는 먹이를 먹을 수 있게 훈련을 시켰다. 그 결과 서태후가 언덕을 올라가거나 곤명호에서 뱃놀이를 할 때, 근처의 환관들이 그런 떨리는 소리를 내면 새들이 그녀 주위로 날아왔다. 태후 자신도 새들의 울음소리를 잘 흉내 내어 새들이 손가락 끝에 날아와 앉게 할 수 있었다. 그녀가 새들을 길들이는 능력은 나중에 서구의 방문객들을 놀라게 했다. 그녀의 초상화를 그린 캐서린 칼은 이렇게 썼다.

> 서태후는 어린 나뭇가지를 베어내어 그 껍질을 벗겨서 기다란 회초리 같은 막대기를 만들었다. 그녀는 금방 잘라낸 나뭇가지의 희미한 숲 냄새를 좋아했다……. 그녀는 그 가지를 높이 쳐들고 새를 응시하면서 입술로 낮은 새소리를 냈다……. 새는 날개를 퍼덕거리며 이 가지에서 저 가지로 날아 내려오다가 마침내 태후가 쳐든 가지의 구부러진 곳에 앉았다. 그러면 그녀가 다른 손을 점점 위로 올려 새 가까이 가져갔다. 마침내 새는 그녀의 손가락에 옮겨 앉았다!

캐서린 칼은 "숨을 죽이면서 쳐다보았다. 너무나 긴장하고 집중하여 마침내 그 새가 태후의 손가락에 내려앉아 긴장이 멈추게 되었을 때, 나는 고통에 가까운 전율을 느꼈다".

심지어 물고기도 그녀의 벌린 손바닥 안으로 뛰어들었다. 특히 그녀가 아이처럼 비명을 내지르자 거기에 맞추어서 뛰어올랐다. 물고기를 유혹해 인간의 손에 뛰어오르게 하려면 특별한 종류의 지렁이(붉은 색깔에 길이는 약 3센티미터)를 담은 양동이가 여러 개 필요했다. 서태후는 점심 식사를 하기 위해 배에서 내리는 간이 부두에서 물고기를 상대로 이런 놀이를 했다.

서태후는 수십 마리의 개들도 길렀다. 개들은 개 전용 축사에서 길렀는데, 이곳에는 개들이 누워 잘 비단 방석과 화려한 무늬로 장식된 개 보호용 공단 겉옷들이 준비되어 있었다. 불필요한 교미를 피하기 위해 암캐만 궁전 경내에서 길렀다. 궁내의 여러 사람들이 기르는 수백 마리의 개들은 그 주인의 전각 안뜰에서 길렀다. 일부 개 사육사들은 서태후가 '페키니즈에게 그 어떤 애호가보다 더 많은 은전을 베풀었다'고 여겼다. 그녀가 단종시킨 페키니즈의 한 종류로는 '소매 개'가 있었다. 이 개는 너무나 작아서 궁정 신하들이 주머니로 사용하는 넓은 소매 속으로 쏙 들어갈 정도였다. 소매 개들은 사탕과 술만 먹이로 주고 몸에 딱 달라붙는 철망 조끼를 입혀 성장을 억제함으로써 그렇게 작은 개로 만드는 것이었다. 서태후는 캐서린 칼에게 이런 부자연스러운 방법을 못마땅해하며 인간의 즐거움을 위해 동물을 기형으로 만드는 작태를 이해할 수 없다고 말했다.

그녀가 특별히 좋아하는 애완견은 페키니즈 퍼그Pekinese pug와 스카이 테리어Skye terrier였다. 테리어는 귀여운 짓을 잘했는데, 특히 서태후의 명령에 따라 죽은 듯이 누워 꼼짝도 하지 않았다. 다른 사람이 아무리 일어나라고 해도 미동도 하지 않다가 태후가 명령하면 그제서야 발딱 일어났다. 페키니즈 퍼그는 기다랗고 부드러운 황갈색 털을 가지고 있었는데, 커다란 갈색 눈에는 언제나 물기가 돌았다. 이놈들은 잘 배우려 들지 않아서 태후가 '바보'라는 별명을 붙여주었다. 나중에 태후는 캐서린 칼에게 이 두 개의 초상화를 그리게 했다. 태후는 그림 그리는 현장에 '아주 생생한 흥미'를 보이면서 화가의 뒤에 앉아서 구경했다.

북경에는 프랑스 선교사 겸 동식물학자인 아르망 다비드Armand David가 세운 대형 동식물 수집관이 있었다. 다비드는 서태후 통치 초창기에 중국으로 건너와서 유럽에는 알려지지 않은 수백 개의 새로운 종種(판다 panda 포함)이 있다는 것을 발견했다. 태후는 이 수집관 얘기를 듣고서 흥미를 느껴 한번 가보고 싶어 했다. 마침 그 수집관은 서원을 내려다보는 가톨릭교회의 부속 건물이었다. 영국 중개인을 통해 바티칸과 협상한 끝에 서태후 정부는 그 교회를 다른 곳에다 짓는 조건으로 40만 테일에 사들였고, 자연히 그 수집관도 정부 재산이 되었다. 서태후는 이 수집관을 딱 한 번 방문하고 그 후에는 찾아가지 않았다. 그녀는 죽은 동물들에 대해서는 별 관심이 없었다.

전통적으로 서태후에게 허용된 유일한 경기는 실내 게임뿐이었다. 그녀는 카드놀이나 마작을 좋아하지 않아서 궁내에서 허용하지 않았다. 그 대신 주사위 던지기가 가장 인기 높은 오락이었는데 태후도 가끔 이 놀이에 참가했다. 그녀는 서양의 보드게임 '뱀과 사닥다리'와 비슷한 주사위 놀이를 만들어냈는데, 중국 도교의 팔대신八大神을 상징하는 9개의 상아 조각이 제국을 돌아다니면서 수도에 도착하려고 애쓰는 게임이다. 그 과정에서 팔대신은 항주 같은 아름다운 도시에 들리기도 하고 유배를 떠나기도 하는데(이 경우에는 게임에서 탈락을 의미한다), 이런 상황은 어떻게 주사위를 던지느냐에 따라 발생한다. 북경에 가장 먼저 도달한 팔대신 중 하나가 승자이며, 승자는 사탕과 과자를 받지만 패자들은 노래를 부르거나 농담을 해야 한다. 판돈을 걸지는 않는데, 궁내에서 도박은 공식적으로 금지되어 위반자는 벌금과 태형에 처해졌다.

서태후는 그림 그리기를 아주 진지한 취미로 삼아서 묘繆 부인이라는 젊은 과부를 그림 선생으로 들였다. 묘 부인은 한족이어서 머리부터 발끝까지 궁내에서는 눈에 띄는 인물이었다. 복잡하고 장식 많은 만주식 머리 모양 대신에 그녀는 머리카락을 뒤로 틀어 올려 쪽을 짓고 진주줄로 한 번 휘감았다. 또 전신을 덮는 만주식 겉옷 대신에 무릎까지만 내려오는 상의를 입고 길게 주름진 치마를 받쳐 입었는데, 치마 밑으로 '7.6센티미터의 황금 백합'을 드러냈다. 황금 백합은 전족을 완곡하게 표현하는 용어로 묘 부인은 그 발로 큰 고통을 느끼면서 뒤뚱거리며 걸어 다녔다. 만주족이라 전족을 하지 않은 서태후는 전족을 보면 그 흉한 몰골에 몸을 움츠렸다. 전에 한번은 그녀에게 젖을 제공하는 유모의 맨발을 보고 도저히 보지 못하겠다면서 그 발을 묶은 줄을 풀어버리라고 명령했다. 이제 태후는 묘 부인에게도 같은 명령을 내렸고, 그림 선생은 기꺼운 마음으로 그 명령에 복종했다.

묘 부인의 지도 아래 서태후는 이제 능숙한 아마추어 화가가 되었고, '힘과 정밀함'을 구비한 붓질을 한다고 그림 선생은 평가했다. 태후는 서예에도 상당한 수준에 올라 사람 키 높이의 커다란 글자로 일필휘지할 수 있었다. 그런 글자는 장수와 행복을 의미하는 '수壽'나 '복福' 자였고, 일단 쓰고 나면 신하들에게 선물로 나누어주었다. 태후의 그림 선생이라는 명성 덕분에 덩달아 묘 부인의 작품 값도 높아져서 그녀는 그 돈으로 큰 집도 사고 가족들의 생활비도 마련했다.

이화원 근처에는 불교와 도교 사원들이 많았는데 이들은 정기적으로 축제를 열었다. 그래서 여인들도 보살펴줄 동반자가 있으면 화려한 복장을 하고서 그 축제에 참가할 수 있었다. 먼 지역에서 민속 연예인들이 참가해 죽마를 신고 걷거나, 사자춤을 추거나, 용등龍燈을 흔들면서 곡예와 마술 연기를 선보였다. 이 연예단이 지나갈 때면 서태후는 담장 위 망루에서 종종 그들을 바라보았다. 황태후가 거기 있다는 것을 알고서 연예인들은 더욱 그들의 기량을 과시했고 그러면 그녀는 박수를 치면서 후한 행하를 내려주었다. 마을 여자로 분장한 수염 달린 한 남자는 한동안 가장 많은 관객을 끌어모은 연기자였다.

태후는 대중오락의 열성적인 팬이었기 때문에 그들을 자신의 격에 맞지 않은 사람으로 보는 법이 없었다. 그녀의 이런 태도는 경극이 중국의 국민적 연극으로 발전하는 데 도움을 주었다. 경극의 음악, 이야기, 분위기 등이 쉽게 따라가며 즐길 수 있기 때문에 이 장르는 전통적으로 '뒷골목과 마을의 평범한 백성들'을 위한 극으로 여겨져왔다. 그래서 궁중에서는 '저속하다'는 이유로 피해왔고, 그 대신에 제한적인 가락과 줄거리를 가진 정통 연극만이 궁내에서 상연되었다. 하지만 함풍제는 경극을 좋아했고, 서태후는 남편의 기호를 이어받아 경극이 예전의 오락 정신을 유지하면서 세련된 예술 형태로 발전해나가는 데 커다란 도움을 주었다.

서태후는 궁 밖의 연극인들을 궁내로 초청해 상연하게 함으로써 그들을 밀어주었고 또 악부樂部의 환관들에게도 도움을 주라고 지시했다. 그녀는 또 전문가 정신을 요구했다. 전통적으로 경극은 정확하지 않은 공연 시간, 건성으로 하는 화장, 미비한 무대의상 등 다소 산만한 연극이었다. 배우들은 무대 위에서 관중 속의 친구들에게 말을 거는가 하면 즉흥적인 농담을 했다. 서태후는 일련의 구체적인 지시를 내리면서 이런 세부 사항들을 단속했다. 그녀는 시간 엄수를 철칙으로 내세웠고 위반자는 매질을 하겠다고 위협했다. 한번은 주연배우인 담흠배譚鑫培가 지각을 하자, 이 배우를 무척 좋아하는 서태후는 차마 매질은 할 수 없어서 그 대신 《서유기西遊記》의 저팔계 역할을 하도록 지시했다. 전문적으로 연기를 잘한 배우에게는 후한 보상을 내렸다. 예전의 황제들은 주연배우들에게 은 1테일씩을 내렸으나 태후는 정기적으로 그들에게 수십 테일을 하사했다. 주연배우인 담흠배에게는 60테일을 하사한 적도 있으며, 그의 딸이 결혼하자 지참금의 일부로 선물을 주기도 했다(이에 비해 궁중 악부의 수석은 한 달 봉급이 7테일이었다). 어느 한 해에는 서태후가 극단의 단원들에게 내린 행하의 총액이 3만 3천 테일이었다. 이처럼 후한 대우를 받았기 때문에 경극 배우들은 후대의 영화배우처럼 유명 인사가 되었다. 일반 대중은 그들이 얼마나 우대받는지를 분명하게 볼 수 있었다. 한번은 215명의 배우가 모두 말을 타고서 이화원에서 자금성까지 황실 행렬을 이루어 행진했는데, 그들 뒤에는 각종 의상과 소도구를 실은 12대의 수레가 따라갔다. 그래서 연극배우는 누구나 선망하는 직업이 되었다.

서태후의 극장은 아주 예술적인 설계에 의해 건설되었다. 서원에서는 호수 한가운데에 정자 같은 극장이 세워졌다. 여름이면 호수의 연꽃들이 활짝 핀 가운데 연극을 상연했다. 자금성에서는 난방이 잘되는 유리 공연장이 세워져서 바람이 불거나 눈이 내려도 따뜻한 극장에서 연극을 즐길 수 있었다. 서태후는 이화원의 꾀꼬리들이 잘 찾아오는 곳에다 이층짜리 극장을 지었다. 새들의 노랫소리는 경극의 노랫가락과도 잘 어울렸다. 그녀는 또 다른 3층짜리 극장인 덕화원德和園을 지었는데 무대의 높이는 21미터, 너비는 17미터, 깊이는 16미터이고 무대 뒷면도 충분히 넓어서 복잡한 무대 세트를 거의 수용할 수 있었다. 이는 중국에서 가장 규모가 큰 극장이었다. 공연 중에 천장과 바닥을 개봉할 수 있게 꾸며져서 하늘에서 신들이 내려오고 땅속에서 엄청나게 큰 연꽃에 앉은 붓다가 솟아오를 수 있었다. 또 하늘에서는 하얀 눈송이(실제로는 하얀 종이)가 쏟아지고 거대한 거북의 입에서 나온 물줄기는 위로 솟구쳐 올랐다. 무대 밑에는 물웅덩이가 있어서 음향효과를 더욱 향상시켰다. 극장은 커다란 곤명호 옆에 있어서 노랫가락이 잔잔히 수면 위로 퍼져나갔다.

경극의 상연 목록은 서태후 시절에 크게 확장되었다. 그녀는 궁중 문서 보관소에서 연극 대본을 발굴해 사라진 많은 극들을 소생시켜 경극의 가락에 맞추어 각색하게 했다. 서태후가 요구하는 대사들을 집어넣다 보니 배우이며 작곡가인 왕요경王瑤卿은 경극의 음악 범위를 더욱 넓혔다. 서태후의 격려와 보상으로 왕요경은 여자 등장인물들(전통적으로 그를 포함하여 남자 배우들이 분장)에게도 주연 급의 배역을 줌으로써 경극을 혁신적으로 바꾸어놓았다. 전에 여자 배우들은 사소한 역만 맡았고 뻣뻣이 서서 노래를 불렀을 뿐 연기는 하지 못했다. 이제 사상 처음으로 경극은 여자 주연배우를 등장시켰다.

이 과정에서 서태후는 105회분 작품인 〈양씨 가문의 여장부(楊門女將)〉의 집필에 적극적으로 개입했다. 양씨 가문은 10~11세기에 외적의 침입에 맞서 중국을 지키기 위해 무장봉기한 집안이다. 역사에 의하면 전사들은 모두 남자였다. 그러나 민담에 의하면 그 가문의 여자들도 영웅적 전사였으며, 이런 사실이 사라져버린 중국 전통극의 형태인 곤곡昆曲의 대본에 반영되었다. 서태후는 이 작품의 줄거리를 잘 알고 있어서 이것을 경극의 상연 목록 중 하나로 만드는 일에 손수 참가했다. 그녀는 궁중의 문학인들(주로 어의와 화가들)을 불러서 그녀가 직접 번역한 곤곡 대본을 그들에게 읽어주었다. 이 문학인들은 여러 그룹으로 나뉘어서 경극에 들어가는 일화를 집필하는 일을 맡았다. 이들을 감독하는 사람은 여자—과부이면서 시인—였는데, 서태후와 묘 부인이 동시에 추적하여 알아낸 문인이었다. 서태후는 이 작품을 전체적으로 총괄하는 편집장 역할을 맡았다. 이렇게 하여 〈양씨 가문의 여장부〉는 일화가 가장 많이 공연되고 사랑받는 경극의 하나가 되었으며, 다른 예술 형태로도 각색이 되었다. 이 경극에 등장한 여자 전사들의 이름은 남자들보다 뛰어난 용감하고 똑똑한 여자와 동의어가 되었다.

서태후는 여자들에 대한 오래된 편견을 싫어했다. 한 연극 중에 가수가 자주 반복되는 가사인 '가장 사악한 것은 여자의 마음'을 부르자, 태후는 화를 벌컥 내며 그 가수를 무대에서 끌어내리라고 지시했다. 이처럼 전통적인 남존여비 사상을 거부하는 태도는 그녀 자신의 경험에 의해 형성된 것이었다. 아들과 양아들을 대신한 그녀의 통치가 성공적이었음에도 불구하고 그녀는 자신의 이름으로 통치하는 천명天命은 거부당했다. 아들들이 성년이 되면 그녀는 물러나야 했고 더 이상 정치에 참여할 수 없었다. 심지어 그녀의 목소리를 낼 수도 없었다. 광서제가 그녀의 근대화 사업들을 보류하는 것을 보면서 서태후는 절망하지 않을 수 없었다. 하지만 그녀가 할 수 있는 것은 아무것도 없었다. 현재의 상태를 바꾸려면 궁정 쿠데타 같은 폭력적이고 극단적인 수단을 써야 하는데, 그녀는 그러고 싶은 마음은 없었다. 중국 역사상 단 한 명의 여성, 즉 측천무후만이 자신을 황제라고 선포하고 그 자격으로 국가를 다스렸다. 하지만 측천무후는 엄청난 반대에 직면하자 아주 잔인한 방법으로 반대 세력을 진압했다. 그녀가 유혈 학살을 자행한 기다란 명단 속에는 황태자인 측천무후의 아들도 들어 있었다. 당시 서태후는 측천무후와 달리 합의에 의한 통치를 선호하여 반대 세력을 학살하기보다 설득하는 방식을 택했다. 그래서 그녀는 은퇴 당시의 여러 조건들을 철저히 준수하기로 마음먹었다. 분명 서태후도 대가가 그리 크지 않다면 여황제 선언을 하고 싶은 마음이 있었을 것이다. 그녀의 이런 심정을 미술 선생인 묘 부인은 알고 있었다. 미술 선생은 서태후에게 합법적 군주로서 나라를 다스리는 측천무후를 묘사한 족자를 선물했다. 서태후가 이 그림을 받아들였다는 것은 그녀의 야망과 좌절에 대하여 많은 것을 말해준다.

16

일본과의 전쟁

(1894)

일본은 1867년에 즉위한 메이지明治 일왕 통치 기간에 큰 변화를 통해 근대적 국가로 발전하기 시작했다. 4천만 인구를 바탕으로 일본은 세계적인 제국을 건설하는 것을 열망했다. 1870년대, 일본은 청의 속국인 유구 열도를 장악하고 청 제국의 일부인 대만을 침공하려고 했다. 서태후의 전반적인 방침은 무슨 수를 써서든 제국의 본토를 온전히 유지하는 것이었으며, 이를 위해서는 필요하다면 속국을 내어줄 각오도 되어 있었다. 그녀는 직접적인 말을 하지는 않았지만 행동으로 유구에서 손을 뗐음을 보여주었다. 하지만 청 본토와 훨씬 가까운 섬인 대만의 경우엔 단호하게 방위하려는 모습을 보였다.

일본은 또한 조선에도 눈독을 들였다. 서태후는 일본의 조선 합병을 막고자 했다. 조선은 북경에서 가까운 만주와 국경을 맞대고 있었기 때문이다. 중국이 자력으로 일본을 저지할 수 없었기에 서태후는 서방을 견제 세력으로 끌어들이고자 했다. 그녀는 서구 열강과 조선이 서로 이

해관계를 맺을 수 있도록 조선에 대외 통상을 설득하라고 이홍장에게 지시했다. 1882년, 조선에서 임오군란壬午軍亂이 일어나면서 조선 주재 일본 공사관이 습격당했다. 일본은 자국민의 보호를 위해 조선으로 군함을 보냈다. 이 소식을 듣자마자 서태후는 이홍장에게 일본은 "그들의 의도대로 이 상황을 활용하고자 할 것"이라고 우려했다. 그녀는 곧바로 수륙 양면을 통해 군대를 한양漢陽으로 보내며 총지휘를 천진에 주둔한 이홍장에게 맡겼다. 청나라 군대가 임오군란을 종결하는 데 도움을 주는 동안 일본군은 개입을 피했다. 일본은 조선의 군란과 관련해 배상을 받았는데, 그중에서도 가장 중요한 사항은 군대를 주둔할 수 있게 되었다는 점이었다. 이에 대응하여 서태후는 일본군이 주둔하는 한 청의 군대도 조선에 주둔시키라고 지시했다.

서태후가 붉은 먹으로 직접 써서 이홍장에게 보낸 편지는 다음과 같은 뜻을 강조했다. "소국이긴 하지만 일본은 큰 야욕을 품고 있습니다. 이미 유구를 집어삼킨 데다 이제는 조선까지 노리고 있어요. 우리는 이에 대비하여 침착하게 준비해야 할 것입니다. 그대는 일본에 대한 경계를 늦추지 말길 바랍니다. 단 한 순간도 긴장을 풀지 마십시오." 서태후가 해군에 거액을 투자하기로 결정하게 된 주된 원인은 바로 일본 때문이었다.

1884년 말, 청은 베트남과의 국경 인접 지역에서 프랑스와 전쟁 중이었고, 그사이에 조선에서 갑신정변甲申政變이 일어났다. 이 일에 대해 보고를 받은 서태후는 일본이 '정변의 배후에 있으며 다른 곳에 정신이 팔린 청의 상황을 틈타 조선에서 우위를 점하려 한다'고 확신했다. 그녀는 갑신정변을 진압하는 데 도움을 주기 위해 파병을 하면서도 일본이 전쟁을 일으킬 빌미를 주지 말라고 일러뒀다. 그 후 청의 군대는 한양의 창덕궁에서 일본군과 격돌하여 병력이 많은 청군이 승리를 거두었다. 서태후의 지시를 받아 이홍장은 후에 일본의 초대 총리대신이 되는 이토 히로부미伊藤博文와 회담을 하고서 양측이 조선에서 철수하기로 합의했다. 이런 '빠르고 만족스러운 결론'에 서태후는 만족했다. 총세무사 로버트 하트는 편지에서 다음과 같이 서술했다. "일본 놈들이 천진에서 어제 합의에 서명했다. 어느 모로 보나 우리는 승리했다."

그로부터 다음 10년간 일본은 군대의 근대화에 박차를 가했고, 특히 해군에 집중 투자를 했다. 청에선 서태후가 1889년 초 섭정에서 물러나기 전 해군 발전에 관해 이런 지침을 내렸다. "점진적으로 계속 확장하고 근대화하세요. 절대 늦어지면 안 됩니다."

하지만 서태후가 국정에서 물러나자 청은 선진화된 군함의 구입을 중지했다. 광서제가 스승인 옹동화의 조언을 받아 그런 조치를 취했던 것이다. 옹동화는 전쟁이 없을 때 군함에 엄청난 나랏돈을 쓰는 것은 이해할 수 없는 일이라고 진언했다. 게다가 그는 일본을 위협적인 상대로 생각하지도 않았다. 옹동화의 관심은 오로지 국내에만 집중됐다. 1890년, 큰 홍수가 나서 나라가 황폐해지고 수백만에 이르는 백성들이 집을 잃었다. 하트는 이렇게 썼다. "도시에 호수가 생겨났다. 그 주변으로는 바다가 생겼다. 거리엔 강이 흐른다. 마당엔 수영장이 생겼다. 방은 샤워실이 됐다. 지붕과 천장은 무너졌다." 기근이 발생하자 백성들은 구호청에 의존했고, 자희는 태후 자격으로 이 기관에 상당한 돈을 내놓았다. 정부는 해외에서 쌀을 구매하느라 1100만 테일 이상을 지출했다.

자연재해가 지나가고 쌀 수입은 절반으로 줄었지만 그래도 해군 근대화는 재개되지 않았다. 오히려 그와는 정반대로, 1891년 서태후가 이화원으로 이사하여 아예 황궁과의 연락을 끊자 광서제는 해군을 비롯한 모든 군대에 대한 투자를 중지하라고 명령했는데, 여기에는 옹동화의 조언("연안에는 더 이상 전쟁이 없다")이 결정적이었다. 이 결정은 당시 일본 군대가 청을 압도하고 있다고 깊이 염려한 서태후와 그런 우려를 하지 않는 광서제 간에 알력을 일으켰다. 실제로 이홍장이 말한 것처럼, 일본은 "해군력을 증강하기 위해 전 국토의 자원을 집중하고" 있으며 "영국에서 최고, 최신식의 철갑함을 사들이는 것을 포함해 매년 군함을 사들이고 있었다". 그 결과 뒤이은 몇 년간 일본 해군은 청나라 해군을 전반적인 전력에서 앞지르게 되었고, 특히 최신식 군함에선 더 빠르고 강하게 추월해나갔다. 일본은 육군 또한 더욱 현대식으로 무장하고 있었다.

이 당시 이홍장은 연안 방위 책임자였다. 광서제는 친정을 하게 된 이후로 서태후의 중요한 신하들을 그대로 유임시켰다. 서태후에게 느낀 적개심이 어떤 것이었든 간에 그는 태후와의 권력 다툼을 일으키려 하지 않았다. 광서제는 또한 국방과 관련해서는 전혀 관심이 없었다. 실제로 그는 이 문제를 이홍장에게 일임한 채 거들떠보려 하지 않았다. 그런 막중한 책임에도 불구하고 이홍장은 서태후가 일찍이 그에게 보내던 전폭적인 신뢰를 황제에게서 느낄 수 없었다. 황제의 곁에는 지독한 정적인 옹동화가 버티고 있으면서 계속 견제를 해왔다. 극단적으로 보수적인 옹동화는 이홍장에게 아주 오래전부터 적대감을 품었다. 옹동화는 해군 증강을 위해 이홍장에게 배정된 나라의 재정 일부가 이홍장과 그의 수하들의 주머니로 들어가는 것이 아닌지 늘 의심했다. 그런 은밀한 의심은 황제에게 올리는 조언에서 나타났고, 결국엔 군함을 사들이는 계획이 모두 중지되었다. 서태후가 섭정에서 물러나자 옹동화는 이홍장의 회계장부를 대규모 해군 증강을 시작했던 1884년 이후부터 연별로 낱낱이 감사하기 시작했다. 이홍장은 끝없는 문의에 대답하기 위해, 그리고 자신을 정당화하기 위해 상세한 출납 기록을 제출해야만 했다. 이런 상황이었으므로 이홍장은 군함의 보수 유지비 같은 필수적 비용까지도 구걸하면서 얻어내야 했다. 하지만 옹동화는 여전히 의심을 거두지 않았고, 황제는 이홍장에 대한 불신의 표시로 경친왕을 해군 장관으로 임명했다.

이홍장은 황제가 '근거 없는 소문을 믿고 자신의 권력을 빼앗으려고 한다'고 느꼈다. 이런 압력을 받아서인지 그는 근대화 사업보다 자신의 지위를 지키고 황제의 비위를 맞추는 것을 정책의 우선순위에 놓았다. 광서제가 군함의 구입을 중지한 뒤, 그는 황제가 국방비 지출을 원치 않는다는 것을 알게 되면서 이에 맞추어 연안은 난공불락이라며 듣기 좋은 보고서를 올렸다. 그런 식으로 보고는 전혀 문제없다고 써 올렸지만, 이홍장은 실제로는 문제가 많다는 것을 잘 알고 있었다. 그는 몰래 이런 글을 남겼다. "우리 군함은 최신식이 아니며, 훈련도 제대로 하지 않는다. 이런 상태로는 해전에서 승리하기 힘들 것이다." 나중에 그는 청의 군대가 '종이호랑이'임을 내내 알고 있었다고까지 말했다. 하지만 그는 황제에게 달콤하고 듣기 좋은 말만 할 뿐이었다. 황제는 그런 보고에 흡족해하며 일을 훌륭하게 하고 있다면서 이홍장을 극찬했다.

해군 지휘관들은 반복해서 새로운 군함이 필요하다고 요청해왔지만 이홍장은 그것을 황제에게 전달하지 않았다. 이홍장이 가장 두려웠던 점은 두 가지였다. 하나는 옹동화가 이홍장을 가리켜 사복私服을 채우려고 국방 상황을 과장해 보고하는 자라고 고발하는 것이고, 다른 하나는 그 고발로 지금의 자리에서 해임되는 것이었다.

그래서 이홍장은 일본의 야욕을 부정했다. 일본의 해군 확충이 중국을 겨냥하고 있다는 사실을 알면서도 일부러 우려할 것 없다는 태도를 보였다. 그러나 그는 사석에서는 동료에게 이런 말을 했다. "일본은 모든 면에서 우리보다 한 수 위를 추구한다. 우리의 군함이 15노트의 속력을 낸다면, 그들은 16노트를 낼 수 있는 군함을 원할 것이다. 일본은 장차 크게 약진할 것이다." 그러나 자신의 안전이 먼저인 그는 일본이 청 제국을 희생양으로 삼아 '장차 크게 약진할' 것이라는 필연적인 사실에 눈을 감았다(공직은 청나라 후기에 개인적 축재의 주요 근원이었다. 특히 무기 판매를 중개할 때 큰 이익이 남았고, 철도 건설 같은 공사에서도 반대급부가 많았다. 실제로 이홍장과 그의 장교들은 군사비에서 상당한 액수를 착복했다. 오래 관직에 있었던 이홍장은 수십만 평의 땅, 셀 수 없을 만큼 많은 비단 점포, 중국 전역에 산재한 전당포를 소유하였다. 당시 항간에는 '이홍장 집의 개는 모두 뚱뚱하다'는 말까지 떠돌았다.—옮긴이).

서태후가 권력을 잡고 있었더라면 절대로 일본에 군사적 우위를 허용하지 않았을 것이다. 그녀는 군사력 증강만이 유일하게 일본을 억제할 수 있는 방법임을 알았다. 섭정에서 물러나기 전, 서태후는 일본보다 훨씬 훌륭하게 무장된, 아시아에서 가장 강력한 중국 해군을 만들어냈다. 또한 이런 우위를 유지하는 것은 불가능한 일도 아니었다. 당시 일본 재정이 청나라보다 못한 상태였으므로 군함 경쟁에서 재정적 여유가 없다는 것을 생각해보면, 중국은 충분히 우위를 점할 수 있었다.

하지만 섭정에서 물러난 서태후는 국제 관계에 대해 적절한 정보나 조언을 듣지 못했다. 거기다 젊은 황제는 전략적인 사고를 하지 못했다. 광서제는 국방을 모조리 이홍장에게 떠넘겼고, 이홍장은 자신의 안위에만 신경 쓰면서 거기에 맞춰 주판알을 튀기고 있었다.

1894년 5월 29일 연안을 시찰하고 난 뒤, 이홍장은 황제에게 또 다른 낙관적인 보고를 올렸다. 하지만 이때엔 우려의 흔적을 한 자락 슬며시

드러내 보였다. 그는 매년 일본이 군함을 사들이고 있으며 청이 이에 뒤지고 있다고 언급했다. 하지만 그는 어차피 황제가 주목하지도 않을 것이라고 여겨 그에 따르는 파급효과를 설명하지 않았다. 황제는 이홍장에게 아무런 질문도 하지 않았고 다시 한 번 노고를 치하했다.

바로 이때 일본이 치고 들어왔다. 그해 봄에 조선에서는 동학농민운동이 일어났다. 6월 3일, 조선의 고종高宗이 청에 파병을 요청하자 광서제는 이를 수락했다. 이홍장과 이토 히로부미의 협정에 따라 청은 일본에 파병 사실을 알렸다. 일본은 자국 외교관과 백성들을 보호할 필요가 있다고 주장하며 마찬가지로 파병을 결정했다. 농민 봉기는 청과 일본의 군대가 개입하기 전에 농민들의 결단으로 종결되었으며, 조선은 양국에 군대를 철수해달라고 요청했다. 청은 그럴 준비를 하고 있었으나 일본은 그 요청을 거부했다.

그 시점에 일본의 총리대신은 10년 전 이홍장의 협정 상대였던 이토 히로부미였다. 노련한 정치가인 이토는 메이지 헌법의 초안을 마련(1889년)하고 양원제 국회(1890년)를 설립했다. 이런 조치는 현대 일본의 기반을 마련한 것이었다. 당시 조선에 파병을 결정한 이토의 의도는 조선에 계속 군대를 주둔해야만 한다는 것이었다. 이는 청과의 무력 경쟁을 촉발해 청 제국을 무너뜨리고 동아시아의 지배국이 되겠다는 굉장히 야욕적인 목표를 향한 첫걸음이었다. 그리하여 철병을 거부하면서 이토는 오히려 추가 파병을 결정했다. 이런 침략 행위에 대해 그가 내세운 구실은 조선을 압박해 근대화 '개혁'을 반드시 수행하게 해야 된다는 것이었다. 일본은 청에 이 '개혁' 사업에 참여한다면 환영하지만, 그럴 생각이 없다면 일본 단독으로 조선의 개혁을 추진하겠다고 통보했다. 이토 히로부미의 계획은 어느 상황에서든 일본이 유리한 고지를 차지하게 되는 것이었다. 청의 군대가 철수하면 일본은 조선을 계속 점령하며 적당한 때를 봐서 청에 전쟁을 선포하면 된다. 만약 청의 군대가 계속 주둔하면 두 나라 군대 사이에 갈등을 조장할 기회는 수없이 많을 테고, 일본은 원할 때 전쟁 카드를 꺼내들면 되는 것이었다. 실제로 이토 히로부미는 곧장 청과의 전쟁을 일으킬 결심을 하고 있었다.

청 왕조의 누구도 일본의 의도를 파악하지 못했고 이는 이홍장도 마찬가지였다. 조선에서 일본 군세가 점점 늘어나고 있는 동안 북경은 예전의 일상과 별다를 바가 없었다. 광서제는 계속해서 고전 수업을 받으며 7월 말에 있을 자신의 생일 축하연을 계획하고 있었다. 옹동화는 부채에 붓글씨를 쓰면서 평소처럼 학구적인 여가를 즐겼으며, 저택을 방문하는 감정가들과 함께 자신이 보유한 귀중한 탁본들을 품평하며 한가한 시간을 보냈다. 이홍장은 전쟁을 유발할 것이 두려워 조선에 추가 파병하는 것을 보류했다. 그렇지만 일본의 목표가 조선에만 국한된 것이 아니라 청과의 전쟁에 있다는 생각까지는 하지 못했다. 열강의 개입으로 평화가 보장될 수 있다고 생각한 그는 유럽 열강에 바쁘게 막후교섭을 하러 다녔는데, 특히 러시아의 개입에 공을 들였다. 러시아는 조선에 대하여 음험한 의도를 갖고 있었고(이홍장 또한 이를 잘 알고 있었다), 이홍장은 러시아가 조선에 개입해 일본을 억제해주기를 바랐다. 하지만 이는 헛된 희망이었다. 로버트 하트는 이와 관련해 이렇게 말했다. "이홍장은 외세 개입에 대하여 지나친 자신감을 가지고 계산하고 있으며, 겉으로만 논의하는 척하려는 일본의 태도에서 너무 많은 것을 읽으려 한다. 서구 열강은 전쟁을 원치 않기에 일본 군대를 조선에서 철수시키고 논의의 장에 앉히려 하지만 일본은 굉장히 거만하고 의기양양하다. 일본은 열강의 친절한 조언에 감사를 표시하지만 결국에는 자국의 의지를 관철할 것이며, 포기하기보다는 그들 모두를 상대로 전쟁하는 쪽을 선택할 것이다."

6월 말이 되자 이홍장은 마침내 일본이 '단순히 조선을 위협하고 있는 것이 아니라 모든 수단을 동원해 청과' 결전하려 한다는 사실을 깨달았다. 그는 로버트 하트가 제공한 소식을 통해 그 사실을 알게 되었다. 하트가 제공한 소식은 이러했다. "일본은 5만에 이르는 병력을 동원하고 있으며, 영국제 최신식 철갑함 두 척을 주문했다. 또한 군대와 무기를 수송할 많은 영국제 상용차들도 들여왔다." 이홍장은 황제에게 이 소식을 보고하면서 예전처럼 아무 문제없다고 한 것이 아니라 청의 국방을 곤란하게 하는 문제점들을 강력하게 진언했다. 그는 청이 '아마도 바다에서는 이길 수 없을 것이며' 더욱이 만주에서 산동까지 이르는 전 북쪽 연안에 고작 2만의 육군이 주둔할 뿐이라고 비관적으로 보고했다.

광서제는 이홍장의 그런 우려가 지난번에 올린 낙관적인 보고와 많이 다르다는 것을 알아챘으나 전혀 놀라지 않았다. 황제는 조선을 두고 청과 일본 사이에 전쟁이 벌어지는 것은 '예상 범위 안'의 일이며 전쟁 결과를 낙관한다고 말했다. 황제는 '대대적 규모로 응징의 군사행동을 개시하는 것'을 호기롭게 말했다. 광서제의 일본에 대한 오만은 그의 신하들 절대 다수가 함께 공유하는 감정이었다. 하트는 이렇게 말했다. "청나라 사람들 1천 명 중 999명은 대국인 청이 소국인 일본을 가볍게 격파할 것이라 확신했다."

7월 15일 일본이 "정말로 능수능란한 방식(하트의 말을 인용하자면)"으로 움직일 동안, 광서제는 자신의 고전 스승을 핵심 전쟁 자문관으로 임명했다. 따라서 군기처는 옹동화가 참석하지 않고는 회의를 할 수가 없었다. 스승과 제자는 자국의 방위 상태가 얼마나 안 좋은지 전혀 모르면서도 너무나 태평했다. 하트는 당시 이런 기록을 남겼다. "청은 육군과 해군이 기대한 모습이 아니라는 사실을 알게 될 것이며, 전쟁이 일어나면 일본은 전쟁에서 승리할 것이다. 그러는 동안 예전의 전략에 의존하는 청은 수많은 패배를 겪게 될 것이다." 실제로 청의 군대는 옛날 모습으로 되돌아가 엉터리 훈련을 받으며 부패한 모습을 보이고 있었다. 군함은 밀수하는 데 사용되었으며, 포신은 정비되지 않은 채 건조대 대용으로 쓰였다. 군대에는 족벌주의가 판을 쳐 많은 무능한 장교들이 자리를 차지하고 있었다. 아무도 전쟁을 할 생각이 없었다. 그러는 동안 일본군은 최상의 전쟁 장비들로 군사훈련을 받고 전쟁을 대비하고 있었다.

뒤늦게 이홍장은 영국 배 세 척을 전세 내어 해로를 통해 군대를 조선으로 이동시키기 시작했다. 청의 군대가 항해하는 동안 7월 23일에 일본군이 조선 한양에 입성해 경복궁을 장악하고 고종의 신병을 확보한 뒤 허수아비 내각을 세웠다. 그리고 이 내각을 통해 청군을 추방할 수 있는 권리를 확보했다. 7월 25일 일본 해군은 청의 군대를 수송하던 배들을 기습 공격해 황해의 풍도豊島 앞바다에서 고승호高升號를 격침시켜 5명의 영국 해군 사관을 포함해 근 1천 명이 사망했다. 일본과의 첫 번째 군사 충돌에 관한 소식이 들어오자 이홍장은 이틀간 보류하면서 광서제에게 보고하지 않았다. 이홍장은 정보가 미비한 황제가 즉시 전쟁을 선포할까 두려웠고, 그런 전쟁 선포는 그가 볼 때 현명한 판단이 아니었다. 전쟁을 피하기 위해 이홍장은 영국의 배가 격침된 것을 이용하고자 했다. 그는 이렇게 생각했다. '영국이 이런 일을 용납할 수는 없겠지.' 그는 영국이 이 일을 계기로 일본을 억제해줄 것이라고 기대하며, 물에 빠진 사람처럼 지푸라기라도 잡으려고 했다.

일이 너무도 빠르게 일어나서 영국은 물론 다른 서구 열강은 사태에 끼어들고 싶어도 그럴 수가 없었다. 8월 1일이 되자 청과 일본은 서로에게 전쟁을 선포했다. 청이 겪는 최초의 근대식 전쟁이었고, 200년 만의 대규모 전쟁을 치르는 부담이 완전히 격리된 삶을 살아온 23세 황제의 어깨 위에 얹혀졌다. 그는 세상에 대한 지식이 거의 없었고 자국의 군대에 관해서는 부정확한 정보를 믿었으며, 적의 군대에 대해서는 아무것도 알지 못했다. 게다가 광서제는 시대에 뒤떨어진 스승의 지도에 거의 전적으로 의존했다. 설상가상으로 군 지휘관인 이홍장은 평화를 유지하는 데 전력을 다할 뿐 적절한 국방 준비를 갖추는 데는 실패했다. 더욱 나쁜 상황은 이홍장이 광서제와 전략적인 계획을 공유하는 것이 불가능하다고 여긴 나머지 진실을 종종 은폐했다는 것이었다.

이런 오합지졸이 맞서야 하는 상대는 근대화된 군대와 탁월한 지휘관들을 갖춘 일본이었다. 전쟁의 결과는 너무나 뻔한 것이었다. 청은 조선 본토에서는 물론이고 바다에서도 외세에 참담한 패배를 당했다. 9월 말, 일본은 조선의 평양平壤을 장악했고 청과의 국경이 있는 압록강鴨綠江까지 진군했다.

이 동안 광서제는 전쟁은 피할 수 없다는 사실만 알리고 그 이상의 것은 서태후에게 알려주지 않았으며, 7월 16일 직전까지도 그녀를 전쟁 상황에서 배제했다. 서태후는 이화원에 거주하면서 정책 결정의 중심부와 단절되었기 때문에 청일전쟁에 관해서는 모호하게 알고 있을 뿐이었다. 광서제는 반드시 싸워야 하는 전쟁이라며 서태후에게 승인을 받으러 왔고, 그녀는 모든 지원을 아끼지 않겠다고 답했다. 서태후는 또한 청이 '허약하다는 인상을 줄 수 있는 그 어떤 행위도 절대로 해서는 안 된다'고 강조했다. 그러나 이홍장이 평화를 추구하는 방식은 국력이 약하다는 것을, 또 자포자기했다는 것을 자인하는 것이었다. 하지만 서태후의 강경 메시지가 이홍장에게 전달되었다는 징후는 보이지 않았다. 광서제는 고전 공부를 하던 중에 스승 옹동화에게 서태후의 메시지를 지나가는 말로 흘렸을 뿐이었다. 서태후는 이홍장과 연락할 방도가 없었고 그에게 직접 지시를 내려도 전달할 이가 없었다.

옹동화와 짧은 대담을 마친 후 광서제는 서태후의 의견을 더 이상 따르지 않기로 했다. 그녀의 역할은 이제 순전히 상징적인 것이었다. 일본과의 전쟁에서 첫 승을 거둔 부대에 서태후의 이름으로 내린 상이 주어졌으나 곧 승전 보고가 거짓임이 드러났다. 서태후는 전쟁 관련 정보를 얻기 위해 노심초사했다. 그녀는 경친왕을 통해 정보를 전해줄 군기대신 몇 사람을 얻으려고 했지만 광서제가 이 소식을 듣고 군기대신들을 질책했다. 광서제는 가까운 측근들의 권유에 따라 서태후를 계속 정책 중심부에서 배제했다. 전쟁에 관한 보고서는 봉인된 봉투에 담겨 황제만 볼 수 있게 전달되었고, 광서제는 서태후에게 보고서의 제목만 알려주었다.

8월 1일에 전쟁이 터지고 9월 말 평양이 함락되기 하루 전까지 황제는 서태후와 단 한 번 대담을 했다. 그나마 대담 내용도 현재 전쟁 수행 중인 북양함대 수장인 정여창丁汝昌을 해임하고 싶다는 것이었다. 광서제는 친정을 했지만 1, 2급 고관의 인사 조치에 대해서는 서태후의 사전 승인을 받아야 했기 때문이다. 해임을 건의하면서 황제는 정여창을 '비겁하고 무능하다'고 비난했다. 당시 정 제독이 외해外海로 함대를 이끌고 나가지 않았기 때문이었다. 사실 정여창은 외해에서는 훨씬 더 좋고 빠른 군함을 가진 일본 해군이 압도적으로 우세하다는 사실을 감안해 수세를 취하는 전략을 취했던 것뿐이다. 난바다로 나가지 않고 기지에 머무릅으로써 북양함대는 요새를 보호할 수 있었다. 하지만 황제는 "일본은 보잘것없는 소국에 지나지 않으며 우리 군함은 반드시 난바다로 전진해야만 합니다. 또 나아가 적들의 군함을 공격해 무너뜨려야만 합니다. 적함을 만나자마자 우리 군함이 먼저 발포를 해야만 합니다."라고 주장한 진비의 사촌 지예志銳의 말에 귀를 기울였다. 서태후는 정여창을 해임한다는 교지를 보자마자 크게 격분해 소리쳤다. "황상, 제독이 죄를 저지른 부분이 하나도 없지 않습니까!" 그녀는 황제의 인사 명령을 승인해주지 않았다. 이에 반항이라도 하듯이 광서제는 정여창을 크게 비난하는 상유를 내렸고, 이홍장에게 제독을 대신할 인사를 찾아보라고 지시했다. 그러자 이홍장은 방어전의 전략을 설명하며 정여창을 대신할 인물이 없으며, 지금 그가 해임되면 해군에 동요가 일어날 것이니 부디 재고해달라는 간곡한 상소를 올렸다. 마침내 황제는 마지못해 정여창을 유임시켰지만 질책은 멈추지 않았다.

이런 배경에서 정여창은 1894년 9월 17일 일본 해군과 중요한 해전을 벌이지만 중국 함선 11척 중 5척이 침몰하고 말았다. 이 사건이 벌어지고 평양 함락이 목전에 닥치자 광서제는 서태후를 정책 논의에 참여시키게 되었다. 서태후 역시 이화원을 떠날 기회를 찾고 있었기에 자금성 근처의 서원으로 처소를 옮겨와 머물게 되었다. 처참한 전쟁이 시작된 지 두 달이 지나 엄청난 손상을 입은 해전이 벌어진 날, 서태후는 몇 년 만에 군기처에 처음으로 모습을 드러냈다. 하지만 그녀는 여전히 전쟁을 수행할 권한은 없었다.

서태후는 원래 짧게 10일만 서원에 머무르고 9월 26일이 되면 이화원으로 돌아갈 계획이었다. 하지만 태후라는 지위와 과거 경력으로 인해 그녀는 일종의 묵시적 권위를 갖고 있었다. 특히 그녀를 숭배해오던 이들의 눈에는 더욱 그랬다. 이홍장은 자신이 받았던 과거 전보들을 첨부한 상세한 보고를 서태후에게 올려 전쟁의 정황을 알렸다. 전쟁의 암담한 그림이 서서히 드러나자 그녀는 군의 사기 진작을 위해 300만 테일을 기부하겠다고 선언했다. 이어 그녀는 서원에 머무르는 기간을 10일 더 늘려 10월 6일까지 있겠다고 했다. 하지만 그것은 잠정적인 것이었고 더 길어질 수도 있었다. 동시에 서태후는 11월 7일에 계획된 자신의 육순 축하연을 모두 취소하겠다고 말했다.*

서태후의 육순 축하연은 3년 전부터 준비되었는데, 옹동화가 감독을 맡고 있었다. 육순은 청나라 사람들에게는 중요한 인생의 이정표였고, 더욱이 황태후의 육순이니 영예로운 축하연이 반드시 있어야 했다. 육순 축하연은 예부의 핵심 책무 중 하나이기도 했으므로 그들은 때맞춰 축하연을 준비하고 있었다. 서태후의 축하연 계획은 건륭제와 그의 어머니인 희 귀비의 육순 축하연의 선례를 따를 예정이었는데, 그 선례는 붉은 공단으로 묶은 작은 책자 두 권을 가득 채우는 방대한 내용이었다. 축하연에서는 칙명으로 무수한 상이 내려지고 신하들의 승진이 단행될 예정이며, 대사면이 이루어지고 또 그 외에도 무수한 일이 진행될 예정이었다. 자금성에서 이화원에 이르는 길목에 있는 60곳이 지정되어 화려하게 장식된 아치, 누각, 차양 등을 설치하고 공연을 위한 무대를 건설하여 더욱 축하 분위기를 띄울 계획이었다. 하지만 이 모든 계획이 취소되었다. 서태후는 자금성에서 조촐한 축하연을 통해 하객들의 축하를 받았을 뿐이었다.

* 음력에 따른 날짜.

여러 날 동안 전쟁의 경과를 살핀 서태후는 이홍장이 일련의 오산을 하는 바람에 제국의 입장이 엉망진창이 되었으며, 그가 황제를 기만하는 비행까지 저질렀다는 결론을 내렸다. 하지만 육군이 이홍장에게 바치는 개인적 충성 때문에 서태후는 그를 당장 해임할 수는 없었다. 이홍장을 죽여야 한다는 상소에 서태후는 이렇게 대답했다. "지금은 기다려야만 합니다. 대체할 자가 없지 않습니까?" 이어 장기간 은퇴 중이던 공친왕이 돌아와 군기처의 영수가 되었다. 하지만 공친왕이 왔다고 해서 기적이 일어날 수는 없었다. 더 많은 패배와 병사들의 희생적인 행동이 드러났을 뿐이다. 한 해전에서 등세창鄧世昌이라는 선장이 일본 군함으로 배를 몰고가 들이받고자 했으나 실패하고 배가 침몰했다. 그는 탈출하는 것을 거부하고 자신의 개와 함께 익사했다.

9월 말이 되자 청의 군대는 조선에서 쫓겨나 압록강 이서以西의 청나라 지역으로 밀려났다. 로버트 하트는 이렇게 말했다. "중앙정부는 더 이상 전쟁을 수행할 수 없으며 빠른 합의가 최선의 해결책이라는 것을 알았다." 군기대신 두 명은 하트와 만나 영국이 중간에서 평화협정을 중재하면 좋겠다고 말했다. 영국은 이에 정전의 기본 조건 두 가지를 제시했다. 하나는 조선을 열강의 보호국으로 삼는 것이었고, 다른 하나는 청이 일본에 전쟁배상금을 지불하는 것이었다. 당시의 상황에서 이 조건은 전혀 나쁜 것이 아니었다. 하지만 옹동화는 이를 듣고 불같이 화를 냈다. 그는 제안을 가져온 영국 공사를 '사악하다'고 비난하면서 군기대신들에게 이를 거절하라고 요구했다. 서태후는 영국의 제안이 자신이 바라던 바이며 이에 동의했으면 좋겠다고 옹동화를 설득했다. 황제의 스승은 아주 못마땅해하며 황태후의 의지를 받아들였고 영국은 일본에 곧 중재안을 제시했다.

이 사건은 서태후의 현재 입장이 섭정을 하던 때와는 완연하게 다르다는 것을 드러냈다. 그녀는 이제 영향력 있는 '고문'일 뿐이었다. 실제로 서태후는 적절한 정보를 제공받지 못했다. 황제가 받는 보고의 일부만을 그녀에게 보여줬기 때문이다. 따라서 서태후가 파악하고 있는 전쟁 국면은 부분적인 것이었다. 그 결과 그녀는 영국이 중재하고 중국이 전쟁배상금을 지불하면 당연히 평화협정이 이루어질 것이라고 착각했다. 정보가 부족한 서태후는 일본의 야욕을 과소평가했다. 일본이 이 시점에서 조선을 '먹어 치우는' 정도로 만족하리라고 생각했다. 영국의 제안에 일본이 답하기를 기다리는 동안 서태후는 단호한 정치인의 모습에는 전혀 어울리지 않지만, 아름다운 것을 탐하는 여성의 모습에는 충실한, 당시의 상황으로서는 가당치 않은 행동을 했다. 이홍장은 서태후의 60세 생일을 기념해 선물을 보냈다. 이 선물은 다음과 같은 아홉 개의 보물 세트로 구성된 것이었다.*

비취를 박은 여의如意(불교에서 설법, 강독, 법회를 할 때 법사가 위용을 갖추기 위해 사용하는 용구) 아홉 개, 아미타불 순금 상 아홉 개, 다이아몬드가 박힌 금시계 아홉 개, '행운'과 '장수'를 상징하는 금잔 아홉 쌍, 다이아몬드가 박힌 꽃 모양 머리 장식 아홉 개, 황색 벨벳 아홉 필, 황색 꽃무늬가 새겨진 양단 아홉 필, 일곱 개의 보석이 박힌 황금 향로 아홉 개, 일곱 개의 보석이 박힌 황금 꽃병 아홉 개.

이는 청의 황태후라 할지라도 무시하기가 어려운 참으로 엄청난 보물

* 아홉[九]은 가장 상서로운 숫자로 간주되었다. 한 자리 숫자에서는 가장 높은 것이었으며 '장수'를 의미하는 단어인 '구久'와 발음이 같았기 때문이다.

의 집대성인데, 예술품과 사치품을 너무나 좋아하는 서태후에게는 특히 구미가 당기는 물건들이었다. 이홍장은 엄청난 부자는 아니었지만 서태후의 환심을 사기 위해 필사적인 노력을 했다. 그것은 목숨을 살려달라는 그의 간절함이 담긴 선물이기도 했다. 서태후는 실제로 육순 축하연 2년 전에 '선물을 하지 말라'는 칙명을 내렸지만 이홍장은 이를 알고도 육순 선물을 바친 것이었다.

이홍장의 이런 선물 증정은 그가 상관들의 약점을 잘 이용해 그들의 비위를 맞추는 데 달인이라는 것을 분명하게 보여준다. 실제로 서태후는 이런 엄청난 선물을 거절하기 힘들었다. 하지만 그의 선물을 받아들인다면 다른 신하들의 것도 받아들여야 했다. 새로운 10년의 시작을 기념하는 생일은 큰 선물을 받는 때이지만 서태후의 50세 생일 때에는 프랑스와 전쟁 중이라서 모든 선물을 거절했었다. 이번 60세 생일에도 그녀는 정말로 선물을 다시 거절해야만 하는가? 서태후는 생일 선물과 전쟁이 서로 양립하지 못할 것도 없다고 확신했다. 이는 과거에 그녀가 해군 예산에서 매년 상대적으로 적은 돈을 가져가는 것은 해군력에 별 영향을 미치지 않는다고 자기기만을 했을 때와 유사한 태도였다. 이제 서태후는 사실상 과거의 육순 관련 칙명을 철폐했고, 환관들에게 선물을 보내고 싶은 고관들은 그렇게 해도 좋다고 알리게 했다.

서태후의 전언은 즉시 궁정 고위 관리들 사이에 동요를 일으켰다. 옹동화를 포함한 일부 관리들은 황태후의 칙명에 따라 아무 선물도 준비하지 않았다고 말했다. 또한 그들은 자신들이 품은 황태후를 향한 존경은 물질적인 것으로 잴 수 없다고 말하기도 했다(실제로 이는 유교 금언金言에 따른 말이었다). 하지만 전반적인 흐름은 이제 정해졌다. 모두가 황태후에게 증정할 선물로 골머리를 앓았고, 옹동화와 몇몇 고관들은 적당한 선물을 알아볼 대리인들을 고용하기까지 했다. 신하들의 커다란 동요에 자신이 실수했다는 사실을 깨닫고 서태후는 서둘러 칙명을 내려 자신의 입장을 해명했다. 사람들의 선의를 일축하는 것이 그릇된 일이라고 생각하여 마음을 바꾸게 되었다는 설명이었다. 하지만 이미 피해가 발생한 뒤였다. 궁중은 원래 감투 정신이 부족했는데 이 조치로 애초에 없던 투쟁심마저 사라져버렸다. 로버트 하트는 편지에서 이렇게 썼다. "이곳의 상황은 좋지 않다. 관리들의 모습에선 투지가 보이지 않고 전반적으로 모두에게 절망감이 드리웠다. 실제로 전망은 아주 좋지 못하다. 만약 일본이 '올리브 잎(평화협정)'을 받아들이지 않는다면 청이 어떻게 이 상황을 빠져나올 수 있을지 알 수가 없다."

그러나 일본은 '올리브 잎'을 받아들이지 않았다. 영국에 아무런 답을 주지 않은 채 일본은 청의 국경 수비대에 공격을 가했고, 그들은 종잇장처럼 무너졌다. 10월 27일이 되자 일본은 청 제국의 영토 안까지 쳐들어왔다. 서태후는 뒤늦게 생일 선물의 실수에 대하여 벌충을 시도했다. 전쟁 수행에 사용하라고 200만 테일을 기부한 것이었다. 하지만 이런 조치를 취한다고 해서 전쟁의 양상이나 그녀의 구겨진 이미지가 바뀌는 것은 아니었다. 크게 축소된 서태후의 육순 축하연은 일본군의 진격에 맞추어 개최되었다. 육순 축하연은 이제 체면 유지를 위해 할 수 없이 치르는 의식에 지나지 않았다. 이 행사를 취소하면 국가적 대재앙이 있음을 선언하는 꼴이나 마찬가지였고, 그렇게 되면 제국에 혼란이 일어날 터였다. 하지만 울며 겨자 먹기 식으로 거행된 축하연은 절망적이고 음산한 분위기를 피할 수가 없었다.

서구 열강은 청나라가 제대로 된 전투 한번 해보지 못한 주제에 생일잔치만 치른다는 사실을 경멸하면서 험담을 쏟아냈다. 서태후의 평판은

곤두박질쳤다. 로버트 하트조차 이제는 황태후를 향한 존경이 사라졌음을 비꼬는 글을 썼다. "우리는 아마도 요양遼陽이 함락된 것으로 황태후의 생일을 축하할 수 있을 것이다. 그날까지 일본군이 봉천奉天으로 진군하긴 무리일 테니." 요양은 조선에 인접한 만주 남부 요동반도遼東半島의 중심에 있는 도시였으며, 봉천은 그보다 훨씬 북쪽인 만주의 옛 수도였다.

11월 21일, 일본은 요동반도 남단의 전략 항만 요새인 여순항을 장악했다. 육로로는 만주로 향할 수 있는 관문인 동시에 수로로는 일의대수一衣帶水의 바다를 건너 천진, 북경과 가까운 위치였다. 이런 파멸적인 새로운 국면으로 인해 서태후는 일본의 야욕과 능력을 완전히 깨닫게 되었다. 그녀는 지독하게 후회했다. 생일 선물을 받은 일과 규모를 축소하긴 했지만 축하연을 개최한 일은 그야말로 낭패였다. 이후 서태후는 자신의 생일에 어떠한 축하연과 선물도 허용치 않겠다고 선언했다. 중요한 생일인 칠순 생일 때도 예외를 두지 않아서 고희古稀가 되어 송수頌壽의 찬사를 받으라는 요청이 온 나라에 울려 퍼졌으나 그녀는 단호했다.

1894년 11월, 서태후는 제한적인 정보 접근 때문에 오판했던 것을 자책했다. 그녀는 황제가 올라온 보고서를 태후와 공유하지 않는 현 상황을 바꾸기 위해 움직였다. 광서제가 정보 공유를 거부하는 것은 그와 밀접한 측근들의 조언에 기반을 둔 것이었다. 이런 조언은 또한 황제가 가장 아끼는 후궁인 진비를 통해 황제에게 들어가는 것이므로 서태후는 진비를 먼저 공격 대상으로 삼았다.

진비는 내명부의 일원이었고 공식적으로 서태후의 관리를 받는 입장이었다. 그녀는 진비에 대해 어떤 악감정도 보인 적이 없었다. 사실 서태후는 진비에게 잘해주려고 했고, 종종 언니인 근비와 함께 이화원으로 불러 머무르게 했다. 진비가 그림을 배우고 싶다는 소망을 피력하자 서태후는 자신의 그림 선생인 묘 부인에게 배워도 좋다고 허락하기도 했다. 또 1894년 초 자신의 육순 생일을 기념하는 포상이 있었을 때 서태후는 진비의 품계를 한 단계 올려주기도 했다. 이제 18세가 된 진비는 돈을 갈망했다. 잘 대우받기 위해 황제의 첩들은 환관들에게 상당한 사례를 했는데 진비는 그중에서도 행하가 아주 후했다. 그런 돈을 염출하기 위해 진비는 많은 돈을 낸 이들에게 관직을 팔기도 했다. 그런 관직 중에 상해 지사가 있었는데 진비는 황제에게 노씨魯氏라는 자에게 그 자리를 주라고 간청했다. 광서제는 진비가 지명한 사람이라는 얘기는 군기대신들에게 일절 하지 않고 군기처에 노씨를 상해 지사로 임명하라고 명했다. 군기대신들은 그가 듣도 보도 못하던 자이기에 황제의 지명에 의문을 표했다. 황제는 할 수 없이 노씨를 이부吏部의 평가를 받게 했다. 노씨는 결국 상해 지사를 할 만한 자격이 없음이 판명 나면서 예비 명부에 들어가 그보다 훨씬 못한 관직이 공석이 될 때까지 기다리는 조치를 받았다. 이부에서는 노씨가 문맹이었다는 말이 흘러나왔고, 그가 진비에게 엄청난 돈을 뇌물로 주었다는 소리가 돌았다. 이 외에도 다른 유사한 경우가 있었다.

후궁이 황제와의 관계를 이용해 매관매직을 하는 것은 청나라 궁정에서는 사형에 처할 정도로 중죄였다. 이런 추문이 드러나면 황제는 웃음거리가 될 것이고, 멍청하고 우둔한 암군暗君으로 매도될 터였다. 서태후는 진비의 비행과 광서제의 개입에 관해 알고 있었다. 그녀는 이를 이용해 황제에게 자신의 요구를 관철시키기로 결심했다. 서태후는 진비와 그녀를 시중드는 환관들에게서 자백을 받아냈다. 환관들은 길고 평평한 대나무 곤장으로 엉덩이를 맞았다. 진비는 환관들의 살이 찢어지는 것을 보았고, 그들이 비명을 지르며 울부짖다 결국은 흐느끼는 소리를 들었다. 진비 역시 뺨을 맞기도 했다. 엄청난 고통과 모욕감 그리고 두려움으로 진비는 무너졌다. 어의는 진비가 '의식을 잃고 이를 꽉 다문 채 경련을 일으키며 부들부들 떠는 것을' 목격했다. 진비의 코와 입에서 피가 흘렀다. 그녀는 이후 보름 동안 의식이 들어왔다 나갔다 하는 상태를 반복했다.

몇 년 전, 진비가 황제의 후궁으로 간택되었을 때 진비의 어머니는 딸에게 닥칠 불운을 감지했다. 진비의 어머니를 진찰했던 미국인 의사 헤들랜드 여사는 그 어머니에 대해 이렇게 회상했다.

> 그녀는 불안과 불면으로 신경쇠약을 앓고 있었다. 진찰을 하며 나는 그녀의 두 딸이 광서제의 후궁이 되어 황궁에 들어갔다는 사실을 알게 되었다. 그녀는 내 손을 이끌어 돌침대로 데려가 나와 나란히 앉았다. 그리곤 어떻게 하루아침에 자신의 두 딸 모두를 빼앗겼는지 애처롭게 말했다. "하지만 따님들은 황궁으로 불려간 거라면서요, 부인." 나는 위로를 하고자 이렇게 설득했다. "거기다 황제께선 특히 큰따님을 굉장히 아끼신다고 하던데요(장녀는 근비이고 차녀가 두 살 아래인 진비인데 광서제가 총애한 후궁은 진비이므로 이 부분은 잘못된 것이다.—옮긴이)." "맞아요." 그녀가 대답했다. "근데 말씀하신 것으로 제가 어떻게 위안을 받을 수 있죠? 저는 황궁 안에서 벌어지는 음모가 두려워요. 그 애들은 정말 애들이라고요. 황궁 생활의 이중성을 이해할 수 없을 거예요. 전 그 애들이 걱정돼요. 정말로요." 돌침대에 앉은 그녀는 불안한 듯 몸을 이리저리 흔들었다.

진비의 자백을 받은 서태후는 황제에게 자신의 '거래'를 받아들이라고 강요했다. 그녀는 광서제에게 이 추문에 개입한 사실을 덮어줄 테니 그 대가로 전쟁 보고를 전부 받을 수 있게 해달라고 요구했다. 11월 26일, 황제가 참석하지 않은 군기처에서 서태후는 진비의 비행을 밝혔다. 이어 그녀는 내명부를 관장하는 자신의 권한으로 비행을 저지른 진비와 그녀의 언니 근비의 품계를 강등한다는 포고를 내렸다. 서태후는 그 포고에서 황제를 완전무결한 군주로 그려냈다. 포고의 내용은 황제의 두 후궁이 '황제에게 간청하여' 그들이 추천한 사람들에게 관직을 주고자 했지만 '이런 행동에 심히 곤란해진' 황제는 이 문제를 황태후에게 가져와 두 후궁을 질책해달라고 요구했다는 것이었다. 포고를 내린 다음 날 옹동화는 광서제를 만났는데, 황제는 자신이 그 문제와는 아무 관련이 없다는 듯 차분히 그것을 거론했다. 옹동화를 만났던 날, 즉 27일에 황제는 자신에게 올라오는 보고를 모두 원본으로 황태후에게 보이라는 명령을 내렸다. 이날부터 서태후는 전쟁에 관한 정보를 완전하게 알 수 있었다.

그러는 동안 이 추문의 심각성을 상기시키기 위해 크게 질책하는 내용의 서한이 액자에 담겨 진비의 처소에 걸리게 되었다. 이 일에 개입된 진비를 시중들던 환관의 우두머리는 사형에 처해졌다. 서태후는 공개 처형을 하려 했으나 옹동화가 황제의 위엄에 손상이 가면 안 된다고 만류하여 자금성 안에서 은밀하게 처리했다. 형부의 형장에서 환관은 곤장에 맞아 죽었다.

서태후는 이제 정책 결정 과정에서 자신을 배제하도록 황제에게 조언을 한 측근들을 제거하려 했다. 그녀는 특히나 진비의 사촌 지예를 황제에게서 가장 떼어놓고 싶어 했다. 그는 단지 방어전을 펼친다는 이유만으로 황제에게 정여창을 투옥하고 사형해야 한다고 주장했으며, 만주를 방위하는 군대의 봉급을 80퍼센트 깎아 재정을 절약해야 한다고 조언하기도 했다. 왜 이자는 조선과의 경계인 만주의 군대를 지목해 봉급을 깎아 모자란 재정을 충당해야 한다고 했을까? 그것도 일본이 문간까지 진군한 때에? 이렇게 생각한 서태후는 지예의 조언이 청에는 독이 되고 일본엔 득이 됐다는 생각을 하지 않을 수 없었다. 아주 의심스럽다고 생각한 그녀는 지예에게 제국의 최북단에 있는 자리로 발령을 내어 황궁에서 멀리 떨어지게 했다.

서태후는 또한 진비 가문과 친분이 있던 문정식文廷式의 영향을 없애려고 했다. 문정식은 황제에게 글을 올려 황태후를 정치에서 완전 배제해야 한다고 진언했다. 그는 이어 '아침에 암탉이 울면 일진이 나쁘다'는 격언도 있는데 여자와 국가 대사를 의논하는 것은 얼토당토않은 일이라고 주장하기도 했다. 이에 더해 문정식은 어사 안유준安維峻을 시켜 황제에게 상소를 올려 황태후가 총관 태감 이연영의 꼭두각시라고 주장하면서 그런 그녀가 국정에 간섭하는 것은 천부당만부당한 일이라고 비난했다. 서태후는 이런 주장에 이성을 잃을 정도로 격분했다. 하지만 일부 고관들마저 이런 주장을 믿는 경향이 있었다. 한 고관은 서태후를 만나 우려를 표명하기까지 했다. 이에 크게 분노한 그녀는 그 고관의 말을 가로막고 그 주장은 새빨간 거짓이니 "안심해도 된다."고 말했다. 게다가 황태후가 적국의 비위를 맞추는 양보만 하고 있으며 '일본과 싸우지 말라고 황제에게 압력을 넣고 있다'는 풍문이 나돌기 시작했다. 이에 서태후는 "그냥 놔둔다면 사관史官들이 그런 식으로 글을 적겠지요. 그러면 내가 어떻게 이 나라의 백성과 열성조를 대한단 말입니까? 후대가 나를 어찌 생각하겠습니까?"라고 소리치며 대책을 요구했다. 광서제는 중상모략한 안유준을 처벌하지 않을 수 없게 되어 그를 몇 년간 변경으로 유배를 보냈다. 황태후를 비판했다는 이유로 그와 같은 가혹한 처벌을 받은 것은 황태후가 통치하는 동안 전례가 없던 일이라서 황궁은 이로 인해 떠들썩하게 되었다. 황궁의 많은 이들이 상소의 내용을 믿었고 (실패에 관해 여성을 희생양으로 삼는 것은 예나 지금이나 손쉬운 일이다), 쫓겨난 안유준을 영웅으로 치켜세웠다. 안유준에 대한 동정은 대부분 문정식에 의해 조장되었는데, 그는 광서제와 밀접하게 지내며 신임을 받고 있었다. 문정식은 몇만 테일을 모아 안유준이 유배를 갈 때 격려금조로 주기도 했다. 이런 일이 있었지만 서태후가 그를 대하는 모습은 절제된 것이었다. 서태후는 전쟁 중엔 문정식을 내버려두다 전쟁이 끝나자 황제에게 압력을 넣어 그를 황궁과 북경에서 내쫓았다. "황태후가 참견하게 해서는 안 됩니다." 같은 말을 황제에게 소곤거리던 다른 측근 두 명도 전쟁이 끝난 뒤 '황태후와 황제를 반목하게 하려 했다'는 죄목으로 관직을 박탈당했다.

그다음에 서태후가 시도한 중요한 일은 황제의 서재를 없애는 것이었다. 그곳은 황제와 가까운 이들이 와서 자유롭게 이야기를 나누던 곳이었으며, 재앙과도 같은 전쟁 와중에 황제가 중국 고전과 만주어, 심지어 영어까지 공부하던 장소였다. 서태후는 황실의 어른으로서 황제의 교육에도 전반적인 책임을 지고 있었기에 서재를 폐쇄할 권리가 있었다. 서재를 폐쇄하면 또한 광서제와 옹동화가 마주 앉아 전략을 짜는 것도 막을 수 있었다. 서태후는 전략은 자신이 임석한 군기처에서 만들어지길 바랐다. 따라서 그녀는 옹동화를 군기대신으로 임명해 공식적으로 국정을 논의하게 함으로써 황제에게 사적으로 조언하는 행태를 사전에 차단했다.

하지만 서태후의 서재를 폐쇄하고자 하는 움직임은 성공하지 못했다. 광서제는 사적인 공간을 잃는 것에 크게 역정을 내며 군기처에 배석한 공친왕에게 중재해줄 것을 요구했다. 옹동화 역시 울분을 참지 못했다. 이에 서태후는 언어 공부는 그만둬야겠지만, 고전 강독은 계속해도 좋다는 말을 전했다. 그녀는 옹동화야말로 '충성스럽고 믿음직한' 신하이며, 황제의 서재를 폐쇄하려고 한 것은 그가 아닌 지예 같은 자들을 겨냥한 것이었다며 그를 안심시켰다. 서태후는 또한 자신의 명령이 '너무 퉁명스러웠다'는 말을 전하며 사과하기도 했다.

이런 엄청난 노력의 결과로 서태후는 정책 수립 과정에 끼어들 수 있게 되었다. 이때는 1894년 말이었고, 전쟁이 시작된 지 몇 달이 지난 뒤였으며 청의 패전 운명이 이미 명확해진 때였다. (2권에 계속)

서태후
현대 중국의 기초를 만든 통치자 1

1판 1쇄 2015년 7월 27일

지은이 | 장융
옮긴이 | 이종인

편집 | 천현주, 박진경
마케팅 | 김연일, 이혜지, 노효선

디자인 | 석운디자인
본문 조판 | 글빛
종이 | 세종페이퍼

펴낸곳 | (주)도서출판 **책과함께**
주소 (121-896) 서울시 마포구 월드컵로 50 덕화빌딩 5층
전화 (02) 335-1982~3
팩스 (02) 335-1316
전자우편 prpub@hanmail.net
블로그 blog.naver.com/prpub
등록 2003년 4월 3일 제25100-2003-392호

ISBN 979-11-86293-24-9 (04910)
979-11-86293-23-2 (04910) (세트)

이 도서의 국립중앙도서관 출판시도서목록(CIP)은
서지정보유통지원시스템 홈페이지(http://seoji.nl.go.kr)와
국가자료공동목록시스템(http://www.nl.go.kr/kolisnet)에서 이용하실 수 있습니다.
(CIP제어번호 : CIP2015017981)